Андрей Геласимов

■

РАХИЛЬ

Роман с клеймами

Москва
«ЯУЗА»
«ЭКСМО»
2004

ББК 84.4
Г 31

Оформление художника *С. Груздева*

Геласимов А.

Г 31   Рахиль: Роман. — М.: ЯУЗА, Эксмо, 2004. —
320 с.

ISBN 5-699-07721-9

Юность героя нового романа «Рахиль» Андрея Геласимо-
ва пришлась на стильные шестидесятые. Буги-вуги, твист,
стиляги, первая любовь — все это обрушилось на него как
ураган и навсегда изменило его жизнь, перемешав в ней радости и разочарования, верность и измены тех, кого он любил больше всего на свете. События романа разворачивают-
ся вплоть до начала девяностых годов, переплетая жизнь героя с драматичной историей нашей страны.

ББК 84.4

ISBN 5-699-07721-9

ДИНА

Он говорит: интересно, где ты это взяла? А я говорю: интерес, интерес, выходи на букву эс. И столкнула Люсю с дивана. Потому что профессор на кровати тогда спать уже не ложился. Думал, что Люся будет продолжать ему туда гадить. Но она ведь тоже не дура. Поняла, что к чему, и начала присматриваться к его дивану.

Поэтому я говорю: смотрите, какая клееночка. И совсем не похожа на детскую. Те ведь такие коричневые. Никто не подумает, что это вы писаетесь. Он смотрит на меня из своего кресла и говорит: кто не подумает? Ко мне не приходит никто. Я говорю: ну, не знаю. Вы же сами стеснялись детской клеенкой застилать. Он говорит: я не из-за этого стеснялся. Подай мне, пожалуйста, валидол.

И замолчал со своей таблеткой.

А я пошуршала клеенкой и пошла на кухню Люсю кормить. Только Люся еще не знала, что у меня нового для нее ничего нет. И стукалась об мои ноги, как будто у меня было. Лоб твердый, как бильярдный шар.

Я однажды оперлась на стол, а Володька в этот момент ударил. И шар прямо мне в косточку. Вся рука потом так опухла. А Володька говорит: извини, извини. Я думаю: ага, извини. Тебя бы так кто-нибудь. У самого ручища как танковый ствол. Какой там бильярдный — можно для кегельбана шаром колотить. Все равно ничего не будет. Как схватит. У профессора совсем не такие руки. Интересно, в кого это Володька пошел?

Я открыла холодильник и говорю: ехала машина темным лесом за каким-то интересом. Инти, инти, инти, рес, выходи на букву эс. А Люся меня послушала и догадалась, что ей ничего не светит. Хотя я совсем не для нее эту песенку говорила. Просто на ум пришло. Но Люся — умная кошка и умеет понимать голоса. И в моем голосе, видимо, было, что ничего для тебя, Люся, у нас нету. То есть у меня. Чем бы тебя, тварь этакую, покормить?

Потому что у профессора для Люси давно уже ничего не было. Если бы он мог, он бы ее вообще сбросил с балкона. Но он не мог. Потому что профессора кошек с балконов не бросают. У них другие занятия. К тому же Люся все равно бы вернулась. Если кошка начала гадить кому-то на постель, она просто так не успокоится.

Это еще мама сказала, когда отец стал совсем сильно пить.

Может, она и сейчас так говорит, но мне уже неинтересно. Я теперь в профессорской семье. Правда, самого профессора в этой семье что-то не видно. Тут у всех в голове тоже свои тараканы.

А эта умная Люся разворачивается и с презрительной улыбкой уходит из кухни. Такая оскорбленная Принцесса Лебедь. Как в мультике. Или в балете. Я уже не помню. В общем, такая Майя Плисецкая. Но я же не виновата. Я специально ради нее заскочила в универсам, а там оказался этот мальчик.

Просто у меня правило — за один раз только один предмет. Будь там хоть миллион всего в ассортименте. Пусть даже самое-самое. Пусть даже английское печенье. С кусочками шоколада и облепленное орехами. И такое мягкое, что почти не хрустит. Хотя врач сказала — жидкости надо поменьше. Не больше одного литра в день, а то ноги уже отекают. А с этим печеньем столько всего на-

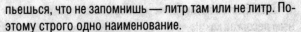

пьешься, что не запомнишь — литр там или не литр. Поэтому строго одно наименование.

Ну и не только поэтому.

А тут этот мальчик. Года четыре на вид. И такой весь батон. В четыре года дети — очень батоны. Стоит там у себя внизу на своих маленьких ногах и шепчет что-то маме, у которой в корзинке маргарин «Рама» и хлеб. На цыпочки поднимается. И вид у него заранее виноватый, как будто он вот уже знает, что ему откажут, но удержаться и не попросить тоже нет сил. Потому что ему всего лишь четыре года, и он весь такой вот батон, и, значит, у него еще имеется его волшебное право попросить даже тогда, когда совсем нельзя. Которое потом кончится. Стоит только чуть-чуть подрасти. И деньги у родителей вроде бы уже появились.

Я посмотрела на них немного и думаю — ну, покажи мне, чего ты хочешь. Сегодня я твоя фея. Люся «Вискас» и так жрет почти каждый день.

Но он, блин, совсем маленький и показывает как-то непонятно. Я смотрю осторожно в ту сторону и не очень-то понимаю — то ли малиновый джем, то ли компот из вишен. Вижу только, что мамаша с маргарином головой ему уже дала от винта. Я про себя говорю: не вешай нос, челдобречик, покажи мне еще раз. И он поднимает руку.

Но все равно непонятно.

Они ушли к кассе, а я стою у этой полки и думаю: компот или джем?

Я лично за вишенки. Мама только по большим праздникам покупала, и можно было косточками плевать с балкона во всяких лысых людей.

Компот или джем?

С другой стороны, джем можно намазывать на булку,

и поэтому его хватит на несколько дней. А вишни улетят за десять минут. Ну, плюс еще полчаса с косточками на балконе.

Блин, если бы не мое правило!

Одного еврея спросили: вам бутерброд с маслом или с мясом? Он отвечает — с мясом. Такая умница.

Наш профессор тоже еврей. Но совсем не умный. То есть как профессор, наверное, умный, а как еврей не очень. Живет никому не нужен, и в квартире у него — шаром покати. Нарочно сам все так сделал. Мог бы совсем по-другому жить.

Короче, если бы не мое правило, я бы и Люсю, наверное, не обидела.

Компот или джем, на фиг?!!

Я поворачиваю голову и смотрю — есть ли камеры. Вроде нету. Тогда я начинаю считать их пальцем. Эти банки. Мне так удобнее. Когда в детстве для пряток считались, обязательно тыкали пальцем в грудь. И я считаю: ручки, ножки, агу, речик, воты, вышел, челдо, бречик.

Получился малиновый джем.

Я обернулась еще раз и взяла вишни. Мало ли что эти дурацкие считалки могут сказать.

На кассе никто ничего не заметил, и я выскочила на улицу. Эти двое уже шли к остановке.

Смотри сюда — я этому батону говорю, пока его мамочка отвлеклась на какие-то объявления. Квартиру, наверное, хотела снять. Видишь?

Он посмотрел на банку и улыбнулся. Я думаю — значит, все-таки вишни.

Я говорю: бери. Он берет и тихим голосом говорит: спасибо.

И потом через десять секунд она мне кричит в спину: девушка! А я думаю: нормально придумала. Где ты видела девушек на восьмом месяце? Я — фея.

Но зато Люсю теперь кормить было нечем. Хорошо хоть забежала в универмаг и взяла у них там клеенку. Большая, правда, оказалась, зараза. Пришлось тащить ее из кухонного отдела в примерочную. Еле-еле пальто застегнула, хоть оно и на два размера больше. Но Люсю можно уже не бояться. Помыл клееночку — и заново постелил. Только сидеть на диване будет немного странно. Как на столе. Она ведь в цветах. И попе, наверное, скользко.

У нас в школе англичанка любила так наряжаться. Тоже вся разноцветная. Отец ее как увидел, запел «Яблони в цвету» композитора Мартынова. Прямо в школьном коридоре. Он ведь не знал, что будет родительское собрание, и успел после работы клюкнуть. Но мама сказала, что он совсем не занимается моим воспитанием, и поэтому ей пришлось потом бить его по затылку газетой. Чтобы он перестал петь.

Англичанка по кличке Тугеза разучивала с нами замечательные стихи:

«Маза, фаза, систе, браза, хэнд ин хэнд виз ван эназа».

А потом стояла грустная у окна и куда-то смотрела, пока мы бесились как черти. Ощущение было, что звонка она ждет гораздо сильнее, чем мы.

Потому что мы-то его вообще не ждали. Нам и так было нормально. Однажды на шум влетел директор школы. Орал на Тугезу прямо при нас.

И тут профессор тоже вдруг начинает кричать из своей комнаты: Дина! И потом еще раз: Дина! Как будто пожар. Или как будто Дина значит — боже мой, как я устал от этой жизни. Я захожу к нему и говорю: ну а зачем вы клеенку-то, блин, убрали? Я ее специально ведь для этого принесла. А он говорит: совсем обнаглела. Я гово-

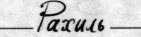

рю: я, что ли? Он говорит: Люся. Прямо у меня на глазах запрыгнула на диван.

Я пошла в ванную за тряпкой и думаю: это она из-за меня. Отомстила за то, что я «Вискас» не принесла. А профессор идет за мной и говорит: ты знаешь, зачем человек воспитывает в себе хороший вкус? Я говорю: не знаю. Подвиньтесь, пожалуйста, мне надо пройти. А он говорит: затем, чтобы постоянно страдать от окружающей его вульгарности. Я говорю: надо же как интересно. А он продолжает: мазохизм — это совсем не то, что придумал забавный господин Мазох. Австрийский затейник со своими шлепками по заднице просто дурачился, вспоминая веселые киндергартеновские времена. Настоящая суровая ненависть к самому себе господину Захеру даже не снилась. Сидел и сочинял непонятных теток, которым нужно неизвестно что.

Я говорю: кто сочинял?

Профессор смотрит на меня, а потом поднимает указательный палец и говорит: подлинный самоненавистник воспитывает в себе хороший вкус. Он понимает, как сделать себя уязвимым.

И тогда я говорю: вы специально, что ли, клеенку с дивана убрали?

Я всегда подозревала, что у него не все дома.

Вера говорит, он когда-то работал в психушке. То ли санитаром, то ли еще неизвестно кем. Врет, может, конечно. Ей обидно, что он ее бросил после двадцати где-то совместных лет. Но зато у нее остался Володька. И теперь я. Хотя насчет меня еще не факт — большое ли это для нее утешение. Для меня было бы небольшое. Интересно, передается ли это по наследству? Я имею в виду — уходить от жены после двадцати лет. Потому что я тогда этого Володьку лучше прямо сейчас убью. Зарежу ночью в постели. Утром он просыпается, смотрит, а сам уже мертвый. Ужасно смешно.

Профессор говорит: не нужна мне, Дина, твоя клеенка. Я хочу, чтобы Люся перестала ходить мне на постель. Я ему отвечаю: она куда хочет, туда и ходит, а клеенку вы убрали совершенно напрасно. Мне ее не так легко было из магазина забрать. А он говорит: и ты к тому же воруешь.

Конечно, ворую. Что мне еще делать?

Но я говорю: да перестаньте. Он говорит: уже перестал. А по глазам видно, что перестать он не может. Его доканывает быть родственником воровки. Он же, типа, профессор.

Я говорю: вы вот профессор, а не понимаете сложностей переходного этапа. Он говорит: ты о чем? Я говорю: вы когда Белый дом защищать к этому Ростроповичу с автоматом ходили, разве не понимали, что вам потом все равно зарплату по полгода не будут платить? Ростроповичу будут, а вам нет. Он смотрит на меня и говорит: не было у меня автомата. Я говорю: да не у вас, а у Ростроповича. Я по телевизору видела. Что вы к словам цепляетесь? Он говорит: странная ты какая-то. При чем здесь это? Я говорю: а при том. Просто надо уметь выкручиваться. Ростроповичу уже, например, не надо. Вот он с автоматом и ходит. А вам лучше бы научиться. Он говорит: я профессор литературы, и у меня очень больное сердце. Я говорю: да знаю я все про ваше сердце.

Как в песне Леонида Утесова, которая поется козлиным голосом:

«Спасибо, сердце, что ты умеешь так любить».

Директор школы, когда из семьи ушел и на Тугезе женился, тоже, наверное, таким голосом разговаривал.

После пятидесяти мужикам надо делать чик-чик. Яйкам в штанишках становится туговато. Но они, гады, при этом говорят: «Спасибо, сердце». Видимо, в школе плохо учились. Не просекли по анатомии — что у них где.

А так были бы как коты после операции. Огромные, теплые и пушистые. И что с того, что не очень игривые?

Жрут, правда, много.

Я смотрю на профессора и говорю: не знаю, чем теперь Люсю кормить. Он отвечает: мне все равно. Можешь выбросить ее с балкона. Я говорю: нет, это вы сами. Кошка ваша, и гадит она не мне, а вам на постель. Профессор помолчал немного и потом говорит: мне сказали, что это очень плохая примета. Я говорю: ну да. Ничего хорошего. Только вы ведь профессор. Не будете же вы верить в приметы.

А он говорит: да-да, конечно. Но голос у него какой-то задумчивый. Не совсем такой, как у тех, кто в приметы не верит. Те на любой вопрос отвечают по-пионерски.

Оптимисты долбаные.

Я, кстати, и сама еще успела пионеркой побыть. Пока Горбачев всю эту советскую лавочку не прикрыл. Меня как раз Тугеза в них принимала. Уставилась на своего директора и галстук этот мне на шее так затянула, что я начала кашлять. Любовь, блин.

Только я-то здесь при чем?

Профессорскую «тугезу» звали Наташа. Она у него студенткой была. Пионерский галстук на шее никому не затягивала, но за профессора взялась так, что у него все болты в голове с резьбы послетали.

Взвились кострами темные ночи.

А когда он ей надоел, она к какому-то кагэбэшнику от него ушла. Кажется, тоже старпер. Все «тугезы» заточены под старперов. Им с ними прикольно. Типа, такие папашки.

А у профессора теперь клин. То он от любви страдает, как Тристан и Изольда, то боится, что скоро умрет. Вера взяла и помыла полы после него, как после покойника. А он, хоть и говорит, что не суеверный, когда узнал об этом, начал за сердце хвататься. Где, говорит, мой валидол? Разве, говорит, можно так с живыми людьми обходиться?

Конечно, можно. Странный какой.

Да тут еще Люся. То есть примета на примету.

В общем, я смотрю на него и говорю: вы мне что-то сказать хотите? Потому что он губами шевелит, а звуков я никаких не слышу. Как будто оглохла или как будто немое кино. Только себя-то я слышу нормально. Не в голове же у меня мой голос звучит. И поэтому я опять говорю: не слышно. Что вы хотите? Может, у вас голос пропал? А он начинает шарить вокруг себя руками. Везде, куда дотягивается со своего кресла. Ищет что-то, наверное. Я говорю: вам подать что-нибудь? Вы скажите. Чего молчать-то? Я принесу. А он рот открывает и — полная тишина. Фильм ужасов, блин, какой-то. И потом у него глаза начинают закатываться. Я смотрю на него и думаю: сбылась, на фиг, примета. То есть сразу две.

Видимо, не надо было к нему заходить. Нашли бы его завтра, и всем было бы проще.

Хотя кто бы его нашел, кроме меня?

Алё, говорю в трубку, «Скорая»? Вы приезжайте скорей. А то у меня тут человек умирает. Я лично понятия не имею, что с ним делать, если он сейчас ласты загнет.

А на следующий день — вся эта кутерьма с книгами. Выбрать ведь практически невозможно. Интересно, для кого их столько печатают? Даже профессор, наверное, так много не прочитал. В общем, то в медицинский отдел зайду, то в «Живую природу». И продавщицы все такие ухоженные.

Про кошек очень интересные книжки. С иллюстрациями. Еле оторвалась — штук десять, наверное, пролистала. Но сильно большие. По медицине томики выносить гораздо удобнее. Вернее, один томик. Потому что два сразу я ни за что в жизни не буду брать. Сама решила, что это плохая примета. Профессор чуть не умер однажды, когда увидел, как я маслины беру. Банки три, кажется, или четыре.

А раз решила, то вот и верю теперь.

Обязательно надо во что-то верить. Профессор говорит, что хочет поверить в Яхве. Полдня мне однажды вкручивал на тему своей персональной избранности. А я ему говорю: вы же только наполовину еврей и не обрезаны, наверное, даже. Он говорит: ну и что? Все равно я в рай попаду. За меня другие евреи молятся. Я ему говорю: ну давайте.

А теперь хожу из отдела в отдел и никак не могу решиться — что брать. То ли про кошек, то ли про болезни сердца. Да тут еще на весь магазин из динамиков рассказывают про известную во всем мире группу «Битлз». Таким вкрадчивым голосом.

Володьке лучше даже не знать. С ума сойдет, когда про эту книгу услышит. Дома на каждой стене — по Джону Леннону. Все большие, и все в очках.

В общем, я стою с книжкой про гепардов и слушаю песню.

А они поют: *«Конь тугеза. Райт нау. Оувами».*

То есть клевая песня. Но непонятная. Я думаю: надо профессора про нее спросить. Он «Гамлета» читает в оригинале.

Но профессор отвечать на мои вопросы не захотел. Ему было интересно, зачем я принесла эту книгу.

Я говорю: как зачем? Нам же надо повадки их изучать. Как у них там чего и так далее. Чтобы Люсю отучить вам на постель гадить. А иначе мы ни фига не узнаем. И она будет продолжать делать свои дела. Вы разве сами меня об этом вчера не просили? Он говорит: книги из магазинов воровать не просил. Я говорю: ну ладно, давайте, давайте. Я, между прочим, могла у них взять для Володьки книжку про «Битлз». Она, кстати, и размером удобнее.

Он смотрит на меня и говорит: но это же книга про больших кошек. Тут только ягуары какие-то и леопарды.

А я говорю: ну и что? Вот вы интересный какой. Вам ведь вчера уколы тоже не кардиолог ставил. А просто врач «Скорой помощи». И что-то вы не стали его прогонять. Врач — он и есть врач. С кошками та же история. А то размеры вдруг его не устраивают. И вообще, хватит уже привередничать. Я у своей врачихи в женской консультации узнавала насчет сердечников. Она говорит: все вы капризные. Без исключения. Так что давайте лучше читать и искать полезную информацию.

И полезная информация пошла валом. Как на картине Айвазовского.

Выяснилось, что большинство кошек не любят воду. Значит, Люсю можно было либо: а) утопить, либо: б) сильно напугать, залив постель профессора водой из крана. Во-вторых, кисточки на ушах рыси служат не украшением, а антенной, и, если их обрезать, у нее сразу притупляется слух. То есть Люся с обстриженной на ушах шерстью, скорее всего, не услышит, встал профессор с дивана или он еще там лежит. И готов ее схватить, если что. Далее: каракал, живущий в Индии, а также в Иране, прыгает в середину голубиной стаи, которая кормится на земле, и начинает размахивать передними лапами, сбивая уже летящих птиц. Как боксер. Следовательно, мы можем развесить по комнате на веревочках такие пушистые детские игрушки, и Люся будет отвлекаться на них, думая, что она каракал и что настало время охотиться, а не гадить.

Этот способ, кстати, мне нравился больше всего. Я представила себе скачущую на задних ногах Люсю и вспомнила, как отец однажды выпил с большого похмелья из водочной бутылки скипидар. Мама его туда налила, чтобы разводить краску. Отец, конечно, его не выпил, а почти сразу весь выплюнул, но попрыгать и потрясти руками на кухне успел. Я потом видела по телевизору, как танцуют ирландцы. Очень похоже. У них, видимо, все спиртное как скипидар. Потому что от хорошей жизни так не запляшешь.

А еще у Володьки есть друг, который служил на флоте, и он рассказывал, что они так спасались от крыс. Подвешивали на веревке буханку черного хлеба и спокойно спали всю ночь, пока крысы старались до нее допрыгнуть. Иначе, он говорил, запросто могли ухо отгрызть. Или нос.

Так что этот способ мне лично показался вполне прикольным. К тому же Люся позанималась бы физкультурой. А то сидит дома почти без движения. Только на диван да с дивана.

Но профессор сказал, что я дура и что вся эта книжка ему не подходит. А я ему ответила, что дом закрывается, ключ у меня, кто обзывается — сам на себя. И книжка ему подходит самым клевым на свете образом.

Вот смотрите, ему говорю. Страница семьдесят пять. Состарившихся и больных львов прайд не защищает, а, наоборот, изгоняет. Одряхлевший лев, тощий и слабый, часто становится добычей гиен. Чувствуете, говорю, —

тощий и слабый? Никого не напоминает? Смотрим, что дальше. Таков бесславный конец владыки зверей.

Он уставился на меня и говорит: ну и что?

Я говорю: как что? Бесславный конец владыки зверей.

Он говорит: ерунда. Все умирают.

А я говорю: но не всех изгоняет собственный прайд. Люся ходит вам на постель, потому что она вас изгоняет. Теперь это ее территория.

Он помолчал, а потом говорит: вот уж фигушки. Дай-ка мне сюда эту книгу.

И я дала.

Мы сидели молча минут десять. Он читал про своих львов, а я сталкивала Люсю с дивана.

Потому что у нее стал вдруг очень задумчивый вид.

В конце концов он говорит: действительно, все на свете проходит. Даже жизнь льва.

Я говорю: а вы как хотели? Бесконечный праздник в джунглях?

Он говорит: львы в джунглях не живут.

Я говорю: а где они живут?

Он помолчал и потом отвечает: в зоопарке на Баррикадной.

А я говорю: ну да, только их там никогда не видно. Прячутся в своих норках. Им, наверное, неохота, чтобы на них смотрели.

Он еще помолчал, вздохнул и говорит — никому неохота.

А я думаю: ну, не знаю. Мне, например, нравится, когда на меня смотрят. Не в магазине, конечно. Где-нибудь в метро. Правда, из-за живота давно уже никто не оборачивается. Как отрезало.

Зато и на кассе не обращают внимания.

А профессор тем временем совсем загрустил. Сидит,

мою книжку листает. Я думаю: ну да, все понятно. Листики, листочки, где вы, блин, те ночки. Интересно, когда он остановится? Потому что он ведь даже и не смотрел на все эти картинки, от которых я в книжном не могла оторваться. Просто перелистывал их одну за другой, как плохой Терминатор из второй части листает телефонный справочник. «Тугезу», наверное, свою вспоминал. Львиную охоту.

Я говорю: что-то вы загрустили. Принести валидол?

Он говорит: нет, не надо. Ты летку-еньку танцевать умеешь?

Я говорю: а что это?

Он отвечает: танец такой. Вот так все встают паровозиком и начинают ногами то в одну, то в другую сторону. И потом прыгают.

Я говорю: прикольно. А тесно друг к другу встают?

Он говорит: практически прижимаются.

Я говорю: нет, я такой танец танцевать не умею. Тем более с животом. А вы это, вообще, к чему?

Он опять помолчал и говорит: я так с Володькиной мамой познакомился. Летку-еньку танцевал в Академии имени Жуковского. То есть не совсем летку-еньку, а вальс «На сопках Маньчжурии», но стояли вот так. Она впереди, а я сзади.

Я говорю — почему?

Он пожал плечами и говорит: в молодости с человеком происходит много странных вещей. С тобой происходят странные вещи?

Я говорю: о, до фига и больше.

Он говорит: вот видишь.

Мы посидели, и он опять загрустил.

Я говорю: а вообще-то все эти воспоминания ни к чему. От них только голова начинает болеть. И надо пить таблетки.

Он посмотрел на меня и улыбнулся.

Я говорю: хотите, я вам тоже про танцы историю расскажу? И про воспоминания.

Он молчит.

Я говорю: так вот, у нас дискотеку в школе вел Вовка Шипоглаз. То есть у него, наверное, была какая-то другая фамилия, но он в детстве взрывал с другими пацанами карбид. Знаете, они его насыпают в бутылку, а потом наливают туда воды и трясут. Можно после этого бутылку куда-нибудь бросить, и она там взорвется. Но они эту бутылку никуда не бросали. То есть вначале бросали, а потом им надоело, и они стали бросать ее друг другу. Бросают и ждут, у кого она в руках взорвется. Им интересно. Или в воздухе — пока летит. Вот. И взорвалась она в руках у этого Вовки, которого зовут, как нашего с вами Володьку. То есть Володьку зовут Володькой, а Вовку-диджея с тех пор зовут Шипоглаз. Потому что, когда бутылка у него в руках разорвалась, ему немного карбида в лицо попало. И он у него на лице шипел. Прямо на левом веке. И все закричали: смотрите, у Вовки глаз шипит. А потом стали называть его Шипоглазом. Понимаете?

Профессор говорит: я понимаю, только воспоминания мои здесь при чем?

Я говорю: вы подождите. Куда торопитесь-то? Сейчас будет про воспоминания. Потому что этот Вовка, когда вырос и вел уже школьную дискотеку, любил переводить в микрофон иностранные песни. То есть он их, конечно, не переводил, а говорил в свой микрофон всякую чепуху, потому что сам ни слова ни по-английски, ни по какому другому не знал, но получалось всегда прикольно. И всем нравилось.

Профессор говорит: ну-ну.

Я говорю: да подождите вы со своим ну-ну. Больше

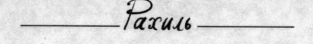

всего Шипоглаз любил переводить Джо Дассена. Знаете, был такой французский певец?

Он говорит: я знаю.

Я говорю: ну вот, а у этого Джо Дассена есть такая песня, где он вначале долго говорит по-французски про что-то грустное, а потом начинает петь.

Профессор говорит: я догадываюсь, о какой песне идет речь.

Я говорю: вот видите. А Шипоглаз громче самого Джо Дассена наговаривал в это время свои собственные слова, и у него получалось примерно так: вот опять мы с тобой в этом парке. Вокруг те же деревья. Те же качели раскачиваются на ветру. Те же аллеи. Те же дети бегают по опавшим листьям. Я помню, как из-под трамвая выкатилась голова, остановилась у твоих ног и сказала: вот и сходил за хлебом. А дальше Шипоглаз начинал петь вместе с Джо Дассеном — где же ты и где искать твои следы?..

Я все это дело пою, а профессор смотрит на меня, смотрит, а потом вдруг как засмеется.

Я говорю: вы чего?

Он говорит: сильный перевод. Практически наповал. И продолжает смеяться.

А я думаю: чего он так хохочет-то? Прихватит опять сердце, и будем, как вчера, «Скорую» вызывать. Может, не надо было ему про Джо Дассена рассказывать?

Он отсмеялся, а потом уставился на меня. Мне даже не по себе стало. Еще глаза такие навыкате. Пекинес, блин, а не профессор.

Я говорю: что?

Он смотрит.

Я говорю: зрение, что ли, решили проверить?

Он смотрит.

Я говорю: ладно, мне домой пора. А то Володька потеряет. Ругаться начнет.

И тогда он говорит: слушай, а зачем тебе это все?

Я встала и говорю: в смысле?

Он говорит: ну вот, ходишь сюда, еду носишь. Меня все ненавидят.

Я говорю: не все, а только ваши родные и самые близкие люди.

Он говорит: спасибо.

Я говорю: мне-то чего спасибо? Себе говорите. Но студенты ваши, например, вас не ненавидят. Им, скорее всего, на вас просто плевать. У них своих дел целая куча.

Он опять говорит: спасибо.

Я говорю: ну и чего вы заладили? Повторюша, дядя Хрюша.

Он говорит: смешно.

Но сам не улыбается. Думает о чем-то.

Наконец говорит: а тебе не наплевать?

Я говорю: мне нет.

Он говорит: почему?

Я подумала и говорю: потому что, если вы умрете, мне с Володькой будет уже не так прикольно.

Он говорит: поясни.

Я говорю: чего пояснять? Это он сейчас вас ненавидит, а умрете — начнет мучиться, как герой стихотворения Михаила Юрьевича Лермонтова «Мцыри». А мне скоро рожать. Врачиха сказала, что ребенку нельзя жить в тягостной атмосфере. Так что проще за вами ухаживать. К тому же вся катавасия с вашими похоронами свалится на меня. На кого еще? Вере Андреевне у нее в школе никто помогать не будет. В гороно даже на учебники денег давным-давно нет. Поэтому мне легче для вас колбаски в супермаркете наворовать, чем гроб в похоронном агентстве. Знаете, сколько теперь все это стоит? Венки-ленточки-цветочки.

Он смотрит на меня и молчит.

Я говорю: ну, я пошла.

Он говорит: до свидания.

Я говорю: и книжку я с собой заберу.

А в женской консультации на следующий день беременных было не протолкнуться. Праздник плодородия. Поэтому я заняла очередь и сразу пошла на второй этаж. Туда, где сидят кардиологи. Нашла кабинет, рядом с которым никого не было, залепила замочную скважину жевательной резинкой и стала ждать. Ни один врач не усидит в своем кабинете больше десяти минут, если к нему никто не заходит. Закон природы.

Моя просидела минут пять. Вышла такая, покрутила головой и стала ковырять ключом в двери. Без толку. Жвачка турецкая. Тягучая, как вареный гудрон. В детстве, когда его жевали, зубы иногда схватывало намертво.

Но обратно вернуться ей уже ни в какую. Засвербило. Обязательно надо куда-то идти. Я думаю: давай-давай. А я пока присмотрю за твоим кабинетом.

Она наклонилась раз шесть и зацокала по коридору. Шпильки после пятидесяти. Эта тетя если и работала тут специалистом по сердцу, то, скорее всего, по мужскому.

В кабинете у нее было прохладно. Я залезла на подоконник и закрыла форточку. Моя врачиха постоянно говорит: со сквозняками надо быть осторожнее. Достала даже немного.

Когда спускалась на пол, уронила фотографию на столе. Неудобно, блин, с таким пузом. Сначала думала — внуки, а когда подняла, оказалось — кошка. Вот вам здрасьте. На колу мочало, начинай сначала.

Что-то еще было в этой считалке, но я никак не могла вспомнить. Что-то до кола и мочала.

Неважно.

Я сдвинула стекло в книжном шкафу и стала перебирать книги. Хоть бы одно знакомое слово. Сами-то понимают, чего написали? Неужели не бывает простой книжки с объяснением, как откачать человека с сердечным приступом? На что ему там давить и куда дышать, в какое отверстие. На занятиях по медицине, кажется, объясняли, но кто будет слушать их лекции?

Так, а что это вы, интересно, тут делаете? — говорит вдруг сзади меня чей-то голос. Я оборачиваюсь, а там эти шпильки. Озабоченные. И голубая седина. Паричок, разумеется.

Вот так быстро вернулась.

Я говорю: как что? Книги смотрю.

Она уставилась на меня и говорит: какие книги?

Я говорю: вот эти. Мне нужно.

Она помолчала, а потом делает так немного странно рукой — а ну-ка, говорит, вон отсюда, как вы смеете?

Я говорю: да пожалуйста. Только не надо на меня тут орать. Я в положении.

И иду к двери. Но она стоит прямо у меня на дороге. Совсем обнаглели — мне говорит.

Я отвечаю: ой, ой, ой!

И не могу мимо нее пройти. Потому что она весь выход загородила. А я тоже большая теперь.

Извините, говорю, но из-за вас мне не выйти. У меня живот. А у вас дверь почему-то широко не открывается. Наверное, за ней что-то стоит.

Она делает шаг вперед, прикрывает за собой дверь,

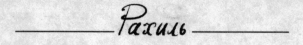

а там — теремок из зеленой ткани. И сбоку такое круглое отверстие.

Она наклонилась, чтобы подвинуть его, а я говорю: ничего себе, это для кого красота такая?

Она хмыкнула и отвечает: для моего кота. Чтобы возить к ветеринару.

Я говорю: это не тот ли бурманский котик шоколадно-кремового окраса, который на фотографии? Очень славный.

Она посмотрела на меня и подняла брови: а вы что, разве знаете о бурманских котах?

Я говорю: конечно. У меня у самой такой же. То есть такая. Вашего как зовут?

Она смотрит еще недоверчиво, но сама уже отвечает: Кристобаль Дюк Вондерфлер.

Я говорю: а мою зовут Амирель Кристи. Хотели назвать Эмманюэль, но потом решили, что слишком чувственно.

И мы начинаем с ней так мило беседовать. Умереть не жить — две йоркширские розы. Божий одуван на шпильках и раздувшийся василек.

Не путать с василиском.

Через десять минут эта Алла Альбертовна сообщает мне, что Люсе, скорее всего, нужен кот. Поэтому она и ходит профессору на постель. Сигнализирует. То есть не Люсе, а Амирель Кристи нужен кот. И котят можно поделить поровну. А если нечетное количество, то нам на одного больше.

А вы как думали — говорит она. По сто — сто пятьдесят долларов.

Я говорю: сколько, сколько?

И вечером мы с профессором приезжаем на Чистые Пруды. А пока идем вдоль катка, он без конца говорит, что ему неудобно. В прихожей у Аллы Альбертовны натыкаемся на мешок и в темноте почти падаем.

Она говорит: это мука. Проходите сюда, пожалуйста. На всю зиму решила купить. Вернее, на рынке выменяла на ваучеры. Все равно непонятно, что с ними делать. Вы свои как пристроили?

И мы проходим. А там этот Кристобаль. Смотрит на нас круглыми глазами и ждет, когда мы ему из сумки достанем Люсю. У нас ведь нет такого домика, как у Аллы Альбертовны. То есть он ждет, когда мы ему достанем Амирель. Но Амирели-то у нас тоже нет.

Поэтому Алла Альбертовна смотрит на Люсину голову, которая появилась из сумки, но вся выскакивать не спешит, и говорит: так это же не бурманская кошечка.

Я говорю: а вы разве не знаете, как надо определять стандарт? По цвету глаз. Специалисты рекомендуют подносить животное к окну, и самым лучшим освещением для этого считается свет, отраженный от поверхности снега в зимний день. Где у вас тут самое большое окно?

Не знаю, правда, от цвета каких глаз она в конце концов успокоилась. То ли Люсиных в крапинку, то ли печальных профессорских. Хоть и слегка навыкате. Я ведь заметила, как она сделала на него садку. В той книжке, которую профессор отказался читать, по этому поводу было написано, что в играх представителей семейства кошачьих всегда присутствуют элементы полового поведения. Алла Альбертовна шпильки носила тоже не просто так.

Та еще когда-то была пантера.

А Кристобалю вообще, похоже, было плевать — бурманская Люся или не бурманская. Он завалился на свою подушку рядом с диваном и самым наглым образом при-

давил на сон. Как будто мы пришли на Аллу Альбертовну посмотреть. А Люсю с собой для прикола взяли.

Мне кажется, говорит эта кардиолог, нам надо оставить их наедине. При людях они стесняются. Вы не поможете надеть мне пальто?

Я думаю: как это, интересно, можно во сне стесняться? Тем более если ты — кот.

А профессор уже держит для нее пальтишко. Галантный такой — просто сил нет.

Что-то не помню, чтобы он Вере когда-нибудь хоть что-то вот так держал. Про себя вообще не заикаюсь.

И на бульваре тоже придерживал ее за локоток — будьте внимательны, Алла Альбертовна, здесь скользко. Осторожней, Алла Альбертовна. Позвольте, я помогу.

Как будто я сзади них ехала на гусеничном тракторе. И обо мне с этим животом можно совершенно не беспокоиться.

А гололед на самом деле был — хоть стой, хоть падай. Народ, в принципе, хлопался пачками. И на катке их тусовалось прилично. Фонарики, музыка — все дела. Катаются, тоже падают, смеются.

Мои старички притулились на какой-то скамейке, а рядом целая орава завязывает коньки. Профессор дождался, пока они отвалили на лед, и говорит: а помните, Алла Альбертовна, какие здесь были катания в начале шестидесятых годов? Помните, тогда в моде были такие толстые свитера?

Я думаю: ну все. Началась программа «Голубой огонек».

Уважаемые телезрители, сейчас по вашим многочисленным просьбам выступят певец Иосиф Кобзон и вся его шайка.

Андрей Геласимов

Она говорит: да-да, разумеется. У меня у самой был такой. Ворот ужасно кололся. Конечно, помню.

И пошло-поехало. Что где стояло, чего снесли, в каких кафе отдыхали, какое было мороженое и как ездили загорать.

Как будто сейчас никто больше загорать не ездит.

Наконец добрались до какой-то Елены Великановны и приуныли. Совсем повесили нос. Но потом снова ожили. Заспорили — ходило тогда метро до Войковской или нет. Сошлись, что нет.

И вот тут профессор вспомнил про свою еньку.

Я думаю: нет, только не это. А он говорит: вставайте, вставайте все за мной. И мы как дураки встали. А я уперлась пузом в спину этой Аллы Альбертовны.

Она говорит: крепче держитесь за меня.

Я думаю: ну да, конечно. Только руки-то у меня не такие, как у гориллы. Там же еще между нами живот.

Профессор кричит: сначала левой ногой, а потом правой.

Алла Альбертовна говорит: да нет, все наоборот.

Я думаю: вы уж там разберитесь. А то сейчас все брякнемся.

И дети какие-то к нам подъехали. Перестали играть, стоят у кромки льда со своими клюшками, на нас смотрят.

Потому что мы интереснее, чем хоккей.

Профессор говорит: раз, два, туфли надень-ка, как тебе не стыдно спать.

И мы начинаем прыгать.

Я думаю — разрожусь.

Алла Альбертовна подхватывает: славная, милая, смешная енька всех приглашает танцевать.

И мы делаем ножкой.

Когда эти мальчишки перестали смеяться и уехали,

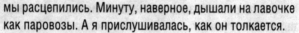

мы расцепились. Минуту, наверное, дышали на лавочке как паровозы. А я прислушивалась, как он толкается.

Удивился, наверное.

То есть, может, это и девочка, но я почему-то говорю «он». Наверное, потому что «живот».

Вы знаете, Алла Альбертовна, говорит профессор, там текст несколько иной. Не «всех приглашает танцевать», а «нас». В оригинальной версии поется: «нас приглашает танцевать».

Я говорю: все это, конечно, здорово. Но вы ни о чем не забыли? Или мы приехали сюда юных хоккеистов смешить? Будущую гордость канадских клубов.

Старички притихли, но потом все-таки поднялись и побрели назад.

А я думаю: интересно, как там Люся?

И зря в общем-то беспокоилась. У Люси все было в полном порядке. Она растянулась на ковре Аллы Альбертовны, как у себя дома, и даже головы не подняла, когда мы вошли. Спала, как безмятежное дитя на картине художника Репина. Не помню, правда, рисовал ли он спящих детей.

Неважно.

Важно, что Кристобаль этот сидел рядом с ней — весь такой заботливый муж — и на нас посмотрел как на пустое место. То есть у него теперь было что с чем сравнить. И мы в его глазах явно проигрывали.

Алла Альбертовна смотрит на все это и говорит: боже мой.

А профессор ей тут же: Алла Альбертовна, не беспокойтесь, ничего страшного.

Она повторяет: боже мой.

Я думаю: надо же, какая попалась набожная.

Она в третий раз говорит: боже мой — и опускается прямо на пол.

Профессор хватает ее под руки и кричит мне: Дина, доставай у меня из левого кармана валидол.

Я ему говорю: он у вас не в кармане, а в сумке, в которой мы Люсю несли. Вы ее оставили в прихожей.

Он кричит: ну так неси ее сюда скорей. Не видишь, что тут творится?

Я возвращаюсь в прихожую, перешагиваю через всякую ерунду, а по дороге оборачиваюсь и смотрю, как за мной остаются следы. На ковре, потом на паркете — вообще везде. Ужасно красиво.

Я иду и думаю: вот это любовь. После такого Люся точно должна успокоиться. Мне бы, во всяком случае, хватило надолго.

Потому что квартира Аллы Альбертовны была похожа теперь на столицу Югославии город Белград после налета американской авиации. Люся с Кристобалем не занимались своими делами, видимо, только на потолке. Поэтому люстра и уцелела.

А еще они распатронили зачем-то мешок с мукой, который Алла Альбертовна выменяла на свои ваучеры, и по всей квартире теперь лежал толстый красивый слой почти настоящего снега.

Как в детстве под елкой на Новый год. Только там он был из ваты и таким бугристым комком. А тут — ровненький и везде. Даже на кухне.

Вот ваш валидол — говорю я профессору. Может, еще чего-нибудь принести?

Он говорит: нет, пока ничего не надо.

Я думаю: да, не повезло Алле Альбертовне, что именно рядом с ее кабинетом не было очереди. Зато Люся теперь перестанет какать профессору на постель.

Но у самой Люси на этот счет оказались другие планы.

Профессор с каждым днем грустил все сильнее, а Люся гадила ему на одеяло все чаще. Чтобы уберечься от нее, ему, наверное, надо было уже вообще не вставать. Лежать, как египетская мумия в Музее имени Пушкина, и вздыхать по своей ушедшей жизни. Но он зачем-то ходил в институт, где ему уже давно не платили зарплату, и читал там свои лекции, которые никому не были интересны.

А Люсе этих уходов вполне хватало.

Мы пробовали запирать ее в туалет — там, где стоял лоток с газетами, но она поднимала такой крик, что два раза прибегали соседи. В первый раз они подумали, что кто-то истязает ребенка, а во второй раз сказали профессору, что подадут на него в суд.

Я им ответила: подавайте, но профессору все равно стало плохо. Как только он пришел в себя, его заинтересовало, откуда взялись эта сумочка и всякие медицинские инструменты. А я ему сказала, что в поликлинике, кроме Аллы Альбертовны, врачей еще полным-полно и у каждого, между прочим, свой кабинет. Когда он спросил, как я привела его в чувство, я ответила, что пусть это его не волнует.

Вам знать не надо — говорю. Вы и так много знаете.

Он смотрит на меня, морщится сначала, потом улыбается и говорит: ты прямо Екклесиаст.

Я говорю: да нет. Просто много будешь знать — скоро состаришься.

Но ему становилось все хуже. Я уже всерьез начинала бояться, что во время следующего приступа моя новая книжка окажется бесполезной. Надо было срочно принимать какие-то меры.

А может, нам снова к Алле Альбертовне съездить? — говорю я ему. Потанцуем еньку на Чистых Прудах. Я у нее в прихожей новые обои поклеила.

Он говорит: да, очень интересная женщина.

Я говорю: ну так как?

Он вздохнул и отказался. Надо, говорит, иметь мужество принимать обстоятельства такими, как ты их заслужил.

Я говорю: вы это где вычитали, такую военную хитрость? В мемуарах графа Суворова?

А на следующий день предложила ему позвонить его беглой «тугезе».

Это обстоятельство, говорю ему, вы ведь, кажется, тоже заслужили. Взяли ее штурмом, как русские войска крепость Измаил. Помните анекдот про директора школы?

Он говорит: нет, не помню и не хочу его знать, и даже думать не смей никуда звонить по телефону.

Я говорю: я и не по телефону могу. Запросто можно сесть на метро и доехать. Она ведь у этого старпера из КГБ живет. Ой, простите.

Он говорит: да-да, именно у старпера. Только, если ты туда отправишься, я пойду за тобой и столкну тебя в метро прямо на рельсы.

Я говорю: да ладно вам. Не столкнете.

Он помолчал, посмотрел на меня и потом говорит: нет, правда столкну. Вот увидишь.

Я говорю: ну и пусть тогда Люся валит вам на постель. Тоже мне, Терминатор нашелся. Терминатор-обосратор.

Потому что мне вдруг стало очень обидно. Очень-преочень.

И я сказала: в гробу я видела таких толкальщиков. В белых тапочках.

А он говорит: твоя речь изуродована идиомами и затасканными метафорами. Ты пуста и банальна, как все эти устойчивые сочетания, порожденные плебейской культурой. И в голове у тебя один мусор.

Я говорю: за мусор ответите.

Он говорит: пошла вон.

После этого не виделись дней, наверное, пять. Я без конца спрашивала Володьку, почему у него отец такой дурак, а он пожимал плечами и опять утыкался в свою новую книгу. Я ходила по комнате и говорила ему, что «Битлз» меня достал, но он снова пожимал плечами.

В конце концов решила заскочить к профессору. Ровно на одну минутку. А то вдруг он уже там того. И никто ничего не знает.

Но он был совсем не того. Даже наоборот.

Вы зачем водку-то пьете? — я ему говорю. С ума, что ли, сошли? Делать нечего?

А он мне: а-а, это ты, кладезь народной мудрости. Хочешь, я тебе тоже считалочку расскажу? Есть одна про меня. Как будто специально написана.

Я говорю: какая?

Он встает на ноги, покачивается и говорит: ши-шел-мышел, этот вышел. И показывает на себя.

Я говорю: слишком короткая. Не знаю я этой считалки. Вы бы лучше в зеркало посмотрели. А еще профессор.

Он говорит: я не профессор, а старпер. И чего это, интересно, я не видел в твоем зеркале? Нет там меня. Я «ши-шел-мышел, этот вышел». Володька бы сказал — вне игры. Смотрит еще футбол?

Я говорю: смотрит. И читает про «Битлз».

Профессор говорит: он такой. С ним надо ухо держать востро.

Потом как засмеется. Вот видишь, говорит, и я от тебя

заразился. Припал к источнику народной иносказательности. Эзопов язык для бедных. Шуточки, прибауточки.

Я говорю: может, хватит водку-то пить?

Он отвечает: а кто здесь пьет? Здесь у нас таких нету. Не наблюдается.

Я говорю: ну, давайте, давайте. Вот возьму и вылью все, что осталось, в унитаз.

Он зажмурился и говорит: я возвращаю молодость.

А я ему: вы знаете, у меня отец тоже по этому делу. Любит молодость возвращать.

Профессор смотрит на меня и качает головой — ничего ты не понимаешь, нелепая девушка. Знаешь, что сказал Оскар Уайльд?

Я говорю: и Оскара Уайльда я тоже в гробу видела. Но продолжает: так вот, порывистая глупая девушка, этот замечательный ирландский писатель сказал, что снова стать молодым очень легко. Нужно просто повторить те же ошибки, которые совершил в молодости.

Я говорю: клево. Тогда я, видимо, вообще не состарюсь, блин, никогда.

Он смотрит на меня, долго о чем-то думает и потом начинает кивать: слушай, а может быть. Почему нет? Вполне возможно. Что, если действительно не прекращать делать ошибки? Тогда ведь не придется их повторять. Все в первый раз, который просто растягивается во времени. Это же замечательно. Послушай, смешная беременная девушка, ты — настоящий Эйнштейн. Пришла и открыла новый закон относительности.

Я говорю: чего это вы там бормочете? И не надо, пожалуйста, меня так называть. Какая, блин, я вам девушка? Я Дина.

А он говорит: ну пошли, Дина, совершать ошибки. Есть у меня на примете одна.

И пока мы с ним брели, спотыкаясь и поскальзыва-

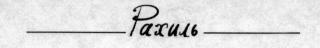

ясь, до метро, и потом, уже в вагоне, я все пыталась сообразить, что он задумал. То есть какие это ошибки он
совершал в молодости. Пьяный такой.

Но в голову мне ничего особенного не приходило.

Сначала я думала, что он хочет выкинуть какой-нибудь номер в метро. Раздеться, например, догола или по-
писать. Всякие бывают приколы. Но он спокойно дождался электричку и, как все нормальные люди, вошел в вагон. Там тоже ничего, в принципе, не случилось. Засмот-
релся на какую-то пожилую тетечку, и я уже напряглась,
чтобы вытащить его на следующей станции, но он только подмигнул ей, сказал — чувиха, и тут же уснул.

А я сидела рядом с ним и, в общем, не понимала, что
делать. Я же не знала, где он хотел выйти, чтобы совершить эту свою ошибку.

До меня начало доходить, когда он резко вскочил и
бросился в открытые двери. Я еле успела выбежать за
ним.

В смысле, я еще не догадывалась, что он задумал, но
мне уже было понятно — где.

Когда вышли на улицу из метро, я ему сразу сказала: может, не надо?

А он говорит: ты задаешь серьезный вопрос. Это вопрос стратегический, как бомбардировщик.

Я говорю: поехали лучше назад.

Он делает шаг, снова поскальзывается, чуть не падает, ловит меня за рукав и начинает смеяться.

Я говорю: ну и чего смешного?

Он говорит: гололед.

Когда Вера открыла дверь и увидела нас с ним таких
тепленьких на площадке, ее чуть кондрат не хватил. Я
даже успела подумать: хорошо, что на профессоре с его
приступами натренировалась. Если что, Веру тоже быстро к жизни верну.

Но у нее сердце, как у чернокожего участника марафонского бега. Заколотилось — и пошло как часы. Хватит еще на сорок километров. Тук-тук, тук-тук.

Алла Альбертовна на такую пациентку, наверное, не нарадовалась бы.

Она смотрит на нас и говорит: что хотели? В дом не пущу.

Я думаю: нормально. Как это — не пущу? Я, между прочим, живу здесь.

Профессор молчит и мотает головой.

Вера скрестила на груди руки и усмехнулась: ну что, напился как поросенок?

Он застегивает свой плащ на все пуговицы, смотрит на меня, потом на нее и наконец говорит: Вера, я хочу сделать тебе предложение. Выходи за меня замуж. Еще раз.

Я думаю: ни фига себе. Так он про эту ошибку молодости мне говорил?

А Вера стоит столбом и ничего не отвечает.

И вообще мы все трое вот так стоим.

Объяснение в любви, на фиг.

Наконец она говорит: пошел вон. И закрывает у нас перед носом дверь.

Профессор разворачивается и начинает спускаться. А я почему-то иду следом за ним. Как будто меня тоже прогнали.

И, главное, я не понимаю — почему мы идем пешком? Лифт же работает на полную катушку.

Внизу он останавливается и говорит мне: зато я попробовал.

Я говорю: ну, в общем, да.

Мы еще постояли, и он говорит: ты возвращайся. Зачем ты-то со мной пошла?

Я говорю: я не знаю. Пошла зачем-то.

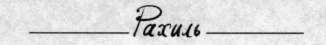

Он поправил мне воротник и улыбнулся: иди. Тебе надо отдыхать. Когда у тебя срок?

Я говорю: после Нового года.

Он говорит: вот и отпразднуем.

Я говорю: да-да.

А на следующий день я к нему пришла, а у него дверь открыта. Я удивилась. Захожу, а там — тишина. На кухне никого нет. И в комнате на диване — тоже. Потом смотрю — он выглядывает из туалета и манит меня рукой. И палец к губам прижимает. Я заглянула туда, а там Люся. Сидит у себя в лотке и хвостом подрагивает.

Профессор мне шепчет: надо же, как странно все вышло. А я ему в ответ тоже шепотом: вышел немец из тумана, вынул ножик из кармана, буду резать, буду бить, все равно тебе водить.

Он смотрит на меня, улыбается и говорит: это уж точно.

РАХИЛЬ

Часть первая

Этот мужчина из КГБ уже был сильно пьяный и грустный. Там все, конечно, были грустные, но он грустил по-другому. И к тому же сидел. Все стояли на этой кухне, курили в форточку и рюмки ставили на подоконник, а он сидел за столом. Потому что на кухне осталась одна только табуретка. Все остальные забрали в большую комнату вместо подставок. И еще на них там сидели те, кто не сбежал на кухню. Хотя к этому времени сбежали уже почти все. Выпивали у подоконника и курили в форточку. Не всегда дотягивались, правда, и пепел неопрятно сыпался в чахлую герань. Поэтому мне у окна места в общем-то не хватило. Пришлось встать прямо посреди кухни с рюмкой в руке. Ужасно нелепое ощущение. Как будто сзади обязательно кто-то стоит. И ты никак не можешь чокнуться сразу со всеми. Тем более когда вокруг одни незнакомые люди.

— Вы что, с ума сошли? — зашипела на меня дама в красной мохнатой кофте, отталкивая мою руку и расплескивая водку на пол. — Нельзя чокаться. Вы что, с ума сошли?

— Простите, — сказал я.

— Это русские похороны, — со значением сказала она. — Русские, вы понимаете? У нас такие традиции.

«У нас» она выделила ударением, подниманием бровей и шевелением мохеровых плеч.

— Я понимаю, — ответил я. — Простите.

Поэтому в итоге я оказался рядом с мужчиной из КГБ. Только тогда я еще не знал, что он из КГБ. Просто он был единственный, кто сидел на этой кухне. Все остальные стояли. От окна никто не спешил отходить. Вынули уже по второй сигарете. А центр кухни остался за дамой в мохнатой кофте.

— Еврей? — спросил мужчина из КГБ.

— Нет, — сказал я. — Просто так выгляжу. Наследственное.

— У всех наследственное, — вздохнул он и выпил еще одну рюмку. — У нас в органы раньше евреев не брали. При Андропове говорили, что будут брать, но потом заглохло. Покойный вам кем приходился?

— Никем. Дальние родственники жены.

Так я узнал, что он был из КГБ.

— Николай, — сказал он и протянул мне руку. Не вставая.

— Святослав, — сказал я, делая шаг от стены.

— Не еврейское имя. Хотя Ростропович тоже был Святослав.

Так он узнал, что я был еврей. Впрочем, технически называться евреем я не имел права.

Мне стало неловко, что он перепутал Ростроповича с Рихтером, но я об этом ему не сказал. Сказал только, что Ростропович еще жив.

— Это хорошо, — обрадовался он. — А то взяли моду все помирать.

— Туки-туки, Лена! — раздался детский крик из прихожей, и сразу же вслед за этим сильно хлопнула входная дверь.

— Господи! — сказала дама в мохнатой кофте. — Зачем они детей-то сюда привели? И дверь входную нельзя закрывать! Нельзя! Откройте ее немедленно!

От окна отделился мужчина с бледным лицом.

— Это Филатовы, — сказал он. — Им не с кем детей оставить. Сейчас я отправлю их во двор.

— Нечестно! — закричал другой детский голос. — Ты на лестнице подножку мне сделал. Я первая прибежала!

Потом в прихожей тихо забубнили взрослые голоса.

— Не пойду!.. — в последний раз крикнула девочка, и после этого все стихло.

Через минуту на кухню вошли новые люди. С мороза у них горели щеки. Я посмотрел на них и подумал, что дети, которых прогнали во двор, наверное, совсем замерзнут.

— Здрасьте, — шелестящим шепотом поздоровались сразу со всеми их родители.

Мама была совсем молоденькая. Чуть старше моих студенток. И очень красивая. И видно было, что она нервничает из-за детей.

— Холодно так сегодня, — сказала она.

— Это хорошо, что холодно, — тут же откликнулась дама в кофте. — Чувствуете? Никакого запаха. А если бы летом хоронили, уже знаете какой запах бы стоял. Никакая хвоя не помогает.

Я потянул носом воздух. Пахло свежеструганым деревом и квашеной капустой. Хотя капусты нигде в общем-то не было. Закусывали блинами.

— Пахнет, пахнет, — сказал Николай. — Это просто ваш мозг не хочет замечать. Защитная реакция. Вы, девушка, выпейте водки. Тогда тоже перестанете замечать. Он капустный такой пока еще запах, но потом будет хуже. Покойный вам кем, собственно, приходился?

От второй рюмки она отказалась. У меня, вообще, сложилось впечатление, что ей было довольно противно. И водка, и кухня, и похороны, и все мы. Ее передернуло, когда она допила свою рюмку. Такими мелкими аккуратными глотками. И кожа на шее покрылась мурашками. Там, где свитер не закрывал. И вообще у нее голову все время разворачивало к окну. И она слушала, что там происходит на улице. Где остались ее дети. Но к самому стеклу ей было не подобраться. Никто в комнату с покойником уходить не спешил. Молча смотрели, как сигаретный дым стелется по белому инею. Процарапывали в нем окошки. Давно не было такой холодной зимы.

— Мне больше нельзя пить, — сказала она, когда грустный Николай налил ей вторую рюмку. — У меня завтра зачет. Я буду готовиться. Мне водку нельзя.

— Ну и плохо, — сказал он и выпил сам обе рюмки.

Она действительно была красивая. Особенно для заочницы. То, что очно учиться она не могла, — я был почти уверен. Доказательства мерзли внизу во дворе. А может быть, и не мерзли. Бегали взад и вперед по детской площадке и орали на весь двор. Во всяком случае, она очень прислушивалась, чтобы уловить эти их крики.

Но для заочницы она, конечно, была перебор. Все очень слишком. И линия бровей, и поворот головы, и взгляд, и узкие плечи. Там плечи все-таки обычно были другие. У тех девушек. Посолиднее. Поэтому приходилось во время их сессий брать больничный.

А смысл? Смотреть в их преданные глаза? И видеть, какой для них это шанс. Потому что время уже уходит, вернее, практически ушло, и они теперь себе чего-то придумали — что все еще может оказаться не так, как начало складываться, что где-то там чего-то у них вдруг забрезжило и что частью этого просвета оказываешься для них ты.

Сначала, может быть, и волнует. Но не потом. Не после двадцати пяти лет в институте. Хоть и с небольшим перерывом.

Рахиль

После двадцати пяти лет увядающие и соскальзывающие перестают интересовать. В принципе. Потому что ты сам в общем-то увял и скользишь. И там уже все гостеприимно распахнулось.

От этого большой интерес к тем, кто пока играет в основном составе. Скажем, от двадцати до двадцати пяти лет. Крайне допустимый возраст совпадает с твоим педагогическим стажем. Это ничего. Определенные созвучия допустимы. Тем более что при переходе от категории «нежный возраст» к категории «сколько там лет этот старый пень отработал у нас на кафедре?» само созвучие принимает форму метафоры. Вполне, кстати, симпатичной.

А кто бы не махнул свои двадцать пять в паршивом институте на ее двадцать пять со всеми вытекающими обстоятельствами? Как и втекающими. Потому что ведь плечи, и поворот головы, и дыхание. И вообще.

Я смотрел на эту заочницу и думал: куда запропастилась моя собственная красавица? Я зря, что ли, отменил последнюю пару и притащился на эти похороны? Сама же меня заставила. Не успел даже продиктовать задание на следующий семинар. Как ветром всех сдуло.

— А что это вы здесь столпились? — сказала небольшая траурная старушка, входя на кухню. — Проходите в комнату. Надо у гроба. Там почти никого нет.

Я представил, как все мы протискиваемся вдоль длинного ряда табуреток, стукаясь коленками о гроб. И сколько раз тот, кто лежит в нем, протискивался точно так же. И стукал коленкой.

Мать в детстве объяснила, что выпадающие зубы во сне — это к чьей-то смерти. И сразу спросила: а кровь была? Беспокоилась за родственников. Еще часто снилось, что иду по грязи. В одних носках. По глубокой и жирной. Вокруг хлюпает и темно. Когда просыпался, всегда думал: лучше бы босиком. Почему в носках? При этом с возрастом — все чаще. И все реже — обнаженные женщины. К сожалению. Впрочем, множественное число неуместно. Они всегда приходили поодиночке. Никаких оргий. Скромное соитие «сингулярис». Хотя интенсивнее, конечно, чем наяву. Но ни разу с двумя. Видимо, Блок ошибся. Не азиаты мы. И где эта восточная кровь, которая дремлет у меня в венах? Хоть бы сны могли стать поразнообразнее. Впрочем, теперь уже все равно. Даже поодиночке почти не приходят.

Я оторвал взгляд от венков и от этих белых рук у него на груди и тут же наткнулся на взгляд Николая. Он сидел прямо напротив меня с другой стороны. От грусти в его лице уже ничего не осталось. Он подмигнул мне и кивнул в сторону двери в коридор. Я повернул голову.

* * *

— Ненавижу похороны, — сказала она, когда мы вышли в подъезд.

— Ты опоздала. Я просидел тут уже полчаса.

— Ничего страшного.

— Где ты была?

— Слушай, не будь занудой. Ты мне больше не дипломный руководитель. Смотри, как меня подстригли.

Она повертела головой в разные стороны.

— Классно?

— Да, ничего.

— Ничего?

Она ткнула меня кулаком под ребра.

— Эй, осторожней! Больно!

— Еще не так получишь!

— Ну, хорошо, хорошо! Отлично подстригли.

— Молодец. Давай еще.

— Тебе идет.

— Еще! — Она требовательно смотрела мне в лицо, сурово сведя брови.

— Ты самая замечательная красавица.

Вот это было проблемой. Все остальное прекрасно, а вот это — проблема. Детские игры. На автобусных остановках иногда приходилось просить ее взять себя в руки. Замечательно идиотская просьба. Откуда они у нее возьмутся? Руки — возрастной феномен. Хотя тоже не у всякого появляются. В смысле — для того, чтобы себя в них взять. Далеко не у всякого. Поэтому приходилось смотреть по сторонам с глупой улыбкой. Понятно, что все догадывались, почему она ведет себя так. Кто не догадывался, мог прочитать у меня по лицу. И охотно читали. Что им еще было делать? Все равно автобуса долго нет. А рядом профессор обнимается со студенткой. Пунцовый.

Но, в общем, довольный.

Еще раздражали словечки. Впрочем, хуже всего — идентификационная система. Они определяют друг друга, обмениваясь названиями музыкальных групп. Два-три английских названия уходят в одну сторону и столько же — навстречу. На довольно приличной скорости. Дальнейшая реакция зависит от пола. Девочки хлопают в ладоши и смеются, мальчики стукают друг друга по плечам. Если совпало. В общем, довольно просто.

Хотя у собак еще проще.

Боже мой, кто бы говорил. Собачьего в каждом из нас навалом. И не всегда от этого бывает противно. Бежишь себе в стайке за нею, бежишь. Может, и повезет.

— Зачем ты заставила меня сюда прийти?

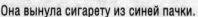

Она вынула сигарету из синей пачки.

— Мне надо было кое-что тебе сказать.

— Здесь? На похоронах?

В это время дверь из квартиры открылась пошире, и оттуда шагнул Николай. Он встал посреди коридора и смотрел прямо на нас.

— Знакомьтесь, это моя жена.

Мне ведь надо было хоть что-то ему сказать. Он не сводил с меня взгляда.

— Я знаю, — сказал он. — Ее зовут Наташа.

— Знаете? — Я повернулся к нему.

— Ненавижу похороны, — сказала она. — Когда я умру, пусть меня сожгут.

— Вы что, знакомы с моей женой?

— Или вообще отвезут куда-нибудь на необитаемый остров.

— Подожди, Наталья! — Я попытался ее остановить.

— Да, мы знакомы, — наконец сказал он. — Мы с ней встречаемся, когда у вас лекции.

— Подождите, — начал я. — Это что, такой глупый розыгрыш?..

— Я ухожу от тебя, Слава, — неожиданно сказала она, давя каблуком едва зажженную сигарету. — Я ухожу от тебя к нему. Прости, но я не могла тебе сказать об этом дома.

Я смотрел на них и не знал, что говорить. В голове — абсолютная пустота. И в животе немного щекотно. Как на качелях. Но, в общем, давно уже не качался.

Неожиданно я подумал, что те дети во дворе, наверное, совсем замерзли. Мы простояли молча целую минуту, и я наконец выдавил из себя:

— Понятно. А вы давно познакомились?

Не самый умный вопрос. Учитывая обстоятельства.

* * *

В таком возрасте не спать ночь — уже не шутки. В три часа начинает тошнить от папирос, а утром, выйдя на улицу, не узнаешь мир. Что-то блестит под ногами, во рту противно, голова болит, и, в целом, удивительно — зачем тебе это все в твоем возрасте? Потому что ты в общем-то давно не куришь.

И тут тебе еще говорят, что нет. Что все-таки лучше с ним. Что так будет хорошо для нас обоих. И ты успеваешь подумать: «для нас» — это для кого? Для меня с нею или для нее с ним? Или для него со мной, потому что прекратится вся эта ерунда и непонятность? А может, и не прекратится.

И ты говоришь: ага, только это мои пластинки. Зачем ты их туда понесла? Обойдется без моих пластинок. Будете заниматься этим в тишине. Не под моего Элвиса Пресли.

В таком возрасте не спать целую ночь — привет здоровью.

И тут вдруг ты думаешь: а какого, собственно, «хэ» ты не ложился?

— У вас мешки под глазами, — сказала она, поворачиваясь от балконной двери.

Ей нравилось смотреть на снег, который только что выпал. Но теперь ей пришлось смотреть на меня. Не та уже чистота, что у свежего снега, но белизна еще будет. В окружении венков и цветов. Если самому заранее подсуетиться.

А кто еще побежит по этим делам? Теперь уже некому.

— У вас мешки.

— Да-да, а у тебя живот.

Она улыбнулась и погладила себя по этому шару.

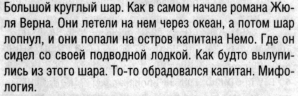

Большой круглый шар. Как в самом начале романа Жюля Верна. Они летели на нем через океан, а потом шар лопнул, и они попали на остров капитана Немо. Где он сидел со своей подводной лодкой. Как будто вылупились из этого шара. То-то обрадовался капитан. Мифология.

— Кого ждете?

— Не знаю, — сказала она. — Денег на УЗИ нет. И в очереди долго сидеть, а я часто в туалет бегаю. Но Володька хочет мальчишку.

— Володька всегда много хочет.

Год назад, например, ему хотелось, чтобы я умер. Так и сказал: «Чтоб ты сдох». Импульсивный мальчик. Впрочем, не знаю, как бы я сам себя вел, если бы мой отец отколол такой номер.

— Наталья Николаевна сказала мне постирать.

— Она тебе звонила? — Я даже не дал ей договорить.

— Да, вчера вечером. Пришлось сказать Вере Андреевне, что звонил однокурсник.

— Вчера вечером?

Значит, заранее все было решено. Даже насчет стирки побеспокоилась. А говорила, что ей нужно время.

«Не мучай меня. Я сама запуталась. Мне надо решить».

До утра времени попросила. А сама вечером уже позвонила Дине, чтобы я тут не сидел один с грязным бельем. Как Кощей Бессмертный. Интересно, кто ему стирал, когда от него уходили жены? Или не уходили? Что-то он там прятал от них в своем хитром яйце, и они из-за этого с ним оставались. Опять мифология.

— По форме живота можно определить, — сказал я.

— Да? — У нее глаза стали круглые.

— Только я не помню, какая форма что должна означать. У тебя какая форма?

Она встала напротив зеркала и прихватила рукой широкое платье сзади. Живот обозначился как гора.

— Большая форма, — сказала она. — Очень большая.

— Значит, девочка.

— Почему? — Она, не оборачиваясь, смотрела на меня в зеркало — как я там сижу сзади нее на диване и даже рукой от усталости пошевелить не могу.

— Потому что вам, девочкам, всегда больше всех надо.

* * *

На самом деле я точно знал, кто там сидит у нее в животе. И дышит через пуповину.

— Пойми, — сказала по телефону Люба. — Все твои проблемы оттого, что ты наполовину еврей. И твой сын наполовину еврей. И твой внук, или это будет внучка?

— Не знаю, — сказал я. — У них нет денег на УЗИ.

— Вот видишь. Ты даже не знаешь пол своего внука.

— Я знаю, что это будет наполовину еврей.

— Ха! — коротко выдохнула она на другом конце провода.

Я, собственно, женился на ней когда-то из-за этого «ха!». Она, разумеется, не хотела и сопротивлялась, потому что она никогда ничего не хотела и всегда сопротивлялась, но я был очарован этим звуком. Не мог ничего поделать. Хотя разница в возрасте составляла почти десять лет. Не в ее пользу.

А может, наоборот, в ее.

Потом, когда уже пожили вместе и я упоминал о ней в ее отсутствие, меня всегда удивляла массивность слова «жена». «Моя жена ставит чайник на крышку сковороды, когда жарит курицу». Или — «у моей жены точно такое же платье». Как будто говоришь о великане. А на самом деле ее платье всегда было на два-три размера меньше того, которое обсуждалось. И полный чайник был тяжеловат для ее руки. Но такова природа слов. Некоторые из них придуманы для маскировки. Поэтому требуется усилие, когда говоришь «жена». Чтобы не воспринимать это, как другие. Те, кто ее не видел.

— Ты где там? — сказал ее голос у моего уха. — Уснул?

— Я здесь, — вздохнул я. — Можно с тобой увидеться?

— Вот еще! Будешь плакаться на свою разбитую жизнь? Неудачники меня не интересуют.

Плюс, конечно, глаза Рахили. Куда без них? На один звук «ха!» я бы, наверное, не купился. Во всяком случае, не так бесповоротно. Но тут уж взыграло. Как у Иакова рядом с колодцем. Впрочем, Иакова внутри меня было всего лишь наполовину. Зато Лаванов снаружи вертелось достаточно.

— Как твой отец? Не согласился еще ехать в Америку?

— Я еду без него. Он умер.

— Очень жаль.

— Не ври. Ты всегда его ненавидел.

— Я?

— Да, ты! Антисемит несчастный.

Она помолчала и потом добавила:

— Можешь зайти. Только учти — у нас похороны.

Вот так. Значит, и здесь меня поджидала сюжетная рифма. Как в случае с моим педстажем и возрастом Натальи. Тем самым возрастом, которого надо достичь, чтобы заманить меня на какие-то чужие нелепые похороны и сказать: «Я ухожу от тебя».

А до этого специально подстричься. И стоять там в

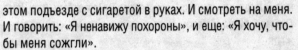

этом подъезде с сигаретой в руках. И смотреть на меня. И говорить: «Я ненавижу похороны», и еще: «Я хочу, чтобы меня сожгли».

А я не хочу. Вообще не хочу умирать. Я не хочу, чтобы меня сжигали.

У Любиного отца на эту тему был большой сдвиг.

«Ни в коем случае не в крематорий!»

Это когда ему было меньше, чем мне сейчас.

«Папа, вам еще рано говорить об этом».

«Еврею никогда не рано говорить о крематории. Ни ему самому, ни его близким. Пора бы уже понять, молодой человек!»

Любу бесили эти разговоры, но она молчала. Слишком густая кровь. Из Сибири вернулись только в начале шестидесятых. И тут как раз подвернулся я. Со своей первой главой диссертации о Соле Беллоу в рваном портфельчике. Мечтал съездить в Америку и познакомиться лично. Просто хотелось пожать руку. Но им пока было не до Америки.

Забайкалье, Приморский край. Захолустные городишки. Кажется, какое-то Бодайбо.

Сослали еще до войны, когда разгоняли хасидское духовенство. Люба родилась уже там. Хорошо, что тетя ее отца была санитаркой в отряде Лазо. Из-за этого Любу принимали в пионеры на берегу Амура. Рядом с памятником героям Гражданской войны. Генеалогия, в конце концов, важна при любом режиме. И галстук ей повязывал секретарь райкома. Склонялся по очереди к этим кнопкам, трясущимся на холодном ветру. Шесть русых головок и одна темная. Люба смотрела на него и щурила от солнца черные, как две маслины, глаза. Неумело заслонялась салютом. На Иакова он, наверное, не был похож.

Ее двоюродную бабушку звали Лена Лихман. В семье к Лазо относились с симпатией. Не потому, что Лена Лихман была у него санитаркой, а потому, что его сожгли.

Люба в Приморье подружилась с хулиганами. У них она научилась курить «Беломор», не сминая гильзы, плевать через зубы, щелкать пальцами и говорить звук «ха!». Для меня этого набора оказалось более чем достаточно. Даже когда Беллоу объявили сионистским писателем, я долго не горевал. За полгода написал диссертацию о пессимизме Фицджеральда и продолжал, не отрываясь, смотреть в эти глаза Рахили. Первая глава о Беллоу так и осталась первой главой.

Но вскоре она назвала меня антисемитом. Как-то вдруг неожиданно сошла с ума и заявила, что не станет со мной спать, если я буду «непокрытым». Я не хотел заниматься любовью в шапке, и все это закончилось некрасиво.

Сначала я думал, что она просто чересчур увлеклась этими Йом Кипурами, Рош Хашанами и Талмудом, но потом как-то ночью открыл глаза и увидел у нее в руке нож. Выяснилось, что в меня вселился диббук и от него необходимо избавиться. У диббука даже было имя. Ахитов бен Азария. Он сидел у меня внутри и снова планировал восстать против царя Давида. Моя Рахиль хотела его остановить. Она не любила предателей.

Со временем кризис у нее прошел, и в больнице ее держали совсем недолго, но по возвращении она все же побрилась наголо и заявила, что будет носить парик.

В общем, мы прожили вместе всего полтора года. Моя Рахиль, как и должно быть, осталась неплодна, и после нее наступило время Лии. Хотя в Пятикнижии, кажется, было наоборот.

* * *

— Койфман, ты никогда не знал священных текстов, — сказала Люба, глядя на меня в зеркало огромного шкафа. — Выучил всю свою литературу, а настоящих книг в руках не держал. Кому они нужны, эти писатели? Они все выдумывают.

— Слушай, а может, я все-таки сяду вместе со всеми без головного убора?

— Не в моем доме, — отрезала она и протянула мне соломенную шляпу своего умершего отца.

— Какая-то она легкомысленная, — сказал я, глядя на свое отражение.

— Ха! Папа никогда не был легкомысленным человеком. Это просто у тебя такое лошадиное лицо.

— Лошадиное?

Я посмотрел на себя внимательнее.

— И еще ты катастрофически постарел, Койфман. Просто скукожился.

Я перевел взгляд на нее. Она едва доставала мне до плеча. Такое ощущение, что раньше была повыше. И лицо стало в морщинах. Но глаза все те же.

— Ты знаешь, мне как-то неприятно смотреть в такое большое зеркало, — сказал я. — У тебя есть что-нибудь поменьше? Мы ведь только подбираем шляпу. Нет чего-нибудь такого, куда входит одна голова? Чтобы только лицо отражалось.

— Я не могу пустить тебя в другие комнаты. Там люди. И у них у всех на головах что-нибудь есть. Мы тут, между прочим, хороним моего отца.

— Я помню.

— А ты пришел в своей ободранной зимней ушанке. Может, ты в ней хочешь сесть с другими людьми за стол? Чтобы на меня потом вся Америка показывала пальцем?

Смотрите — это та самая Люба Лихман, у которой на похоронах отца сидел человек в ушанке. К тому же он ее
бывший муж. — Она замолчала на секунду и перевела
дыхание. — Я тебе тысячу раз повторяла: купи нормальную шапку. Нельзя ходить с кроликом на голове. Даже
если ты всего лишь наполовину еврей.

— Средства не позволяют. Ты же знаешь, в институте зарплату никому не дают уже семь месяцев.

— Поменяй институт.

— Ситуация везде одинаковая.

— Поменяй страну. Сколько можно твердить, Койфман, — нельзя быть таким пассивным. Ты же профессор, в конце концов!

Я снова посмотрел на себя в зеркало и усмехнулся.

— Профессор, — повторил я следом за ней.

Она выстрелила в меня темным взглядом и хотела
что-то добавить, но потом все-таки промолчала.

— Вот эта, наверное, подойдет, — сказала она, вынимая из шкафа темно-зеленую фетровую шляпу. — Надень.

— Я не могу в ней сидеть, — сказал я. — Это же шляпа дяди Гарика.

— Конечно, это шляпа дяди Гарика. Ну и что? Почему ты не можешь сидеть в его шляпе?

— Он меня ненавидел.

— Послушай... — Она устало опустила руки. — У меня сегодня был очень тяжелый день. Я занималась стряп-
ней, я встречала гостей, я готовилась к тому, что при-
дешь ты и у меня начнутся неприятности. Пойми, тебя
ненавидело столько людей, что тебе уже должно быть
все равно, если у тебя на голове вдруг окажется шляпа
кого-нибудь из них.

Я надел шляпу и посмотрел в зеркало. Получилось весьма и весьма. Дядя Гарик любил выглядеть эффектно.

— А помнишь, как он упал со стула? — сказал я. — Говорил о чем-то важном и так размахивал руками. А потом — хлоп! — и сидит под столом. Мы так смеялись.

— Я не смеялась.

— Смеялась-смеялась.

— Я повторяю тебе: я не смеялась.

— Да ладно, перестань ты. Сама чуть не лопнула от хохота. А бедный дядя Гарик сидел с такими испуганными глазами, и в руках у него была вилка.

Она старательно хмурила брови, делала строгий взгляд, но в итоге не удержалась.

Когда мы отдышались от смеха и я перестал кашлять, а она вытерла слезы с лица, я снова посмотрел на нас в зеркало.

— Что еще? — настороженно сказала она, заметив мой взгляд. — Других больше нет. Или в этой — или пойдешь домой.

— Надо же, — медленно сказал я. — К себе вот такому я уже абсолютно привык. И даже не представляю, что может быть как-то иначе. Но вот с тобой вдвоем все это выглядит не так привычно.

— Два старичка? — усмехнулась она.

— Не знаю. Нелегко объяснить. Видимо, жизнь прошла.

— Ха! — сказала она. — Студенткам своим про это мозги забивай. Жизнь прошла только у моего папы.

Она помолчала и махнула рукой.

— Пошли к остальным. А то подумают, что мы неизвестно чем тут с тобой занимаемся.

То, о чем я хотел с ней поговорить, так и осталось необсужденным.

Рахиль

* * *

— Я так люблю, когда вы рассказываете, — сказала Дина. — Даже мурашки бегут. Смотрите.

Она потянула вверх рукав платья.

— Вот, видите? Расскажите еще.

Я встал с кресла и подошел к окну.

— Это длинная история. И на улице уже темно. Тебе пора возвращаться, а то Володька будет скучать. Странно, что он не позвонил до сих пор.

— Он никогда вам не звонит.

— Знаю. Глупо, что я это сказал. Хочешь, я тебя провожу?

— Я сама, — сказала она и тяжело встала со своего кресла. — Мне надо еще в магазин.

— Я могу не подниматься. Только до подъезда с тобой дойду.

— Не надо. Володька будет кричать. А мне потом уснуть трудно. Я так нервничаю, как дура, когда он кричит, и потом ребенок в животе полночи шевелится. То пятка, то локоток. Я один раз коленку нащупала. Кажется.

Мы помолчали.

— Ну, пойдем, — сказал я. — Мне надо папиросы купить. До магазина с тобой дойти можно?

— А вы что, курить начали?

На улице опять шел снег. Вокруг фонарей вращались мохнатые конусы. Некоторое время мы шагали молча, прислушиваясь к неожиданной тишине. Первой заговорила Дина:

— Мне кажется, Любовь Соломоновна права, что ругает вас за Наталью Николаевну.

— Господи! Перестань называть ее Натальей Николаевной! Она всего на два года старше тебя.

— Но она же ваша жена.

— Ну и что! Я ведь тоже пока не ископаемое! Мне

всего пятьдесят три года. В Америке, между прочим, всех людей называют по имени. Независимо от возраста. Даже стариков.

— И насчет Америки Любовь Соломоновна, мне кажется, тоже права.

— В каком смысле?

Я даже остановился.

— Вам надо уезжать с ней.

— С ней? Да она же... Нет, ты понимаешь, что ты несешь? В какую Америку? У нас даже разговора с ней на эту тему не было!

— Она вас любит.

— Кто?!!

— Любовь Соломоновна.

Я молча смотрел на нее, не в силах сказать хоть что-нибудь.

— Слушай, — наконец выдавил я. — Ну, ты даешь! Ты-то что в этом понимаешь? Поживи с мое, потом говори такие вещи.

— Вы же сами сказали, что еще не старик.

— Так, все! Хватит! В какой магазин ты направлялась?

Я взял ее за рукав пальто.

— Вон в тот, на углу.

— Идем! И не говори больше ни слова. Чтобы я даже полслова не слышал от тебя! Поняла?

— Поняла.

Она улыбнулась и поцеловала меня в щеку.

«Интересно, я брился сегодня?» — мелькнуло у меня в голове. Впрочем, я тут же пожал плечами. Не хватало, чтобы я беспокоился из-за какой-то девчонки. Пусть она даже беременная и ждет ребенка от моего сына. Который, кстати, не хочет видеть меня уже целый год.

Вот ведь разговорилась!

И к чему я все это ей рассказал?

* * *

В магазине было, как в рассказе Хемингуэя, — чисто и светло. Длинные ряды стеллажей уходили куда-то к дальней стене, возле которой маячил одинокий охранник. Из четырех касс работала только одна. За нею сидела увешанная пластмассовыми браслетами очень худая и смуглая девушка лет двадцати. Когда мы с Диной вошли, она скользнула по нашим фигурам безразличным усталым взглядом и снова опустила глаза на свои кнопочки.

Глядя на нее, я вспомнил, что мне тоже надо работать. Точно так же тяжело и усердно. Через полгода в издательстве должен лежать давно обещанный мною учебник по европейскому романтизму. Со всеми сносками, курсивами и симпатичными вставками мелким шрифтом. Студенты обожают обводить их карандашом.

Я вздохнул, снова посмотрел на юную кассиршу и попытался придумать пробную вставочку. Для начала хотя бы о ней.

Бессмысленный труд выполняет в обществе функцию нейтронной бомбы. Убивает живую силу противника, оставляя нетронутой материально-техническую базу. Изобретатели бессмысленного труда скоро добьются того, к чему они так долго стремились. В городах останутся одни материальные объекты с необходимым набором обслуживающего персонала. Совсем без него, к великому сожалению изобретателей, нельзя. Кто-то должен нажимать кнопочки. И сидеть под огромным плакатом пепси-колы. Иначе плакат выглядит одиноко.

— У вас есть «Беломор»? — сказал я, пропуская Дину в торговый зал.

Девушка махнула рукой в сторону ряда сигаретных пачек, приклеенных у нее за спиной. «Беломора» там не было.

— Спасибо, — сказал я. — А какие из этих самые дешевые?

Она оторвалась от созерцания своей кассы и посмотрела на меня с откровенной тоской.

— Там все написано, — сказала она ровно через пятнадцать секунд.

Небольшая задержка сигнала. Как в космосе.

— Вы знаете, я не вижу. У меня плохо со зрением.

Она покрутила головой. Очевидно, искала кого-нибудь еще, чтобы разбить нашу внезапную пару. Почувствовала недостаток симметрии. Вернее, ее отсутствие. В качестве космонавтов мы вряд ли попали бы с ней в один экипаж.

Но, кроме Дины и охранника, в магазине никого не было. Наш спускаемый аппарат был рассчитан лишь на двоих. «Джемини» — так, кажется, назывался американский космический корабль, о котором все вокруг говорили тридцать лет назад, когда я познакомился с Любой и ее отцом.

Gemini (Близнецы), *зодиакальное созвездие* с двумя близко расположенными яркими звездами — Кастором и Поллуксом; в ср. широтах СССР хорошо видно осенью, зимой и ранней весной (Большой энциклопедический словарь. М., 1981, с. 148).

Так что напрасно теперь эта девушка вращала головой, как подвижной смотровой башней. Близнецы — это все-таки чаще всего двое. Тем более что мы были похожи как две капли воды.

Оба совершенно несчастны.

— Не могли бы вы... — начал я и тут же осекся.

Дина, которая стояла в пяти метрах от нас, начала складывать какие-то банки в карманы своего пальто. До этого просто стояла и рассматривала этикетки, а теперь начала набивать карманы. Заметив мой взгляд, она улыбнулась мне и, ни на секунду не прекращая своих действий, показала жестом, чтобы я продолжал разговаривать с кассиршей.

С моим однояйцовым близнецом.

У меня в голове мелькнуло, что я еще никогда в жизни не участвовал в ограблении. Только в карманной краже в трамвае, но это было очень давно. От этих мыслей по спине веером побежали мурашки.

Неожиданно кассирша, очевидно заметив мой застывший взгляд, начала медленно, как в американском кино, поворачивать голову.

Я понял, что я теперь соучастник. Выбора у меня не оставалось.

— Не могли бы вы рассказать мне об этих сигаретах подробней! — выпалил я, едва не схватив ее за подбородок. — Подробней, пожалуйста! Во всех мельчайших деталях. Меня интересуют подробности!

Такого она точно еще не слышала. Теперь у нее за спиной можно было проехать на танке.

А я успел подумать: что скажут в деканате, если мне не удастся ее отвлечь?

— Вон те, например, желтенькие! — заторопился я. — Какое в них содержание никотина?

Девушка посмотрела на меня, потом на сигареты и покачала головой:

— Вас же вроде цена интересовала.

— Да-да, интересовала. Но теперь я забочусь о своем здоровье!

Дина показала мне из-за спины кассирши большой палец.

Боже мой! Эта бессовестная воровка одобряла мою импровизацию!

— И сколько в них содержится смол?

— Чего?

— В сигаретах всегда присутствует определенный процент смол.

— Я не знаю. Вы будете брать или нет? Мне других покупателей обслуживать надо.

Я понял, что сейчас она повернется в сторону Дины.

— А вы сами лично какие предпочитаете? — в панике сказал я. — Вы вообще курите, девушка?

Она посмотрела на меня уже как-то по-другому.

— Курю, а что?

Я чуть было не сказал: «Давайте тогда познакомимся». Но удержался. Хотя в голову лезла всякая чушь.

— Курю, — повторила она. — А что дальше-то?

— Дальше? — переспросил я, глядя за ее спину.

Дина закончила наконец свой набег и размеренными шагами приближалась к нам.

— Дальше — тишина, — сказал я. — Помяни меня в своих молитвах, нимфа.

— Что-о-о?

Глаза у нее стали совсем круглые. Практически как браслеты.

— Пакетик лаврового листа, — безмятежно сказала Дина, подойдя к нам.

— Шестьсот рублей, — медленно проговорила кассирша, не сводя с меня глаз.

— Я, пожалуй, не буду брать никаких сигарет, — небрежно сказал я деревянным голосом и направился к выходу.

Шаги, правда, были не очень твердыми. Как у космонавта после нескольких месяцев на орбите.

Да еще все смотрят.

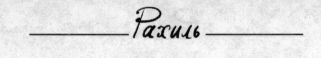

* * *

Нетвердость шага приключалась в жизни довольно часто — по многим причинам, одной из которых является просто достаточное количество лет, проведенных по эту сторону смерти. Как следствие, увеличивается набор ситуаций, заканчивающихся нетвердой походкой. Самая продолжительная из этих ситуаций — твой сын. Длится уже двадцать лет. После Нового года будет старше.

Сначала — крик по ночам и твердое понимание того, что вставать не будешь. От этого стыд. Но проходит. Потом — учителя в школе. Всем надо хороших отметок и неразбитых окон. Пытаешься объяснить, что ты на их стороне, но столько хороших отметок он получить не в силах. «Слишком много училок, па».

Согласен, но при чем тут сломанные руки?

В принципе, виновата цикличность. Ведь как мы взрослеем, в конце концов? Произносишь грубое слово, как твой отец. Начинаешь пить вино и водку. Потом раздеваешься и ложишься с кем-то в постель. Тоже, очевидно, как твой отец. Хотя о деталях можно только догадываться. А потом твой сын вдруг ломает руку, как сын твоих родителей. То есть ты сам. И все. Круг замкнулся.

Оказалось, что Вера не успела сходить на родительское собрание. Проводила в это время точно такое же у себя в школе. А потом — четыре станции на метро плюс переход на «Таганке». В общем, не успела. И на следующий день эта новая классная дама стала сверять журнал. Когда дошла до Володьки, у него все графы были пустые.

Имя с фамилией прошли гладко. Работа родителей тоже не удивила ее. Проблема возникла с национальностью.

Володька сказал, что он русский.

В конце концов, ему было лучше знать. Человек должен иметь право быть тем, кем он себя ощущает.

Но учительница опустила глаза в журнал и строгим голосом прочитала только что записанную фамилию. Очевидно, решила бороться с неправдой. При всем классе. Которому, в общем, надо совсем чуть-чуть.

Закончилось во дворе позади школы. Володька так и не рассказал, с кем он там дрался. Перелом получился довольно сложный, поэтому делали операцию. А я пытался тогда впервые бросить курить.

Не получилось.

Зато узнал кое-что про футбол. Володька ждал целый месяц какой-то бразильский матч, но операцию делали именно в этот вечер. И я сказал, что все ему расскажу — кто там куда бежал и в какие забивали ворота. Потом сидел у телевизора, курил одну сигарету за другой, плакал и записывал на бумажку незнакомые мне фамилии. Утром в больнице повторял ему непонятные для меня слова «проход по левому флангу», «офсайд», «искусственное положение вне игры», а он улыбался сквозь боль, потом морщился и потом опять улыбался. Ему было понятно то, что я говорю.

Но когда я ушел от них, он перестал меня понимать. Просто сказал: «Я хочу, чтобы ты умер».

А я навсегда запомнил, как звали одного из тех футболистов. Улыбчивые бразильцы с пляжа Копакабана. Карнавал, самба, Жоржи Амаду, коктейль «Куба Либре».

Его звали Сократес. Огромный, как башня, бородатый философ в желтой футболке и зеленых трусах. Бил по воротам и все время смеялся.

Впрочем, это было давно.

А теперь я вышел из магазина. Без папирос, как и вошел. Может, действительно зря опять начал курить?

***

Гибкость суставов на улице вернулась не сразу. К ее отсутствию добавились внезапно пересохший рот, ощутимый недостаток воздуха и шум в ушах. Первые два момента были знакомы по предыдущей жизненной практике, но третий оказался открытием. Во всяком случае, после тех мероприятий, что я позволял себе с Натальей, такого со мной не случалось. Неловко перед остальными студентами на лекциях иногда было, но в ушах не шумело. Вывод: в любом возрасте организм может удивить непройденным материалом. Глупо обольщаться, что знаешь про себя все.

— Классно получилось! — сказала Дина, догоняя меня.

Впрочем, «догоняя» звучит сильно. Скажем — «сделав два шага от двери магазина».

Который мы с ней ограбили, между прочим.

Потому что более чем на два шага я пока рассчитывать, в общем, не мог. Это все, на что я был способен в смысле побега. В смысле стремительного исчезновения с места событий.

Протащиться, пошатываясь, два шага.

— Я мог умереть, Дина.

— Получилось просто отлично!

— Я доктор филологических наук.

— И охранник ничего не заметил!

— Ты могла хотя бы предупредить меня.

— Но вы же сами запретили мне говорить! Сказали, что даже полслова не хотите от меня слышать. А я как раз собиралась вам сказать.

— Не ври, пожалуйста! Слушай, не ври! Ты что, принимаешь меня за идиота?

Я вдруг разозлился на нее и сразу почувствовал себя лучше. Слабость почти прошла.

— Безмозглая дура!

— Так нельзя обзываться.

— Тупая, глупая дура!

— Я сейчас уйду и брошу вас здесь. Останетесь тут сидеть, и никто вас не доведет до дома!

Я посмотрел вокруг себя и понял, что сижу на земле. Прямо на тротуаре. И на голову мне падает снег.

— Вставайте. А то сейчас выйдут из магазина и догадаются, что у нас тут что-то не так. Давайте мне руку.

Я уцепился за ее ладонь, и она, как рыбак свою добычу, вытащила меня на поверхность. Вокруг все немного кружилось. А может, это был только снег.

— Сильная, — сказал я.

— Я в детстве на карате ходила.

— У тебя детство еще не закончилось.

— Чемпион Московской области в категории Ката.

— Лучше бы ты продолжала ходить на свое карате.

Дина обошла меня сзади и попыталась стряхнуть с моего пальто снег.

— Одной рукой плохо получается, — сказала она. — А вторая занята. Я должна под пальто эти банки придерживать. А то они вывалятся.

— Тогда пошли отсюда, — сказал я и тут же опять чуть не опустился на землю.

Перед глазами все плыло и кружилось.

— Я же не для себя, — протянула она не совсем своим голосом. — Мне надо Володьку кормить. И маленькому в животе нужны витамины. Зарплату не дают уже восемь месяцев, а декретные мы проели.

— Надо было у меня попросить.

— У вас у самого холодильник пустой. Я вам позавчера колбаску приносила.

— Тоже ворованная?

— А где мне деньги взять на такую? В вакуумной упаковке. В магазинах совсем недавно появилась. Бельгийская и французская. Да и на обычную у меня денег тоже нет. К тому же я ее не люблю. Она с жиром. Противная.

— А если поймают?

— Они на беременных не смотрят. Я давно заметила. Еще когда на пятом месяце была. Как только живот появился, сразу перестали смотреть. Так что, нормально? Ну? Пойдемте домой? — Она заглянула мне в лицо. — Говорила же, не надо было со мной идти.

Рядом с нами остановилась женщина лет сорока.

— Вам помочь?

Если бы мне было сорок, я бы тоже только и делал, что останавливался и предлагал помощь. Хитрость ведь не в том, что действительно сострадаешь всяким стареющим, покачивающимся на улицах персонажам. Все дело в чувстве превосходства.

Ходил бы и навязывался всем подряд. Потом весь вечер отличное настроение.

— Нам ничего не нужно, спасибо. Оставьте нас в покое.

У нее от моих слов лицо стало твердым. Ничего, в ее возрасте можно быть и с таким лицом. Одно компенсирует другое. Несимпатичное лицо — зато симпатичный возраст. Во всем важен баланс. Иногда везет, как сейчас, и баланс восстанавливаешь ты, а не кто-то другой. Тоже вполне приятный момент. Можно сказать — миссия.

— У вас лицо белое, как простыня, — сказала Дина, когда мы вошли в квартиру.

Вернее, ввалились. Чуть не оторвали полку со шляпами.

— И пот бежит по вискам.

— Ты что, звуковой медицинский журнал? — сказал я, опускаясь на тумбочку для обуви. — Озвучиваешь симптомы?

— Это сердце, — сказала она. — Я проходила по медицине.

— Что получила на экзамене?

— Еще не сдавали. Сессия через два месяца.

— Молодец.

После валидола стало полегче. Люблю его вкус. Лет тридцать назад были конфеты с названием «Холодок». Питался ими, когда заканчивал диссертацию о Фицджеральде. Перед защитой пришлось переписывать всю вторую главу. А так — дешево и сердито. Иногда, правда, тошнило. Но раз ешь конфеты, значит, до этого был обед. Простота и надежность гастрономического алгоритма. Плюс иезуитская изворотливость аспиранта в борьбе с желудком и кошельком.

— Любовь Соломоновна права, когда говорит, что вам не надо было уходить от Веры Андреевны, — сказала Дина, усаживаясь в кресло напротив моего дивана.

— Ты опять начинаешь. Я же тебя просил.

— Нет, не опять. Это совсем про другое. С вашим сердцем Вера Андреевна вам нужна как воздух. Она умеет ухаживать за вами лучше всех. Поэтому Любовь Соломоновна на вас так сердится. Ей просто вас жалко. Был ведь уже один инфаркт.

— Мне самому себя жалко.

— И Володька бы тогда не злился на вас.

— Да, наверное, не злился бы.

— Ему просто очень обидно за мать.

Я повернул голову, чтобы посмотреть на нее.

— Это он сам ее так называет?

— Как? — Она непонимающе смотрела на меня.

— Мать.

— Нет. — Она даже слегка засмеялась. — Он говорит: «мама». Это я так сказала, чтобы было быстрей.

Я полежал и подумал, быстрее ли говорить «мать»,

чем «мама». У меня получилось, что не быстрее. Та же история, собственно, что с апорией Зенона. Ахиллесу никогда не догнать черепаху. Всегда будет оставаться срединный рубеж. С какой скоростью ты их ни пересекай. Поэтому и количество слогов не имеет значения. У нежности иная скорость.

— Как она там? — сказал я.

— Кто?

— Вера Андреевна.

— Все время плачет.

Я помолчал. Приступ вины легче переносить в молчании.

— А Наташа тебе звонила?.. Наталья Николаевна?..

— Звонила.

— Передавала что-нибудь для меня?

Она ответила не сразу.

— Мне кажется, вам не надо искать встречи с ней. Так будет лучше.

— Слушай, мне уже пятьдесят три года, — сказал я. — Из них за последние пятьдесят я влюблялся двадцать четыре раза. По военным меркам я — ветеран. Если не сказать хуже.

— Не знаю. Мне кажется, лучше не надо.

Она с заметным усилием поднялась из кресла и направилась в коридор.

— Я оставлю вам маслины! — крикнула она оттуда. — Вы какие любите, беленькие или черненькие?

* * *

Разумеется, я не искал встречи с Натальей. «Искать» предполагает процесс, длящийся во времени. На процесс у меня не было сил. Я просто снял трубку, набрал номер и сказал:

— Я больше так не могу. Можно мне увидеть тебя? Хоть ненадолго.

Мотив унижения в моем возрасте звучит уже не так остро. Мелодия складывается из других нот.

Тем более что телефонный номер был оставлен как раз на такой случай. То есть мне обещали, что «я поживу пока у мамы», но телефон на стене написали именно этот. Не из маминых цифр.

— Я же тебе говорила — звони только в крайнем случае, — сказала она.

— У меня крайний.

— Сердце?

— В каком-то смысле — да. Можно назвать это сердечной проблемой.

— А валидол?

— Я пробовал. Не помогает.

В итоге решено было взять меня в кино. В темноте мое присутствие меньше оскорбляло их чувства.

Мы решили, что так будет происходить мое постепенное отчуждение. В брехтовском смысле. Что так мне будет легче.

Забота о старших.

Хотя в этом смысле теперь ей было о ком заботиться и без меня.

— Ну, ты чего? — сказал Николай, когда я сел к ним в машину. — Совсем, что ли, раскис? Мне вон тоже почти пятьдесят, а я смотри какой бодрячок. Ты спортом каким-нибудь занимаешься? Потрогай.

Он перегнулся через спинку сиденья и согнул перед моим лицом руку в локте.

— Давай, давай. Трогай. Видал, какой бицепс? Бетон.

Я прикоснулся к его кожаной куртке. Зеркальце над его головой отразило мое движение. В зазеркалье оно было не таким неловким. Просто одна рука прикоснулась

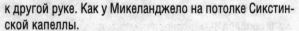

к другой руке. Как у Микеланджело на потолке Сикстинской капеллы.

В детстве на эту тему бегали во дворе и хлопали по плечу друг друга: *«Теперь ты водишь!»*

Передача эстафеты. Стремление к спорту заложено в человеке очень глубоко.

— Нет, я ничем не занимаюсь. Я много курю.

— Ну и зря. А я по субботам — всегда в бассейн. И еще спортзал.

Наталья смотрела на нас и радостно улыбалась.

За билеты заплатил Николай. Я сделал движение к кассе, но он жестом остановил меня.

— Ты зарплату свою давно получал, профессор? Помнишь еще, как она выглядит?

Я сделал вид, что хотел просто рассмотреть афишу. От этого якобы и возникло движение. В конце концов, эстафета была уже у него.

Хотя штамп в паспорте еще оставался.

— Слушай, нам надо с тобой о разводе поговорить, — сказал Николай, когда мы шли по проходу между рядами.

— Не сейчас, — шепнула Наталья. — Давайте садитесь скорей.

А я от самого входа думал, как мы усядемся. Спрячется она от меня за него или сядет между нами? Вариант, что я буду сидеть между ними, практически отпадал. К чему было тогда городить весь этот огород с изменой и переездом на чужой телефон, в котором нет маминых цифр? Даже маминых черточек в нем нет. Хотя обещалось.

Она села на место 15-е. Он — на 16-е. Я опустил сиденье 17-го. В сумме составило 48. Всего на пять лет меньше, чем мне. От перестановки слагаемых сумма, разумеется, не менялась, но я эту перестановку с удовольствием бы осуществил.

Будь я господь бог.

И разверз бы кое перед кем геенну огненную. Чтобы корчился там со своим шестнадцатым стулом.

Или семнадцатым.

Потому что мы точно друг друга стоили. Со своим собственным ребенком в таком возрасте ни один из нас в кино бы ни за что не пошел. С нами сидел чужой ребенок. И каждый из нас думал о том, как бы с ним переспать. Вернее, это я думал. Николай шуршал руками в карманах своей куртки.

— Жевательную резинку будешь, профессор? — сказал он, нащупывая мою ладонь в наступившей темноте.

— Тихо вы! — шикнула на нас Наталья. — Как дети малые.

Я закрыл глаза и представил ее себе воспитательницей детского сада, а нас с Николаем — двумя пацанами из старшей группы, которых она привела на детский сеанс.

Желание от этого не прошло.

В следующее мгновение в зале зазвучала музыка, и сквозь закрытые веки я уловил всполохи света. Фильм начался. Я до сих пор так и не знал, как он называется.

Николай снова пошуршал оберткой жевательной резинки и молча вложил мне в руку гибкую полоску. Не открывая глаз, я поднес ее к лицу и почувствовал запах мяты. Очень сильный. Практически как в детстве.

* * *

Такой чай пила только бабушка. Остальные либо ругались с ней и пили свой чай без мяты, либо делали вид, что пьют из ее чайника, а сами тайком выливали содержимое своих стаканов в открытое окно. Прямо на клумбу, где росли георгины. Все говорили, что чай надо пить в чистом

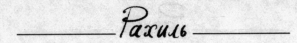

виде. Без примесей. Но бабушка упрямо заваривала мяту каждый раз, как мы приезжали к ней из Москвы.

После смерти Сталина приезжали особенно часто. Взрослые пили водку, курили на открытой веранде, говорили, что не надо будет теперь уезжать из Москвы насовсем и что скоро вернут всех арестованных евреев. Когда уходили с веранды, в комнатах начинались какой-то неясный шорох, возня и приглушенный смех, а бабушка включала свет на кухне и начинала заваривать свой чай.

«Видишь? — говорила она. — Листики заворачиваем вот так. Слышишь, как пахнет? А теперь — кипятком».

Я следил за ее движениями, морщил лоб, втягивал носом воздух и размышлял, почему это я должен слышать запах? Ведь он попадает не в уши, а в нос.

«Все на свете должно быть смешано, — продолжала она. — Мята с заваркой, каша с маслом, картошка с луком, хлеб с чесноком. Если семена не смешать с землей, то цветов не будет. Еще нужен солнечный свет и дождь с неба. А если смешать синюю краску с желтой, то получится зеленый цвет. Понимаешь? Все должно быть смешано».

«А люди?» — поднимал я голову от дымящейся кружки.

«И люди. Твой папа смешался с твоей мамой, и получился ты».

«Как зеленый цвет?»

Она улыбалась, ставила передо мной тарелку с блинчиками и говорила:

«Ну да, как зеленый цвет. Только не торопись. Чай еще горячий».

Я сворачивал блин и заталкивал его целиком в рот. Дышать становилось трудно.

«Не спеши, — повторяла она. — Откусывай понемногу».

«А бывает такое, что не смешивается совсем?»

Она задумывалась на мгновение и качала головой: «Вряд ли. Что-то я не припомню. Хоть как-то все на свете должно быть смешано. Хоть в какой-то степени». «А евреи и русские?»

* * *

В середине фильма они начали шептаться о чем-то друг с другом, и я наконец открыл глаза. С закрытыми глазами мне казалось, что я их подслушиваю. А я не хотел. Вернее, хотел, но не мог себе в этом признаться. Все-таки оставалось еще кое-что, в чем я стеснялся себя уличать. Немного, но оставалось.

— Правда тебе говорю, — долетел до меня голос Натальи. — Он может. Хочешь, спроси его сам.

Николай, повозившись в кресле, развернулся ко мне.

— Профессор, ты на самом деле можешь все угадать?

— Что угадать? — не понял я.

— Ну вот хотя бы, что в этом фильме будет дальше.

Я понял, что Наталья рассказала ему про мои забавы на семинарах по композиции текста. Ирония состояла в том, что она решила похвастаться мною перед своим новым возлюбленным. Перед своим новым старым возлюбленным. В ее сознании я по-прежнему принадлежал ей, как добыча удачливого охотника. Моя голова, украшенная раскидистыми рогами, висела у нее над камином. Теперь она присматривала место в своей гостиной для следующего трофея. Покусывала нижнюю губку и озабоченно обводила взглядом всю комнату.

— Могу, — сказал я. — Не вопрос.

— Ну давай, — шепнул он. — Скажи, что там дальше случится.

— Подожди, мне надо десять минут.

Рахиль

Приманкой для нового трофея служило уже пойманное животное. Я порадовался охотничьей смекалке своего мучителя и решил помочь этой неутомимой Диане.

Диана — в рим. мифологии богиня Луны. С V в. до н.э. отождествлялась с греческой богиней охоты и покровительницей рожениц Артемидой. Изображалась с луком и стрелами, иногда с полумесяцем на голове (Большой энциклопедический словарь. М., 1981, с. 80, 393).

Странное ощущение, но я больше испытывал солидарность с охотником, чем с дичью. Очевидно, у оленей слабовато с корпоративным сознанием.

Через десять минут я рассказал ему громким шепотом, кто кого в этом фильме убьет и кто на ком женится. Я угадал и то, что деньги сгорят в машине, а вместе с ними сгорит лучший друг центрального персонажа.

— Как это у тебя получилось? — спросил Николай, когда мы вышли на улицу.

— Ничего сложного. Простой анализ структуры. У каждого героя своя функция и свои мотивы. Как только и то и другое исчерпано, автору приходится его убивать. Если это хороший автор. У плохого все может тянуться до бесконечности, поскольку он не понимает ни мотивов, ни функций. Тогда читатель или зритель скучает. Аналитику определить этот момент в тексте совершенно не трудно. Позитивный эффект от ухода персонажа состоит в том, что зритель испытывает сострадание. Если погибает центральный герой, сострадание перерастает в катарсис. Ну, то все есть у Аристотеля. Технологии разработаны очень давно.

— А как ты узнал, что в последней перестрелке убьют только главного церэушника?

— Перед стрельбой он единственный снял пиджак.

Это вопрос колористики. На белой рубашке кровь выглядит намного эффектнее — поэтому режиссер специально его раздел. А в момент попадания пуль, если ты помнишь, сцена перешла в режим замедленной съемки. Это можно назвать актуализацией ключевого события за счет задержки в развитии композиции. Гете, кажется, называл это «ретардацией». Точно не помню.

— А пожар в машине?

— Видеоряд до этого был насыщен образами огня. И у того, кто должен был в итоге сгореть, прозвучала в предыдущей сцене реплика: «Моя жизнь — как пламя» или что-то в таком духе. Это была, конечно, метафора, но в искусстве ничего не происходит без подготовки. Так же, например, как в бою. Перед атакой пехоты или бронетехники ведется артиллерийский огонь. То есть необходимо заранее создать внутреннюю мотивацию того или иного события, поскольку, как автор, ты знаешь, что оно в конце концов должно произойти. А просто так ничего не бывает. В реальной жизни, между прочим, тоже работают эти законы. Называются «причинно-следственные связи». Только вектор их построения смотрит в противоположную сторону. Как европейская письменность, в отличие, скажем, от арабской. Не справа налево, если ты понимаешь, о чем я говорю. И строит их совсем другой автор.

— Тебе в органах надо работать, — усмехнулся Николай, усаживаясь в машину.

— Ты же говорил, евреев туда не берут.

— Внештатником, — сказал он. — Внештатником, дорогой. Тебя куда отвезти?

— Мне все равно, — ответил я, стоя перед машиной на тротуаре. — В принципе, никуда. Можете оставить меня здесь.

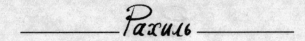

Николай включил радио, и в машине зазвучала сицилийская мелодия Нино Ротты.

— Это из «Крестного отца», — сказала Наталья, захлопывая дверцу. — Обожаю это кино. Аль Пачино в последней серии просто супер.

— Ну, ты как? — спросил меня Николай, перегибаясь через нее. Почти улегшись к ней на колени. — Чем будешь вечером заниматься? Нормально все?

Я помолчал секунду, прислушиваясь к мелодии, впуская ее в себя.

— Буду танцевать весь вечер, — сказал я. — Или повешусь и стану раскачиваться в ритме танго.

— Слава шутит, — сказала Наталья, вынимая сигарету. — Поехали. Я уже вся замерзла.

Стекло между нами медленно поползло вверх. Мелодия стала звучать глуше. Наталья закурила, выпустила дым в мою сторону, улыбнулась и помахала рукой. Еще через несколько мгновений их автомобиль растворился в пелене падающего снега. Очень снежной оказалась эта зима.

* * *

— Ну и дурак, — сказала Люба, ставя передо мной стакан с чаем. — Так тебе, дураку, и надо. Кстати, печенье у меня все закончилось. Если хочешь, иди в магазин.

— Я не хочу печенье, — сказал я.

— Вот ведь дурак! Могу себе представить вашу троицу там в темноте. Какой хоть фильм вам показывали?

— Я не запомнил названия. Что-то американское. Про стрельбу.

Она скептически хмыкнула.

— И ты, как влюбленный идальго, вприпрыжку поскакал за этой парочкой голубков.

— Я не скакал. Мы доехали на автомобиле.

— На машине этого Ромео из НКВД? А ты кем при них был?

— Ему уже сорок восемь. Он совсем ненамного моложе меня.

— Ха! — Она резко качнула головой.

— Всего на пять лет.

Люба посмотрел на меня, прищурившись, и я понял, что она сейчас снова скажет «ха!».

— Кого ты пытаешься обмануть, Койфман? — добавила она после этого звука. — Меня или себя? Если меня, то не надо. Я знаю все про эти дела. Волшебная палочка теперь у него. От его сорока восьми можешь смело отнимать последние восемнадцать. А ей добавляй десять-одиннадцать. Арифметика, мой дорогой. Он сейчас значительно моложе ее. Про тебя речь вообще не идет. Себе можешь накинуть десятку. Помнишь, каким ты был полгода назад? Так вот, сейчас совсем другая история. Надо было слушать меня и не бросать Веру с ребенком. Остался бы со своими пятьюдесятью тремя. Вполне, кстати, пристойная цифра.

Ну да, разумеется. Конечно, Люба была права. Самоконтроль, самоограничение, ежовая дисциплина. То есть железная. Потому что ежовыми, по русской фразеологии, должны быть рукавицы. Но разве я виноват, что у меня их не оказалось? И у кого они вообще есть? Ежи в лесу давно бы перевелись, если бы мы все вдруг решили не звонить по тем телефонам, по которым так хочется позвонить.

Отсекая «ежовую» половину в словах «самоконтроль» и «самоограничение», получаем вполне мощный и чувственный корень «сам». Основной инстинкт. Куда от него? Все мы, в конце концов, *самцы* и *самки*. То есть не в конце концов, а в *самом* начале. Надо только раздеться недалеко друг от друга. И не на пляже.

Однако с идеей контроля приходится мириться всю жизнь. Хоть отрезай ее от приятного корня, хоть оставляй пришитой. В пионерском лагере в детстве вскакивали по утрам с пропахших чужой мочой матрасов и лихорадочно разглаживали ладошками пододеяльники. Плюс ни одной морщины на покрывале. Плюс подушка должна стоять идеально равнобедренным треугольником. Гладили, едва касаясь руками, пухлые катеты. Заранее ненавидели геометрию. И вся эта поспешность и лихорадочность только от одного — ты контролируешь себя, прежде чем за это возьмутся другие. Те, что сейчас войдут в палату, а подушка все еще у тебя на голове. И ты кричишь: «Смотрите! Я — Наполеон». Но Наполеоном тебе быть недолго. Ровно до тех пор, пока в коридоре не зазвучат их шаги. С этого момента ты начинаешь себя контролировать. Иначе на линейке с тобой будет, как с тем другим мальчиком позавчера. Когда принесли его простыню и все смеялись. Хотя что тут смешного в больших пятнах желтого цвета? Но ты смотришь на них и понимаешь — злая и смешная публичность всей этой желтизны явилась следствием плохого самоконтроля. И тогда ты впервые задумываешься о том, как научиться держать себя в руках.

То же самое с алкоголем. Особенно на ранних этапах. Начинать вечеринку надо часа в два, чтобы к приходу родителей никаких следов не осталось. В смысле общей неприбранности, разбитой посуды, плачущей одноклассницы и нетрезвого друга, который уснул в спальне твоих родителей, предварительно наблевав под столом. Но всего этого так хотелось. Вернее, может, не буквально вот этого, но чего-то такого. За гранью контроля. Иначе с чего бы у всех этих твоих одноклассников в прихожей так блестели глаза, когда ничего еще не началось, а только шушукалось и расставлялось. Как у взрослых. И рядом с шампанским обязательно водка. И такой же, как у мамы, салат. И на девочках какая-то другая одежда. Ненастоящая. А потом ходишь во дворе и жуешь снег. Потому что отрезветь — это еще только полдела. Самое главное, чтобы не пахло. Ходишь и дышишь в ладони. Контролируешь процесс.

С течением лет все чаще приходится говорить самому себе «не надо». Сначала говоришь: «Не надо так много смотреть на девушек», потом говоришь: «Не надо так много смотреть на баб». Смена существительного отражает не оскудение вокабуляра, а некоторую лексическую усталость. Хотя непосредственно на желании смотреть эта усталость отнюдь не сказывается. Скорее наоборот.

От этого испытываешь потребность в еще более суровом контроле. Но выходит далеко не всегда. В конце концов находишь с самим собой общий язык и договариваешься. Обещаешь просто присматривать за «этим типом».

Заканчивается тем, что получаешь от себя совет избегать разочарований. С годами они незаметно становятся самым страшным врагом. Страшнее сквозняков, болей в сердце, алкоголя и даже женщин.

Но избежать их можно только одним способом.

* * *

Когда поженились, Любе нравилось заниматься со мной любовью. Вечерами она расстилала постель, а я специально выглядывал из кухни, задержав свой текст о Фицджеральде на середине строки, позабыв об этом несчастном Гэтсби. Из комнаты ее отца доносились стихи Заболоцкого, и я напряженно старался уловить, что конкретно декламирует Соломон Аркадьевич. Если это была «Некрасивая девочка», то у нас еще оставались переводы грузинских поэтов, и, значит, вполне можно было успеть. Но если он переходил к «Старой актрисе», мероприятие приходилось переносить на завтра. После «Актрисы» декламация стихов обычно заканчивалась и Соломон Аркадьевич начинал путешествовать по квартире. Понятия «закрытая дверь» для него не существовало. Хорошо еще, что он шаркал ногами.

«Это мой дом, — говорил Соломон Аркадьевич. — Не надо в нем от меня запираться».

Чтобы избежать пугливого вскакивания с дивана и неловкого прижимания одеяла к груди, мне пришлось подарить Соломону Аркадьевичу шлепанцы на два размера больше и в деталях исследовать творчество Николая Заболоцкого. При этом я должен был научиться идентифицировать текст через толстую стену и две двери. Сюда добавляй скрип старых пружин, Любино дыхание и стук моего собственного сердца. Время от времени — мяуканье Любиной кошки, которая сидела под нашим диваном, изгибаясь от похоти, и, очевидно, нам страшно завидовала. Но Соломон Аркадьевич не хотел котят, поэтому Люсю из квартиры не выпускали. В подъезде бродили ужасные черные коты, а я целовал мою Рахиль под Люсины вопли и прислушивался к голосу Соломона Аркадьевича за стеной.

Через полгода после того, как мы поженились, меня можно было брать акустиком на подводную лодку. Вражеским кораблям был бы конец.

У всей этой моей наблюдательной работы имелся один существенный минус. Она настраивала меня не на тот лад. Вернее, на тот, но он был немного не в том направлении. Из-за интенсивности моих наблюдений стрелка компаса иногда излишне стремительно разворачивалась в искомую сторону. То есть, разумеется, в итоге я сам всегда планировал там оказаться, поскольку — кто не планирует? Но не с такой же скоростью.

Казусы происходили не очень часто, однако воспоминание о них надолго отравляло радость от возвращения к тексту о Фицджеральде. После проигранной битвы я сидел на кухне перед своими исписанными листами и шаг за шагом анализировал причины своего очередного поражения. Чаще всего я склонялся к мысли, что виной всему была моя торопливость и природное любопытство. Декламация Соломона Аркадьевича оставалась вне подозрений, потому что по логике и по общему внеэротическому контексту она должна была меня отвлекать, однако в своих преждевременных эякуляциях я склонен был винить даже поэзию Заболоцкого.

Впрочем, быть может, мне просто не стоило подсматривать перед этим из кухни за тем, как Люба стелет нашу постель. Меня просто завораживали ее движения.

«Ну что, ты идешь? — оборачивалась она ко мне и откидывала узкой ладонью черную прядь со лба. — А то он потом не скоро уснет, а мне завтра к восьми. Чего ты так на меня смотришь?»

Я отворачивался, шелестел бумагами на столе, рассчитывая на спасительное воздействие литературного шелеста. Потом признавался себе, что сквозь этот жаркий туман все равно уже никакого Фицджеральда не видно, поднимался из-за стола и шел к ней, чувствуя, как пылает лицо.

«Что с тобой? Тебе плохо?»

«Нет, мне хорошо. Только не надо говорить со мной таким материнским голосом».

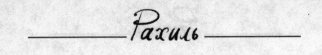

* * *

Отдельной строкой при этом шла ревность. Точнее, она шла с красной строки. И, в общем, заглавными буквами.

«Не стану я тебе ничего о них говорить, — шипела на меня Люба. — Отвяжись! А то хуже будет».

Но я не мог отвязаться. Это было выше меня. Как стихи Заболоцкого и неудержимое шарканье шлепанцев Соломона Аркадьевича. Ни одно существо на свете не сумело бы остановить ни то ни другое. Тем более — мою ревность.

Поэтому я спрашивал о них. О тех мужчинах, которым она стелила свою постель до меня. О настоящих взрослых мужчинах, которые не волновались, ни к чему не прислушивались и не кончали так быстро. Которые всегда были где-то рядом со мной, бесплотными тенями заглядывая через мое плечо ей в лицо, когда она закрывала глаза и откидывала голову на подушку.

«Слушай, так ты сойдешь с ума, — говорила она потом, присаживаясь рядом со мной на табурет и затягиваясь моей папиросой. — Или я сойду. Неужели тебя это так волнует?»

Меня волновало. Я много раз пытался проанализировать свои мотивации, но это так и не помогло. Все было ясно и без анализа.

«Слушай, а ведь ты, наверное, мог бы кого-нибудь из них убить, — задумчиво говорила она, щурясь от папиросного дыма. — Мог бы? Как думаешь? Если бы встретил? Ты как? Совсем уже или еще нет?»

Я сдувал со своих листов пепел от папиросы, отнимал у нее окурок и делал вид, что занят. Однако в голове моей творилось непонятно что.

Я был с ними связан, я знал это. С теми мужчинами,

которые были у моей Рахили до меня. Уместились в те десять лет форы, что она бессовестно получила при рождении. Хотя должна была дождаться меня. Просто была обязана. Иначе зачем вообще было приезжать из Сибири, сводить меня с ума и курить потом на кухне мои папиросы?

Понимая, сколько всего вошло в эти десять лет. И щурясь на меня как кошка.

«Ну и дурак, — говорила она, вставая со своего табурета. — Не хочешь разговаривать — и не надо. Я же вижу, что ты не работаешь. У тебя оба зрачка на месте стоят. Ты не читаешь. Ты думаешь про свои дурацкие вещи».

И я действительно думал про них. Я размышлял о том, как непредсказуемо бог сводит людей. Как удивительно он свел меня с Любой, а через нее — с теми мужчинами, о которых я не хотел думать, но никак не мог остановиться и думал о них без конца. И постепенно мне становилось понятным, что бог доверяет нас друг другу и что я был доверен моей Рахили и Соломону Аркадьевичу, а они, в свою очередь, были доверены мне вместе со всем своим прошлым — нравится мне это прошлое или нет. Потому что время от времени так выходит, что те, кому нас доверил бог, могут нас не устраивать и даже причинять сильную боль, но это в общем-то не нашего ума дело, и все, что от нас требуется, — лишь способность оправдать вместе с ними это доверие и быть в итоге достойным его.

Я чувствовал, что это были хорошие мысли. Но они не помогли.

В конце концов Люба не вынесла моих бесконечных расспросов и стала кричать на весь дом:

«Ты хочешь узнать, кто они были?!! Хочешь услышать про них что-нибудь?!! Сейчас я тебе расскажу!»

Она стояла рядом с диваном, на который мы только что улеглись, почти голая, а за спиной у нее уже открывал дверь Соломон Аркадьевич.

«Они были евреи! Понял? Обрезанные! Не такие, как ты!»

* * *

И после этого она увлеклась своими еврейскими делами. Странно, но толчком к этому, видимо, послужил именно я. Точнее, моя неполноценность в плане еврейского вопроса. В доме появились книги на непонятном мне языке, какие-то специальные одежды, подсвечники. Необычные правила питания.

«Если бы твоя мама была еврейка, ты бы меня понимал. Но она русская, и поэтому ты не еврей. А твоя фамилия просто ничего не значит».

Когда я учился в институте, моя фамилия значила довольно много. Во время каждого ближневосточного кризиса меня вызывали на комсомольское собрание факультета и заставляли выступать с осуждением захватнической политики Израиля. Однокурсникам на все это было глубоко наплевать — они просто ждали конца собрания, а я читал вслух с бумажки необходимые слова и время от времени посматривал на задний ряд. Там всегда сидел кто-нибудь незнакомый. Чаще всего он не дослушивал до конца. Поднимался и уходил в середине собрания. Эти незнакомцы нам доверяли. А может быть, просто были очень заняты. Или и то и другое вместе.

Но Любу эти исторические подробности не волновали. Мои страдания за еврейский народ она называла коллаборационизмом. Произносила это ужасное слово, сдвинув брови, сильно нахмурившись и глубоко затягиваясь папиросой из моей пачки. Она всегда курила из моей пачки. Видимо, тоже научилась этому у своих хулиганов в Приморье.

«Понимаешь? Она у тебя русская».

«Ну и что?» — говорил я.

Разумеется, моя мама была русская. Иначе откуда бы у меня взялась вся эта любовь к евреям? Будь я стопроцентный семит, я бы их наверняка ненавидел. Из всех народов человеку мыслящему труднее всего полюбить свой собственный.

Приходится долго убеждать себя, что виной тому твоя злобная и нелепая предвзятость, которая на самом деле есть форма скрытой и таинственной любви, выдающей себя за критическое отношение, а вовсе и не предвзятость, и никакой ты, значит, не предатель, а настоящий мужественный патриот.

Вот только раздражает поведение отдельных персонажей. Сливающихся постепенно в довольно многочисленные группы. А ты сидишь и занимаешься поисками толерантности в своем сердце. Как будто ходишь на работу, за которую давно уже никто не платит. Но ты ходишь, потому что привык. И вообще — как иначе? Свой народ надо любить.

Эту сентенцию произносишь вслух, чтобы проверить, слышна ли ирония. Если слышна, повторяешь еще раз. И потом еще. Пока не исчезнет.

В детстве развлекались тем, что забалтывали слова до полного исчезновения смысла. Повторяешь «самолет» сто пятьдесят раз на большой скорости — и в итоге перестаешь понимать. Губы произносят, а в голове уже ничего нет. Пустота из семи букв. То же самое и с иронией. И вообще отличный способ избавиться от того, что тебя беспокоит. Повтори много раз, и оно исчезнет.

Или слушай народные песни. Надо признать, иногда пробирает до слёз. Правда, тут тоже каприз воображения. Слушаешь, как они поют, легко идентифицируешь себя со всем этим великим народом, но потом они плавно переходят к цыганскому репертуару, а за ним — «Чардаш», и ты, перестав быть «ромалой», а после этого огненным венгром, начинаешь постепенно сожалеть, что эскимосский народ не оставил такого яркого песенного наследия. Потому что любопытно ведь ощутить себя эскимосом.

И тоже взять и заплакать от этого иногда.

По поводу моей незавершённости в этническом плане мне очень нравилась мысль одного из греческих мудрецов. Кажется, его звали Питтак.

«Я не понимаю тебя! — сердилась Люба и морщила нос. — Как это половина может быть больше целого?»

«А вот так, — говорил я. — В этом и состоит удивительная тайна паллиатива. Недосказанность всегда будет содержать больше смыслов, чем то, что высказано до конца. Понимать надо. Эй, осторожней! Зальёшь мне чаем вторую главу!»

Однако родственники моего отца были склонны к тому, чтобы не замечать очарования паллиатива. Впрочем, меня, как собственно явление паллиативное, они воспринимали с большей или меньшей терпимостью, но вот причину этого явления они возненавидели всей страстной еврейской душой. Точнее, страстными еврейскими душами. Потому что их было много. Тётя Соня, дядя Вениамин, ещё двоюродные папины братья. Мама всегда как-то оставалась одна. То есть в меньшинстве, поскольку я всё-таки вертелся поблизости. Мало что понимая, бегая по комнатам, приставая к взрослым, воруя конфеты из шкафа, но постоянно находясь в полной готовности принять её сторону. С ватрушками, пельменями, звонким веселым голосом, фильмом «Девчата», с любовью к артисту Рыбникову и удивительными блинами.

Впрочем, ее блины папины родственники кушали с большим удовольствием. Блины для них были кошер.

«Если бы твоя мама была еврейка, ты бы меня понимал», — говорила мне Люба.

Но я и так понимал ее. Это она меня не понимала.

Когда мои родители разошлись, все папины родственники были довольны. Дядя Вениамин сказал ему: «Вот видишь, тебе хватило сил поступить так, как надо. Теперь можно заниматься воспитанием сына. А то назвали его Святослав. Надо узнать в облисполкоме, можно ли ему дать другое имя».

У дяди Вениамина в облисполкоме работал школьный друг, и он старался говорить о нем как можно чаще. Поэтому, не выговаривая правильно «молоток», слово «облисполком» в свои пять лет я произносил уверенно и даже с определенным шиком.

Одна только бабушка рассердилась. Оставшись вечером дома со мной и с отцом, она долго мыла посуду, молчала, а потом прогнала меня с веранды и начала сильно ругаться.

А я стоял за дверью, ковырял свои коросты на локтях и думал: может, после этого он отвезет меня к маме?

* * *

Дина позвонила в два часа ночи. Пока я выбирался из сна, мне казалось, что я проспал свою первую лекцию, и теперь вот звонят из деканата, и надо что-то срочно придумать, чтобы студентам дали задание, пока я туда доберусь. Еще необходимо было изобрести какое-то оправдание, потому что на носу ученый совет и еще один

пропуск мне уже не простят. После того, как ушла Наташа, я совсем распустился.

На пятом или шестом звонке мое сознание застряло на тяжелой смеси Байрона и водопроводчиков, и я наконец проснулся. Поднимая трубку, я вдруг испугался, что Байрон может не подойти. Никак не мог сообразить, на каком курсе у меня с утра первая лекция.

— Святослав Семенович? Але! Это Святослав Семенович?

Голос был явно не деканатский. Я щелкнул кнопкой настольной лампы и посмотрел на часы.

— Святослав Семенович! Это я, Дина!

— Дина? — сказал я. — Ты знаешь, сколько сейчас времени?

— Святослав Семенович! Меня арестовали.

Я пошарил ногой под столом в поисках тапок. Пол был холодный.

— Что ты говоришь? Я не понимаю тебя.

— Меня арестовали. Я сижу в милиции. В обезьяннике.

— Где ты сидишь?

Я все еще соображал с очень большим трудом.

— В обезьяннике. Вы можете приехать и забрать меня?

Я опустился на стул, так и не найдя тапок.

— Они сказали, что профессору меня отдадут. Только возьмите с собой документы. Чтобы там было написано, что вы — профессор.

Тут я наконец понял, что Байрон не пригодится.

Когда она впервые появилась у нас в доме, я сразу почувствовал — теперь все пойдет по-другому. Надо было готовиться к неприятностям. Очень милая девочка с таким добрым и открытым лицом. Проскальзывала за Володькой к нему в комнату, едва успев просвистеть свое «здрасссьте», оставляя нас с Верой за бортом всего этого праздника, который вдруг возник неизвестно из чего. И куда сразу же подевались все его Марадоны, бутсы и тренировки? Как будто ничего не было. Никакого футбола. А была только закрытая дверь, за которой буквально за секунду до этого мелькнула ее невообразимая цветастая юбка, и мы вдвоем с Верой перед телевизором. И, в общем, не решаемся друг на друга смотреть.

Но дети растут. Лично я знал об этом из литературы. Оказался предупрежден, так сказать. И все-таки не во всеоружии. Оставались кое-какие дыры в обороне. Но я еще ничего.

Вера понесла оглушительные потери.

Вообще-то она рожала Володьку довольно спокойно. То есть в своем таком собственном ключе. Я бы сказал — неторопливо. Она, скорее всего, и не стала бы его рожать, но врачи ей сказали — надо. Что-то там с грудью. Предрасположенность к онкологии. А младенец, видимо, должен был все рассосать. Или еще как-то повлиять положительно на эту проблему. Я не вдавался в детали. Видел только, что она восприняла это как комсомольское поручение. Сказали «надо» — она приступила к тщательному выполнению. Так появился Володька. Со всей серьезностью и необходимостью помочь Вере.

Но вскоре она перестала рассматривать его в качестве вспомогательного звена. Всякий раз, когда приближался его день рождения, даже через пятнадцать и через семнадцать лет, начинала нервничать, переживать все заново. Помнила даже погоду в тот день. И все, что я говорил, и что она отвечала мне, и как добирались до родильного дома. В итоге совсем потеряла от него голову и к моменту появления Дины была готова выцарапать ей глаза. То есть не обязательно Дине, а в принципе любой девочке, которая станет бормотать «здрасссьте», проскальзывая мимо нас в его комнату. Просто так вышло, что на этом месте оказалась именно Дина. А на месте нас с Верой оказались Вера и я.

«Бесстыжая!» — шептала она, глядя на дверь, а не в телевизор.

«Перестань», — шептал я, одной рукой обнимая ее, а другой нащупывая в пиджаке зачетку Наташи и сравнивая свой выбор с тем, что выбрал мой сын.

Во всяком случае, таких нелепых юбок моя Наташа никогда не носила. Ей нравились джинсы.

Но Володька полюбил Дину, и теперь я ехал ее выручать.

* * *

У капитана были абсолютно девичьи глаза. С такими глазами нельзя быть милиционером. Даже пожарным быть нельзя. Их не сощуришь мужественно и упрямо, глядя в лицо опасности. Можно смотреть только в лицо перепуганного профессора, который сидит у обшарпанного стола и держит за руку свою беременную невестку. В четыре часа ночи. И рука у нее вялая, без признаков жизни. Но все равно нельзя отпускать.

— А я, знаете, тоже литературой интересуюсь, — сказал капитан, дописывая что-то в своем листе и ставя точку. — Писателя Лимонова очень люблю. Как он вам? Уважаете?

— Да, конечно, — быстро сказал я. — Разумеется, уважаю. Он очень знаменитый писатель.

— Жизненно пишет.

Капитан перечитал свои записи и нахмурился.

— А вас точно Святославом Семеновичем зовут?

— Да. — Я встревожился еще больше. — А в чем дело? Нам уже можно идти?

— Подождите. Мне надо кое-что проверить. Дайте-ка свой паспорт еще раз.

Он полистал мои документы и улыбнулся.

— Просто фамилия у вас не очень подходит к Святославу Семеновичу. Я и подумал, вдруг у вас настоящее имя тоже такое... — Он покрутил в воздухе пальцами. — А вы его переделали. Так бывает.

— Нет, это мое настоящее имя.

— Да я понимаю. Просто у меня уже был один случай. Месяц назад старичка на вокзале нашли. А он ничего не помнит. И документов никаких нет. Ни — где живет, ни — кто родственники. Видно только, что он еврей. Простите.

— Ничего, ничего. — Я изо всех сил делал вид, что мне интересно.

— Ну и вот... — Капитан откинулся на спинку стула и, улыбаясь, потянулся, так что у него хрустнуло где-то в плечах. — Мы и не знали, чего с ним делать. А потом он сказал, что его зовут Изя. Фамилия — Винтерман. Пока искали его родню, он у нас в отделении жил. Куда его денешь? Но не нашли. Потом начали проверять заявления о розыске пропавших старичков. Одна старушка его опознала. Оказалось, что зовут его вовсе не Изя и даже не Винтерман. А Николай Иванович Патрушев. Просто родители в тридцатые годы его переименовали. Тогда почему-то не разрешали детям сильно еврейские имена давать. А он теперь помнил только про Изю. Даже старушку свою не узнал.

— А может, это была не его старушка? — неожиданно сказала Дина. — Вдруг она выдумала это все?

Капитан удивленно уставился на нее.

— Как это выдумала? А зачем он ей?

— Не знаю. Может, у нее свой старичок умер, и ей теперь одиноко. Она захотела себе нового старичка.

— Как это?

Девичьи глаза капитана широко распахнулись, и я понял, что надо немедленно вмешаться.

— Так, может быть, мы пойдем? Если вы все закончили.

Он перевел свой удивленный взгляд на меня.

— Или вы не закончили?

Капитан вздохнул, сложил исписанный листок вдвое и опять посмотрел на Дину.

— Выйди в коридор. Мне надо поговорить со Святославом Семеновичем.

Дина отняла у меня свою руку, тяжело поднялась со стула и вышла из кабинета.

— Там тоже стулья есть! — крикнул в закрытую дверь капитан. — Посиди минут пять.

— Что? — Она открыла дверь и снова заглянула в комнату.

— Я говорю — посиди там у входа рядом с дежурным. Сейчас я вас отпущу.

— А-а, — протянула Дина. — А я думала, вы хотите что-то сказать.

Капитан дождался, пока дверь за ней снова закроется, и посмотрел на меня.

— Вот, — сказал он с такой интонацией, как будто до этого говорил о чем-то важном для нас обоих, а мне теперь предстояло принять решение — согласиться с ним или нет. — Ну, что думаете?

Я покачал головой, потом пожал плечами, потом вздохнул и наконец сказал:

— Это ужасно.

— Я вас понимаю. У меня у самого дочь. Тоже не знаю, как уследить. Летом школу заканчивает.

Я поймал себя на том, что не могу отвести взгляда от этих его девичьих глаз. Они ждали от меня чего-то и требовали каких-то совсем не девичьих решений.

— Вы вступительные экзамены принимаете? — спросил капитан.

— Да-да, принимаю.

— Сможете нам помочь?

— А вы в какой институт планируете?

— В Физтех она хочет. Говорит — самое перспективное туда поступать.

— Ну да, у них очень сильная школа. Только я ведь преподаю литературу. Гуманитарное, так сказать, направление.

— Да ладно вам. Вы же профессор. У них там тоже профессора. Разве не договоритесь? По-профессорски.

— В принципе, можно поискать знакомых. Но мне сейчас нелегко вам так сразу сказать.

— А вы и не говорите. До лета времени у нас с вами полно. Тем более что и невестке вашей тоже надо сначала разродиться. Если до суда дело дойдет, то, пока не родит, никто ее вызывать не станет.

— А что, ее могут посадить в тюрьму? У нее же будет маленький ребенок.

— А за это вы не беспокойтесь, — махнул он рукой. — Такие колонии тоже бывают. Но до суда может и не дойти. Зависит от администрации магазина. Если заберут заявление — делу конец. А так все должно идти своим ходом. Подождем. Может, и заберут. Что там она у них украла-то? Чепуха! Ну, так что? Поможете?

Я представил себе Дину с ребенком за колючей проволокой и закрыл глаза.

— Я постараюсь.

— Ну вот и ладненько, — обрадовался капитан. — А то у нее с математикой совсем плохо. Учителя говорят: нанимайте репетитора. А где на него денег возьмешь? Третий месяц зарплату не видели.

Я открыл глаза.

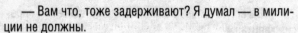

— Вам что, тоже задерживают? Я думал — в милиции не должны.

Капитан нахмурился, и его глаза впервые перестали быть девичьими.

— Не должны, — зло усмехнулся он. — Они много чего не должны. Видно, одного путча им мало. Доиграются еще. Я в органах восемнадцать лет, и отец у меня — тридцать пять. И ни разу за все это время такого не было. Ни разу. Даже когда Сталин умер.

Он посмотрел на меня с таким гневом, как будто именно я был виноват и в смерти Иосифа Сталина, и в том, что офицерам милиции не выдают зарплату.

— Доиграются, — повторил он.

— Ну, мы тогда, наверное, пойдем? — вмешался я в его горестные раздумья. — А то Дине надо уже отдыхать. У нее срок — почти семь месяцев.

— Хорошо, — сказал он, поднимаясь. — Звоните. Да! И вот еще что!

Он рывком выдвинул ящик стола и вынул оттуда книгу.

— Вот, подпишите.

На обложке было набрано жирным шрифтом: «Это я — Эдичка».

— Но это же книга Лимонова.

— Ну да, — улыбаясь, сказал он. — Я же вам говорил, что его уважаю. Смело очень про педерастов. Жизненно.

— Но я не могу подписать этой книги. Я ее не писал.

— Но вы же профессор литературы.

— Ну и что?

— Как это — что? Кому еще подписывать, как не вам? Лимонова я ведь не знаю.

Я понял, что сопротивление бесполезно.

— Ну, хорошо, давайте. Только я не знаю, что мне вам написать.

— Напишите что-нибудь философское.

Я подумал и написал: «Капитану Иванову — от большевика Лимонова и жида Койфмана. На добрую память».

* * *

На улице из-за выпавшего вечером снега было совсем светло. Не скажешь — «как днем». Но и «как ночью» не скажешь тоже. Третье время суток. Зимнее. И все светилось. Даже лежавший на боку троллейбус не выглядел таким обугленным, как обычно. Путчи надо проводить зимой. Останки сгоревшего транспорта под снегом совсем не уродуют пейзаж. Скорее придают ему новый объем и интригу. Как большие пушистые елочные игрушки. А осенью раздражали.

— Вы как себя чувствуете? — сказала Дина, вглядываясь мне в лицо. — Вам с сердцем не плохо? Что-то вы побелели.

— Тут все побелело, — сказал я. — Смотри, сколько снега.

— А можно тогда мы Володьку с вами здесь подождем? Я ему тоже позвонила. А то он придет, а нас нет. Разминемся.

Впрочем, мне действительно было плохо. Поэтому то ли от боли в груди, то ли оттого, что я смотрел на тень капитана, падавшую из окна, я начал думать о смерти. Подрагивая на снегу у моих ног, бесплотный милиционер держал в руках бесплотную книгу. Я смотрел на него и думал, что, расписавшись там, на второй странице обложки, я установил наконец прямую связь с миром теней. Аид располагался от меня теперь на расстоянии полуметра. Глядя на то, как капитан в своем призрачном царстве перелистывает страницы, я вдруг понял, что в смерти ничего страшного нет. И, может быть, даже наоборот.

Андрей Геласимов

Я понял, что там должна быть очень хорошая литерату-
ра. Ведь Пушкин вряд ли перестал там писать. И у Достоевского вышло, наверное, еще томов двадцать. И все
это наконец-то можно будет прочесть. И послушать —
что нового спел Элвис. Плюс оттянуться с Венечкой. Похмелья там точно не должно быть. Не те эмпиреи.

— Вам правда не плохо? — произнесла Дина откуда-то очень издалека. — Вид ваш мне что-то не нравится.

«Он многим не нравится, — подумал я. — Но это ничего. Ничего страшного».

Мною внезапно овладела веселость. Я вдруг подумал:
а с каким, собственно, видом приходят *туда*? То есть с каким уходят, очевидно, понятно. Примерно как у меня. А
с каким приходят? Не может быть, чтобы при тамошней
благодати мы добирались туда такие помятые, кашляю-
щие и свистящие. В старых плащах. Что-то должно произойти в дороге. Должно в нас содержаться это второе
дно. Как в хитрых шпионских чемоданах. Второе чудо.
Которое там обнажится. И засверкает. И нам опять двадцать два. И мы больше не вялые гусеницы с таблетка-
ми, чужими зачетками и горькими надоевшими папиро-
сами, а такие большие красивые бодрые бабочки. Как
мадам Баттерфляй, которая тоже скрывала в себе нечто
иное. И у всех у нас девушки. И Соломон Аркадьевич шар-
кает шлепанцами со счастливой улыбкой на устах.

— Смотрите! Вон, кажется, Володька идет, — сказала Дина, и я оторвал взгляд от тени милиционера.

* * *

За этот год мой сын здорово изменился. Впрочем,
мы все здорово изменились за этот год. Не обязательно даже было бросать семью, с которой прожил почти
двадцать лет, и потом самому оказаться брошенным одним молодым, но неясным существом, сумевшим под за-

навес разбить тебе сердце. Достаточно было просто прожить этот год именно в этой стране. Вполне достаточно для необратимых потерь. В смысле отношения к жизни, а не в смысле денег.

Хотя и в смысле денег, наверное, тоже.

Так я встретился со своим сыном, которого не видел уже целый год.

— Ну что, как у тебя дела? — сказал я, продолжая держать на весу руку, чувствуя, как она замерзает без перчатки и как он упорно отводит от нее взгляд.

— Как там? — сказал он, глядя туда, где стоял троллейбус.

— Все нормально, — заговорила Дина. — Заявление они заберут.

Не знаю, почему она была в этом уверена. Что касается меня, то я не был. Быть может, это ее возраст нашептывал ей, что плохие вещи происходят только с другими людьми. Но суть всякого акустического обмана состоит не в искажении звука, а в устройстве ушной раковины. И головы, которая прилагается к ней, и сердца, бьющегося чуть ниже. Потому что многое можно услышать от самого себя в четыре часа ночи на крыльце отделения милиции, когда и голова, и сердце, и под ним другое сердце, и порозовевшая от холода ушная раковина вступают в заговор, чтобы воспринять всякий внутренний шепот с надеждой.

— Правда? — Володька наконец повернулся ко мне. — Они правда его заберут?

— Конечно, заберут, — сказал я, надевая на окоченевшую руку перчатку. — Куда они денутся?

Денег на такси ни у кого из нас не было, а все, что Дина украла в универсаме, осталось в милиции в качестве вещественных доказательств. Подтверждающих, впрочем, только одно.

Мораль не является экономической категорией.

Однако бог создал нас моральными существами. Следовательно, мы либо должны оставаться моральными, либо бог над нами посмеялся. Конец силлогизма.

Хотя еще неизвестно, согласился бы таксист везти нас за баночный паштет или нет. Наверное, не согласился бы.

Я шагал чуть позади Володьки и Дины, размышляя, стану ли я сам читать лекции за еду. Получалось, что еще два-три месяца без зарплаты — и, видимо, стану.

Поэтому злиться на Дину я совсем не мог. По крайней мере, она предпринимала какие-то действия. Демонстрировала отчетливое желание жить. У меня лично интерес к продолжению всего этого мероприятия становился все менее очевидным.

Так бывает во время сумерек. Когда день уже на исходе и ты вдруг понимаешь, что ну и ладно. Пусть будет темно. Какая, собственно, разница? И, в общем, не предъявляешь претензий.

Потому что в конце концов понимаешь, что все это произойдет, как обыкновенный отъезд из родного города. Такого, где ты провел детство и где в узких переулках между домами еще видны отпечатки шин твоего велосипеда. Ты сел с кем-то в поезд, в самолет, ты в пути. А в городе все по-прежнему. Люди, голуби, машины, деревья. Самое сложное, пожалуй, друзья. Поскольку ты с ними делился. Выпивкой, едой, деньгами, деревьями, улицами, голубями, людьми. Но они остаются. Все будет так же, как при тебе. А ты уже совершенно в другом месте. И тебе от этого не грустно.

Потому что это не ты перестал существовать для того города, а тот город перестал существовать для тебя. И требуется усилие, чтобы понять, что он еще где-то есть. Не только в твоей памяти.

— Постойте, — сказал я им в спину. — Это ночная аптека. Мне нужен валидол.

Когда вышли на Ленинский, сердце вроде бы отпустило.

— Вас точно не надо домой провожать? — повторила Дина, вглядываясь мне в лицо.

Я покачал головой. В этих делах — как с зубным врачом. Вдвоем не заходят. Тем более втроем.

— Ты знаешь, — сказал Володька, — мне будет нужна бабушкина квартира.

— Квартира? — Я остановился и поискал глазами, на что бы присесть.

— Да. Мне надо ее продать. Когда Дина родит, нам нужны будут деньги.

— Но я там живу. Это квартира моей матери.

Он посмотрел на меня и сумел не отвести взгляда.

— Она записана на мое имя. Ты сам так хотел. А теперь нам нужны деньги.

— Хорошо, — сказал я. — Придумаем что-нибудь.

Фонарь рядом со мной мигнул и погас. Из-за угла показался первый троллейбус.

* * *

— Ха! — сказала Люба. — Теперь ты еще и бездомный. Я знала, что этим кончится.

— Он мой сын.

— Да хоть папа римский! Не все ли равно — кто выселяет тебя из квартиры? Валидол хочешь?

Я покачал головой.

— А я съем. Точно не будешь?

Я еще раз покачал головой.

— И башкой уже трясешь, как паралитик. Потому что ты бомж.

— У меня есть работа, — сказал я.

— Бомж — это не безработный, Койфман. Это когда негде жить. И за работу твою тебе все равно ничего не платят. Профессор!

Я помешал ложечкой чай и согласился:

— Значит, я бомж.

— И теперь приперся ко мне, чтобы я пустила тебя в папину комнату. Да еще сидишь и ждешь, когда я сама тебе предложу. Потому что ты деликатный, и напрашиваться тебе как-то не так! Как-то не очень!

Приморские хулиганы ее детства в такие моменты неосязаемыми тенями входили в комнату, рассаживались кто где, закуривали свой «Беломор» и, сдвинув кепки на затылок, начинали набивать монеты об стеночку. Слегка матерясь и подначивая друг друга.

Но я вообще-то раньше уже жил в комнате Соломона Аркадьевича. Когда Люба сошла с ума и ее увезли в больницу, я почти сразу перебрался к нему. Он почему-то решил, что причиной Любиного расстройства послужила мрачная обстановка у нее в комнате, и тут же затеял ремонт. По утрам я бегал разговаривать с врачами в сумасшедший дом, после обеда писал диссертацию, а вечером надевал сделанную Соломоном Аркадьевичем из газеты пилотку и отскребал старые обои в Любиной комнате.

Соломону Аркадьевичу нравилось мастерить эти газетные треуголки. Одно время он даже меня пытался научить своему хитрому ремеслу, однако за моей бестолковостью все его попытки остались втуне.

«Ну вот же, вот же! — горячился он. — Вот так надо загибать! Неужели не понятно, молодой человек?»

Он так и не стал называть меня по имени. Даже ночью, когда ему бывало нехорошо, он дотягивался до моей раскладушки, толкал меня в бок и шипел: «Вас не добудишься, молодой человек! Принесите мое лекарство».

Стихов Заболоцкого он почему-то теперь вслух не читал. Может, одного меня в качестве слушателя ему было мало. А может, он просто находил неинтересной свою декламацию, когда она никому не мешает. Потому что мне его чтение вслух теперь не мешало бы совсем. Даже наоборот.

Ритмизация трудового процесса. Ерзаешь мастерком по стене и наслаждаешься звучной рифмой. Труды и дни. Плюс Соломон Аркадьевич в роли демиурга.

А может быть, я не смог научиться делать эти пилотки из-за того, что просто-напросто отупел от горя.

Кажется, именно тогда я впервые заметил, что некоторые слова имеют второй этаж. При этом, находясь на первом, ты никогда не знаешь, как попасть на второй. Вход открывается только во сне. Утром просыпаешься и говоришь себе: «Опять приходил отец». А еще минуту спустя понимаешь, что глагол «приходить» имеет и другие значения, помимо появления умерших людей в твоих снах.

При этом, пока не проснешься, ты абсолютно уверен, что отец живой. И говоришь с ним.

А днем глагол «приходить» выполняет совсем другую работу. Легко применяется по отношению, например, к Соломону Аркадьевичу, который сначала скребется ключом в замке, потом хлопает дверью, шебаршится в прихожей и наконец появляется на кухне со словами: «Вот ваши папиросы, молодой человек. Вы что, еще не приступали сегодня к ремонту?»

Сам он ничего в Любиной комнате не делал. Максимум — стоял у меня за спиной или мастерил для меня новую треуголку.

«Вот видите! Это же так просто! Чему вас только учили в институте?»

Но потом ты вдруг понимаешь, что и по отношению

к нему когда-нибудь глагол «приходить» станет применяться в своем ночном смысле, и сразу перестаешь злиться. Отодвигаешь недописанный лист и смотришь, как Соломон Аркадьевич ловко перегибает газету, разглаживая пальцами уголки. Наблюдаешь за тем, как «Целинные земли» превращаются сначала в «Целинные зем», потом в «Целин» и, наконец, в одну большую жирную «Ц».

Водружая ее на голову, размышляешь о том, что останется от тебя самого, когда время наконец доберется до тебя, как Соломон Аркадьевич до газеты, и начнет перегибать, сокращая твою площадь, сводя аккуратно один край с другим, стремясь к идеальной форме, у которой в случае с газетой три бумажных угла, а в случае с человеком — четыре. Но из твердого камня.

Если, конечно, на ка́мень после тебя еще будут какие-то деньги.

Ты скоблишь мастерком пятна старой желтой известки и думаешь: какую твою букву тогда останется видно?

Из тех букв, которые составляли тебя.

* * *

Все это закончилось, когда я нашел Любин дневник. Точнее, я его не нашел, а он выпал. И закончилось все не из-за того, что он выпал, а просто сразу же после этого. То есть причинно-следственных связей тут никаких не возникло. Была примитивная хронологическая последовательность. Одно шло за другим. Он выпал, я его подобрал, и все на этом закончилось.

Я как раз отскоблил всю известку вокруг Любиного шкафа и решил ждать Соломона Аркадьевича, потому что шкаф был огромный. В одиночку я отодвинуть его не мог. Пока курил, догадался, что Соломон Аркадьевич все равно помогать не станет, поскольку у него другие жизненные принципы. Тем более что двух человек в любом случае было недостаточно. Требовалось как минимум человека четыре.

Поняв это, я затушил папиросу, вставил под шкаф толстую швабру и начал раскачивать зеркального мастодонта. Ножки шкафа практически вросли в пол, и для начала мне было важно их оторвать.

Швабра хрустела, мой позвоночник тоже, но постепенно дело пошло на лад. Сначала левая ножка с фронтальной стороны всхлипнула и слегка оторвалась от пола, затем зазор появился между полом и правой ножкой, а потом что-то стукнуло позади шкафа.

По логике, стучать было не должно. Перед началом манипуляций со шваброй и позвоночником я залез на шкаф, откуда, извозившись в пыли, убрал все, что могло свалиться. То, что стукнуло, упало из другого места.

Улегшись на пол, я разглядел толстую тетрадь в темной клеенчатой обложке. Очевидно, до того как упасть, она была зажата между стеной и шкафом. Это и был Любин дневник.

На первой странице большими красными буквами было написано: «Закрой!» Размер восклицательного знака предполагал немедленное и безоговорочное исполнение багряного императива, который выглядел как графическая интерпретация выстрела из винтовки. Как команда «Огонь!» во время расстрела. В принципе, он даже не вошел целиком на страницу. Верхняя часть знака уходила за пределы тетради, выводя категорическое высказывание в трансцендентную плоскость, уже не воспринимаемую обыкновенными органами чувств. Привычных физических измерений Любе для изъявления своей воли попросту не хватало.

Однако я вырос в той же стране, что и она. Императивы окружали меня и моих сверстников так плотно, что выработался иммунитет. Знак интенсивности, помножен-

ный на себя тысячу раз, неизбежно меняет полярность. Становится разреженным, как воздух в горах. Идеологи коммунизма этого не учли. Или учли, но им было неважно. Главное — произвести первоначальный эффект. Все равно больше собственной жизни не проживешь. А на этот период всех напугали успешно.

К тому же мне очень хотелось оценить литературные достоинства Любиного стиля.

На второй странице пылало целое предложение. Теперь оно было обведено черным карандашом.

«Я сказала — закрой!»

Настойчивость всегда была ее второй натурой. Отнюдь не привычка, как принято говорить. Мне показалось, я даже услышал ее хрипловатый голос.

Следующие страницы в нижнем углу оказались склеенными друг с другом. Я отогнул верхнюю половину листа, рассчитывая все же прочесть хоть что-нибудь, но в этот момент в прихожей хлопнула дверь. Даже если бы Соломон Аркадьевич специально выбирал время, чтобы насолить мне, у него вряд ли получилось бы лучше.

«Завтра выписывают, — сказал он моей спине, пока я запихивал тетрадку туда, откуда она упала. — А почему шкаф все еще не отодвинут?»

Вот так я не успел познакомиться с Любиными секретами. На следующее утро она вошла в свою комнату, и наше совместное заключение с Соломоном Аркадьевичем на этом закончилось.

* * *

Впрочем, спать я продолжал в его комнате на той же продавленной раскладушке. Только теперь по ночам он толкал меня в бок не для того, чтобы я принес ему лекарство, а за тем, чтобы я проверил, все ли в порядке с Любой.

Андрей Геласимов

«Что-то у нее тихо, молодой человек. Сходите, тихонечко загляните».

«Она спит, Соломон Аркадьевич, — шептал я. — Поэтому тихо».

«А вы все равно сходите. Нельзя быть таким ленивым. Я тут лежу и прислушиваюсь целый час, а вы спите как ни в чем не бывало».

Но к Любе заглянуть уже было нельзя. Впервые за полтора года дверь в ее комнату стала запираться. В газетах, которые Соломон Аркадьевич продолжал методично перегибать для меня, на эту тему мелькал заголовок «Граница на замке». Вероломным китайцам на Дальнем Востоке дали самый решительный отпор, а я почти каждую ночь стоял под Любиной дверью по пятнадцать-двадцать минут, прислушиваясь к ее дыханию, переступая босыми ногами на холодном полу и ощущая себя настырным узкоглазым агрессором.

«Ну что? — спрашивал Соломон Аркадьевич, когда я возвращался с задания. — Спит?»

«Спит, — отвечал я. — Все в порядке».

Чтение стихов Заболоцкого он так и не возобновил. Очевидно, поэтическое мироощущение покинуло его. Но я об этом не сожалел.

В Любе тоже появились новые черты. Помимо того, что она обрила голову наголо и не хотела больше со мной спать, ей вдруг понравилось мыть полы.

«В больнице, — объяснила она, — это делают три раза. И еще вечером, перед самым сном».

Но она мыла полы чаще. Каждый раз, когда я откладывал в сторону кисть с известкой, снимал с головы газету про пограничников и выходил на кухню курить, она выливала на пол целое ведро воды. Как будто ей хотелось немедленно смыть всякие следы моего присутствия в ее комнате.

Мне приходилось выкуривать по две, а иногда по три

папиросы, потому что она всегда вытирала насухо. Это занимало у нее и, следовательно, у меня не меньше чем полчаса. Она ползала на коленях с тряпкой в руках, пока абсолютно весь пол не переставал блестеть. Даже в самых дальних углах. Даже у плинтусов и под сдвинутым наконец шкафом.

«Нельзя, чтобы блестел, — прерывисто говорила она. — Иначе муж будет пьяница».

Об этом она тоже узнала в больнице.

Но мужем был я. Который в общем-то совсем не пил. Поэтому, стоя у нее за спиной и сглатывая горькую от бесчисленных папирос слюну, я начинал смутно догадываться, что речь может идти не обо мне.

Моя Рахиль заботилась о чьей-то чужой трезвости.

К привычной для меня лексике приморской шпаны в ее речи добавились слова «чувак» и «башли». «Чуваком» она иногда называла меня, но чаще — своих новых приятелей, с которыми она познакомилась в больнице. «Чувак» по моему адресу означал хорошее расположение духа или какое-нибудь мое персональное достижение — удачно выкрашенный потолок, прибитая полка или просверленная над карнизом дыра. В такие моменты мне позволялось остаться в комнате даже во время мытья полов.

Но чаще все-таки «чуваками» оказывались те таинственные узники сумасшедшего дома. Они были стиляги и чуваки. Советское государство, стремясь обезопасить себя от их узких брюк, ярких галстуков, «черных котов», а главное — от их «шуба-дубы», заперло «чуваков» в одном помещении с моей безумной Рахилью, и сердце ее дрогнуло, пленившись ощущением новой свободы и свежего воздуха, а мне осталось только курить на кухне свой «Беломор» и поджимать по ночам у ее закрытой двери свои замерзшие голые ноги.

Вот так, в общих чертах, Родина отняла у меня Рахиль.

* * *

Правда, доктор Головачев тоже принял участие в процессе. Он стал приезжать буквально через неделю, после того как вернулась Люба. Объяснял это тем, что ей необходимо находиться под постоянным наблюдением врача.

И, как я понял, за закрытой от нас с Соломоном Аркадьевичем дверью. Впрочем, Соломону Аркадьевичу на это было плевать. Он радовался, что я наконец закончил ремонт.

«А вот бумажные шапочки, молодой человек, вы так и не научились делать. Напрасно!»

Мы сидели с ним на кухне, и он спрашивал у меня, отчего это у доктора Головачева такие узкие брюки.

«Ему же, наверное, неудобно. Как он их надевает?»

«Это просто мода, — объяснял я. — Сейчас многие ходят в таких брюках. Они называют себя «стиляги».

«Стиляги? — удивлялся Соломон Аркадьевич. — Это что, целая группа? Как хунвейбины? И что у них за идеология?»

Я смотрел на Соломона Аркадьевича, размышляя об идеологии доктора Головачева, но, кроме того, что он запирается в комнате с моей Рахилью, в голову мне ничего не приходило. Очевидно, это и было его идеологией. Помимо узких брюк. В которых действительно непонятно каким образом он размещал свою нижнюю половину. Стискивая, очевидно, себе там буквально все.

«Смотрите, — сказала Люба, входя на кухню. — У меня сережки».

Я уже знал от нее, что все «чувихи» в больнице были с проколотыми ушами. Люба говорила, что это «клево».

На комсомольском собрании факультета у меня в институте за «клево» могли запросто отчислить с любого курса. Не говоря уже о сережках.

«Где ты их взяла? — сказал Соломон Аркадьевич. — Это сережки твоей бабушки».

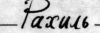

«Где взяла, там уже нет. Нравится?»

Она повертела бритой головой из стороны в сторону. Солнечный луч из окна упал на сверкающие грани и блеснул мне прямо в глаза.

«Осторожней! — забеспокоился Соломон Аркадьевич. — Это настоящие бриллианты».

«Больно было?» — сказал я.

«Да нет. — Она продолжала поворачивать голову. — Только похрустело чуть-чуть».

За спиной у нее появилось улыбающееся лицо доктора Головачева.

«Ну как?» — сказал он.

Человек-дырокол.

Он был для нее символом свободы, которую она обрела в сумасшедшем доме. Люба говорила, что он подменял стилягам все эти страшные таблетки на безобидные пустышки из сахара и муки. Собственное изобретение. Борьба за право носить узкие брюки, баки и напомаженный кок. От которого подушка, наверное, к утру покрывается жиром, как сковорода для оладий.

Ну как мне было тягаться со всем этим маслом? С дырками в ушах? С тесно прижатыми гениталиями?

А насчет чистоты еврейской крови доктора Головачева даже не спрашивали. В его случае этот вопрос почему-то особенно остро уже не стоял.

* * *

Наблюдая за развитием их взаимоотношений, я невольно стал задумываться о смысле жизни. Часами ходил вокруг дома и в соседнем парке, размышляя на эту важную тему, пока желтый плащ доктора не мелькал у входа в подъезд.

Начитавшись перепечатанных на плохой машинке запрещенных статей Мукаржовского, я воспринимал этот факт мелькания просто как часть определенной знаковой системы. С точки зрения семиотики желтое пятно у подъезда сигнализировало об уходе соперника. Оно декодировалось как возможность занять покинутое оперативное пространство и развернуть в нем собственную операцию. Без помехи со стороны препятствующих факторов.

Но операция никак не разворачивалась. Оперативные силы сидели на кухне, уныло курили и размышляли о смысле жизни. Виня во всем советские дурдомы, в которых расцветает свобода, и теряя драгоценное время между бесконечными появлениями желтого плаща.

Стильного, разумеется, до самой последней пуговицы.

А может, виной всему был плохой перевод Мукаржовского. Кто его знает, что этот чех на самом деле имел в виду?

По причине всех этих обстоятельств размышления о смысле жизни плавно перетекли в размышления о смысле смерти.

Мысль о ней началась с Фицджеральда. Я вдруг задумался о том, что с ним могло случиться, если бы смерть не поселилась в его жизни в форме алкоголизма и сумасшествия его жены. Страшно даже представить. Ведь эта безумная Зельда сначала вообще не хотела за него выходить. Как будто чувствовала свой дар и отказывалась делиться. Дар поющей в ней смерти.

Скорее всего, он вообще бы не стал писать. О чем на свете можно писать, кроме приближения смерти? О ласточках? О синем небе? О первом поцелуе, розовых трусиках и фламинго того же цвета?

Но все это как раз и значит — писать о смерти. Поскольку мысль о ней скрыта во всех этих вещах. В их быстротечности. Какими бы голубыми и розовыми они ни казались. А может быть, именно благодаря этому. Потому что — кто пытался постичь цвета смерти?

Я стал размышлять о самых недавних самоубийствах в литературе. У меня получились Фадеев и Хемингуэй. Добровольный уход в эпоху проскрипций показался мне драматичнее. Это напоминало о Сенеке, который просто выполнил приказ императора. Хотя Фадеев вряд ли выполнял чей-то приказ. Идеалы стоицизма, конечно, похожи на коммунистические, но только в профиль. Подоплека уже не та. Плюс отсутствие персональных бассейнов, где без суеты можно отойти в мир иной. Диктуя письмецо императору. Которого, кстати, сам же на свою голову и воспитал. Точнее, совсем некстати.

Но зато как звучит!

«Вы знаете, я педагог Нерона. Да-да, наследника императора. Такой непослушный мальчик». Небрежным тоном. Чтобы эти в тогах не подумали себе вдруг, что нам это так уж важно. И озабоченный думами взгляд. О грядущем, естественно, о чем еще. Мы ведь государственные мужи. Или правильнее будет «мужья»?

А непослушный мальчик у себя в голове уже кропает приказ: «Дорогой учитель, пожалуйста, перепили себе жилы. Я хочу посмотреть». Он же не виноват, что именно через него бог решил запустить в действие механизмы своей иронии. По поводу дум о грядущем, по поводу государственности мужей, ну и вообще, чтоб не скучали.

Короче, для анализа я выбрал Фадеева. Тем более что его двоюродный брат был знаком с Любиной бабушкой — той самой санитаркой из отряда Лазо. Соломон Аркадьевич говорил, что у них даже был роман. Пока этого кузена не сожгли вместе с командиром в паровозной топке. А до этого он целовал Лену Лихман в губы. И еще застрелил белого офицера, который снял бабушку Лену с забора, когда она зацепилась юбкой за гвоздь, убегая во время облавы. Офицер этот, очевидно, был добрый, поэтому отцепил Лену Лихман, поставил ее на землю и сказал: «Убегай». Но кузен вернулся из леса и выстрелил ему в грудь.

А может, он просто заревновал. Соломон Аркадьевич говорил, что бабушка Лена была очень красивой.

«Люба в нее», — добавлял он.

Из-за этой истории я даже отвлекался от своих размышлений. Мне казалось, что, может быть, кузен прав и надо стрелять кому-нибудь в грудь, если твою женщину вдруг вот так неожиданно снимают с забора. Ведь все эти вещи не просто так. Они обязательно что-то значат, и лучше их останавливать, пока они не начались и не стало совсем поздно.

Но потом я вспоминал, что кузен плохо кончил, и с глубоким вздохом возвращался к своим теоретическим построениям.

Принципы компаративного анализа требовали вторую фигуру. Необходимо было сопоставление. Еще одна смерть. Лучше всего подходил Сент-Экзюпери. Во-первых, не самоубийца. Во-вторых, на компромиссы не шел. В-третьих, во власти не участвовал. При этом — ровесник и тоже против фашизма. Одна эпоха.

Но какая-то очень другая смерть.

Что заставляло Фадеева подписывать бумаги, которые могли превратиться в смертные приговоры? Да еще тем людям, которых он лично знал?

Убеждение? Или страх за себя? Персональная боязнь того, что такой талантище тоже свезут на Лубянку и тогда всем этим пухлым книжкам про сталеваров — трындец? С простреленным лбом много не напишешь. Отсюда имманентное недоверие к смерти.

Ошибочное, как показывает опыт. В любом случае все умрем. Бояться неизбежного — непродуктивно. Лишняя трата энергии.

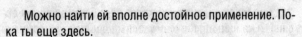

Можно найти ей вполне достойное применение. Пока ты еще здесь.

За штурвалом самолета, например. Но только говорить тогда придется по-французски. И за спиной будет не кондовый «Разгром», а «Земля людей». И перед глазами будут не рожи членов Политбюро, а «мессер» в перекрестье прицела. И рука тянется не к протоколу заседания, а к пулеметной гашетке. Пусть даже в последний раз. И пусть об этом никто не узнает.

Зато падаешь в море, а не на письменный стол.

Я часами сидел на кухне и размышлял на эту тему, забросив дела, сморщив лоб, время от времени пытаясь понять, что же я все-таки могу противопоставить ярко-желтому плащу доктора Головачева.

Выходило, что ничего. Взаимоотношения Сенеки и Нерона мою Рахиль интересовали в самой последней степени. Узких брюк ни тот ни другой, к сожалению, не носил.

Вот так обыкновенный болоньевый плащ и пара темных еврейских глаз могут заставить человека всерьез думать об эволюции культуры самоубийства.

Прямо Камю в московской квартире.

* * *

Выход из всех этих бдений на кухне, прогулок в парке и размышлений нашел не я, а сам доктор Головачев. Если только он искал выход. Вполне возможно, что не искал. Скорее всего, ему просто надоела моя унылая физиономия.

«Как у вас с деньгами, молодой человек?»

«Молодого человека» он перенял у Соломона Аркадьевича.

«С башлями?» — переспросил я.

Он улыбнулся и кивнул: «Ну да, с ними. Вы уже дописали свою диссертацию?»

Защита планировалась не раньше чем через два месяца, и на кафедре мне действительно пока еще не давали часов. Но стипендию платить перестали. Я уже был не аспирант, а соискатель. Приставка «со», очевидно, предполагала какой-то совместный поиск, однако без денег я сидел в одиночку.

Пока не подключился доктор Головачев. Со всем вниманием и сердечным участием. В обтягивающих брючках.

«В вашем возрасте я разгружал вагоны».

«А пароходы ты не разгружал? — подумал я. — Или баржи водил с бурлаками по Волге?»

«Поймите, молодой человек, Любе в ее состоянии необходима поддержка». Нормальная философия бурлака. «Обоприся на мое плечо, эй, товарисч».

«Я не молодой человек, — сказал я, поднося спичку к следующей папиросе. — Я — чувак. Пишу всякую дребедень про литературу».

Он покрутил набриолиненной головой и усмехнулся:

«Очевидно, я раздражаю вас своим присутствием в вашем доме, но вы должны понять, что это необходимо. Любе нужна помощь».

«Вы только что говорили, что ей нужна поддержка».

«Поддержка и помощь, — сказал заслуженный бурлак Советского Союза. — И вы совершенно напрасно иронизируете. Вы уже достаточно взрослый, чтобы понять, насколько серьезна ваша ситуация».

Ну, тут уж он зря. Вот это я понимал. Непонятно только, почему он сказал «ваша ситуация». Вообще-то должен был сказать «наша». Или он думал, что это была моя идея пригласить в дом врача из психушки, который станет шастать взад-вперед, шелестя болоньей и запираясь в комнате с моей женой? С моей безумной Рахилью. Пусть даже он ее ровесник и даже немного старше, а я всего лишь тупой аспирант. Вернее, тупой соискатель.

«Когда у вас будет защита?»

«А вам-то какое дело?»

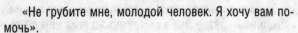

«Не грубите мне, молодой человек. Я хочу вам помочь».

Добрый доктор Айболит. «Как живёте? Как животик? Не болит ли голова?» И глаза такие добрые-добрые. Как у дедушки Корнея Чуковского. Который тоже много чего украл в своей жизни. Но чужих жён не воровал. Только персонажей. Впрочем, может, и жён. Кто их знает — этих добрых старShe old старичков?

«Я хочу предложить вам работу. У меня есть знакомые в морге, или, если хотите, могу взять санитаром к себе в больницу до защиты диссертации».

«Морг — это здорово, — сказал я. — У меня там тоже знакомые есть. Соседка вчера умерла. Октябрина Михайловна».

«Перестаньте паясничать».

Я затянулся поглубже, пока папироса не зашипела и не стала потрескивать. Мы так молчали минуты, наверное, две. Он стоял в дверях, а я сидел у плиты рядом с пепельницей.

«Слушайте, доктор, — наконец сказал я. — Давно хотел вас спросить. Вам в этих брюках хозяйство не жмёт?»

* * *

В конце концов я оказался в дурдоме. В том самом, где моя Рахиль повстречала своих замечательных волшебных стиляг. Мне казалось, что, если я познакомлюсь с ними поближе, у меня все же появится шанс проникнуть ночью к ней в комнату, вместо того чтобы часами скрипеть раскладушкой в радиусе действия беспокойной руки Соломона Аркадьевича или топтаться на холодном полу перед закрытой дверью. Я решил перейти линию фронта.

Доктор Головачев легко простил мое хамство и устроил меня санитаром. Работая с сумасшедшими, он, очевидно, привык к подобному поведению, поэтому зла на меня не держал. Но я все равно несколько раз оторвал ему пуговицы на плаще, который он легкомысленно оставлял у себя в кабинете, не запирая при этом дверь.

На следующий день все пуговицы обычно снова были на месте. Даже когда я уносил их с собой, у Головачева всегда находилась замена. Видимо, и к подобным вещам он оказался готов. Удивить его было непросто. Да еще эта химическая ткань была устроена таким образом, что оторвать пуговицу «с мясом» у меня не хватало сил. Требовались нечеловеческие усилия. А мне очень хотелось, чтобы его плащ покрылся зияющими дырами. Как лунные кратеры, о которых тогда много писали в газетах.

И я в роли лунохода. Бреду себе по поверхности неизвестной планеты, ныряю в эти самые кратеры. А тот, кто внутри, нажимает на кнопочки и думает: кому нужна такая любовь? Правда, потом я выяснил, что луноходы управлялись по радио. Этот внутренний чувак сидел только внутри меня. В луноходе его не было.

Поэтому однажды я дернул так сильно, что упала вся вешалка. Рухнув на письменный стол, она вдребезги разбила покрывавшее его стекло и опрокинула чернильницу. По столу разлилась ярко-фиолетовая лужа, а я убежал в туалет.

Через десять минут, когда я вернулся, перепачканные чернилами санитары из отделения для буйных собирали с пола осколки стекла. Они даже почти не матерились. Я помог им вытереть стол и рассказал о нескольких писателях, страдавших помутнением рассудка. Когда они меня выгнали, я вернулся к себе в туалет и выкурил еще одну папиросу. Мне нравилось, что я веду себя как сумасшедший. В подобных занятиях мое в общем-то бесформенное страдание обретало параметры определенной структуры. Оно становилось способным к конкретному самовыражению, и от этого мне было гораздо легче. У моего страдания появлялся стиль.

Кстати, стиляг, на встречу с которыми я рассчитывал, когда устраивался на работу, в дурдоме уже не оказалось. Их отпустили из-за какого-то «потепления» наверху, и они, судя по всему, теперь опять воевали на улицах с бригадмильцами. Впрочем, мне было уже не до них.

Там, правда, оставался еще один какой-то наполовину стиляга по имени Гоша, но в нем я не обнаружил ничего, что могло бы поразить воображение моей Рахили до такой степени, чтобы не пускать меня к себе в комнату по ночам. Единственное, чем он был интересен, — это три имени. Он всегда представлялся тройным образом. «Гоша-Жорик-Игорек», — говорил он, протягивая руку, которая так и оставалась висеть в воздухе, поскольку персоналу общаться с больными не разрешалось, а с другими сумасшедшими он сам разговаривать не хотел. О том, что он имел какое-то отношение к стилягам, я узнал от доктора Головачева. Вернее, догадался по его поведению. Головачев даже не пытался скрывать, что симпатизирует «Гоше-Жорику». После отбоя только ему можно было вставать с постели и курить у центрального выхода возле окна.

Наблюдая за всей этой новой для меня жизнью, я время от времени внимательно прислушивался к себе. Иногда мне казалось, что я наконец отвлекся и беспокойство внутри меня улеглось, однако стоило мне снова увидеть доктора, как боль немедленно возвращалась и мне хотелось чем-нибудь его убить. Временами я даже мог заставить себя не думать о Любе, и все, казалось мне, утрясется, но в какой-то момент я с ужасом вдруг заметил, что Головачев становится похож на нее. Он начал точно так же, как она, поворачивать голову, так же щелкать пальцами, когда не знал, что сказать, так же хмуриться.

Но что было хуже всего — он стал говорить звук «ха!»

ЗИГАНШИН-БУГИ

К роженицам в роддом мы не пошли тогда из-за Веньки. Он остановился прямо посреди улицы и сказал, что больше такой возможности не будет. Что если «давим стиль», то надо давить до конца и что Гленн Миллер нам этого не простит.

Мы с Колькой переглянулись и начали считать деньги. На троих нам хватало, но в буфет до стипендии можно было больше не заходить. Ежемесячный перевод из дома к этому времени тоже дал дуба.

— Гленн Миллер будет доволен, — подмигнул нам Венька, и вместо роддома мы отправились в хорошо знакомую уже квартиру на Ленинградском.

Размышляя о том, каким образом Гленн Миллер может узнать, на что мы потратили наши последние деньги, я помог какой-то девушке в желтом платье укрепить на стене простыню.

— Спасибо, — сказала она и сделала смешной книксен. — Вы очень любезны.

— Может, вы уйдете оттуда? — начали кричать на нас остальные. — Мы на вас, что ли, пришли посмотреть?

Я сел на свое место и стал наблюдать за девушкой.

— Чувак, — толкнул меня через минуту сосед слева. — Эй, чувак, ты вино будешь? Белое сухое. Домашнее. Из Крыма вчера привезли.

— Нет, чувак, — ответил я. — Хочу посмотреть «Серенаду». С вином будет не то.

— Уважаю, — сказал мой сосед. — Такой ништяк заценить можно только на трезвую голову. А я долбану. Точно не хочешь?

— Да нет, спасибо, чувак.

— Ну, давай. Только потом не обижаться. Договорились?

Но фильм я практически не смотрел. Даже когда все в комнате затопали ногами и закричали: «Чу-Ча!», я несколько раз довольно вяло притопнул и продолжал смотреть на слегка волнистый экран из простыни, не очень-то следя за тем, что там происходит.

Потому что не было необходимости. «Серенаду Солнечной долины» я знал наизусть. В одной только этой квартире на Ленинградке я видел ее уже восемь раз. Сюда добавляй три раза на улице Горького и два — на Таганке. Там жили какие-то Венькины приятели, у которых можно было не только посмотреть «Серенаду», но и купить дорогущий галстук с обезьяной. Венька говорил, что все галстуки прямо из Штатов.

Считая сегодняшнюю оказию с булькающим слева от меня чуваком из Крыма, для нас это была уже четырнадцатая возможность сделать так, чтобы Гленн Миллер до смерти ни на кого не обиделся. Я сильно подозревал, что по этой причине даже у себя в Штатах он мог считать себя самым счастливым чуваком.

А если не он, то хозяева этих трех квартир — точно. На те деньги, что мы отдали им за эти четырнадцать раз, наверняка можно было купить что-нибудь грандиозное.

Я стал смотреть по сторонам, и в мерцающей полутьме, кажется, все-таки разглядел новое кресло. Во всяком случае, в наш первый приход его в этой квартире не было. Венька сейчас, разумеется, развалился именно в нем. Откинулся на спину и дирижировал.

Вторая причина моего втайне сдержанного отношения к «Серенаде» называлась «Небесный тихоход». Я ни за что в жизни не признался бы Веньке, но, когда Николай Крючков в этом фильме начинал петь «Махну серебряным тебе крылом», по спине у меня всегда бежали мурашки. Может, это было связано с тем, что отец во время войны командовал эскадрильей дальних бомбардировщиков, а может быть, с тем, что меня самого полтора года назад не взяли по здоровью в Актюбинское летное училище, и назло всем этим врачам я поехал в Москву и поступил в медицинский.

Трудно теперь сказать, какая из двух причин была для меня важнее, однако мурашки от песни Крючкова по спине бегали регулярно, и Веньке в этом признаваться я не спешил.

Потому что мы должны были «давить стиль». Или «стилять».

В разном настроении Венька употреблял разные термины. Когда денег хватало не только на мороженое и на то, чтобы торчать целый вечер на улице Горького напротив Главпочтамта, прячась время от времени в подъездах соседних домов от комсомольских оперотрядов, мы могли «постилять» где-нибудь в «Арагви». Там всегда «стиляли» фирменные чуваки и те девушки, которых Венька называл «золотые дукаты». Познакомиться с «дукатом», а тем более уйти с ней из ресторана в его глазах было высшей стиляжной доблестью. Правда, пока этого ни с Колькой, ни со мной не случалось. Чаще мы все-таки «давили стиль» на нашем «Бродвее» — или на «броде», — между площадью Пушкина и гостиницей «Москва», разбегаясь как тараканы от бригадмильцев и стараясь не угодить в «полтинник», то есть в отделение милиции номер 50. Из института за это бы точно поперли.

Андрей Геласимов

Впрочем, не только за это. Доцент Зябликова давно уже точила зубы на нашу троицу. На первом курсе, когда нас всех привели в анатомку, Венька притащил с собой муляж гниющей конечности, который специально для этой цели украл из институтского музея, и положил его во время перерыва Зябликовой в портфель.

Нас не выгнали только из-за вмешательства Колькиного отца. Филипп Алексеевич много лет проработал в журнале «Огонек» и был знаком с ректором нашего института лично. К тому же Венька официально числился лучшим студентом на курсе. Профессура носилась с ним как с писаной торбой. Не знаю уж, как они там чего разглядели, но практически каждый преподаватель время от времени ему говорил при всем курсе: «Вениамин, у вас от бога медицинский талант. Вы — прирожденный врач».

Как будто я или Колька не получал точно такие же пятерки во время сессий. Или как будто Венькины «пятаки» были особенно медицинские, а наши — так, из другой оперы. И можно было из шкуры вон лезть, не спать ночами, зубрить бесконечные кости, изображать из себя великого доктора — все равно «прирожденным врачом» называли одного Веньку. Они его выбрали, и с этим уже ничего нельзя было поделать.

Так выбирают любимый цвет. Никто ведь не сможет ответить, почему ему нравится именно красный или, скажем, зеленый. И уж тем более никого не волнуют чувства того глупого цвета, который не выбрали.

Поэтому мы с Колькой просто получали свои не очень медицинские пятерки и грелись в лучах славы будущего светила.

Зато у Зябликовой теперь появился шанс отомстить.

Или, по крайней мере, сильно испортить Веньке, а за компанию и всем нам наше безоблачное «стиляжное» настроение.

Это была третья причина, по которой я не кричал теперь вместе с другими «Чу-Ча».

— Жду завтра всех на семинаре по акушерству, — сказала Зябликова и, со значением улыбаясь, посмотрела на нас троих. — Вся группа может готовиться по обычному списку вопросов, а для вас, молодые люди, у меня будет особое задание.

— Сдурела совсем! — сказал Венька, когда мы вышли из института. — Тащиться в роддом обследовать беременных теток?!!

Именно в этот момент ему и пришла в голову идея насчет Гленна Миллера. Очевидно, как противоядие.

Впрочем, скоро выяснилось, что у него было много идей.

— Слушайте, кексы, — сказал он уже у Колькиного подъезда. — Хватит вам дуться. Сдаюсь — «Серенаду» сегодня можно было и не смотреть. Но я зато знаю, с кем поговорить о нарушениях в кровеносной системе в период беременности.

— С кем? — практически хором сказали мы.

— С Василисой Егоровной, остолопы. Она же тебя рожала, — он посмотрел на Кольку. — Должна помнить.

— Ну, я не знаю, ребята, — сказала Василиса Егоровна, глядя на нас в прихожей. — Это ведь давно было. Вы лучше переоденьтесь быстрей, а то Филипп Алексеевич может с работы прийти. Уже почти восемь.

Мы пошли в Колькину комнату и начали стягивать с себя узкие, как карандаши, брюки. Василиса Егоровна до определенной степени понимала трудности нашего поколения, а вот Филипп Алексеевич был человеком «на государевой службе», и о нашей непростой «стильной» жизни знать ему было совсем ни к чему. Ради нашего, естественно, блага.

И ради всеобщего торжества широких штанов, воспетых Маяковским. Его памятник как раз виднелся из Колькиного окна.

Потому что широкие штаны Филипп Алексеевич уважал. Замечательный во всех отношениях человек, легкий и остроумный собеседник, он при этом любил цитировать Никиту Сергеича Хрущева и часто повторял, что хороший человек узких брюк не наденет.

Наденет или не наденет — на других мы не проверяли, но Колькин отец в скором времени должен был стать секретарем парткома редакции «Огонька», и, следовательно, он наверняка собственноручно поубивал бы нас из своего трофейного «вальтера», если бы узнал, что те самые отвратительные стиляги, о которых с таким презрением и брезгливостью пишет его журнал, это, собственно, мы и есть.

Они самые. Здрасьте.

А «вальтер», между прочим, был у него знатный. Надежный, увесистый и в то же время поджарый, как породистый пес. С аккуратной маленькой мушкой. Венька, как только увидел его, сразу сказал: «Да, чуваки, это не семьдесят восемь. Это настоящие тридцать три».

Более высокой степени одобрения в его языке просто не существовало. Огромные толстые пластинки на 78 оборотов в минуту с песнями Бунчикова и Шульженко он ненавидел так, как обычный человек, то есть не стиляга, ненавидит смерть, или голод, или капитализм. В то же время редкие пока еще пластинки на 33 оборота были для него символом высшей справедливости и торжества человеческого разума.

Пистолет Филипп Алексеевич разрешал нам подержать только в своем присутствии. При этом обойма — даже пустая — всегда либо на столе, либо у него в руках. Щелкать курком тоже не разрешалось.

— А что, если там остался патрон? — говорил Филипп Алексеевич и оттягивал затвор, чтобы показать нам тусклую впадину, где, естественно, никогда никакого патрона не было.

— Нет, я не помню то время, когда ходила с Колькой, — сказала Василиса Егоровна, отодвигая на край стола вазу с цветами и расставляя чайные чашки. — Война была. Все как-то мимо катилось. Куда там за беременностью следить. Выжили — и спасибо.

— Но хоть что-то вы должны помнить, — настаивал Венька. — Токсикоз, головокружение. Нас особенно интересуют вены. Вены под кожей не расходились? Такими крупными синяками?

— Я не помню, Венечка, — виновато сказала она. — Может, вам про что-нибудь другое рассказать?

— Нет, нам про другое не надо, — вздохнул Венька, но через секунду сам неожиданно переменил тему: — А можно нам тогда пистолет посмотреть? Пока Филипп Алексеевич не пришел с работы.

У «вальтера» была своя история. Колькин отец на войне в атаку, разумеется, не ходил, потому что был журналистом, но в немецких окопах все же бывал. Спускался туда после боя, чтобы собрать материал для статьи — поговорить с бойцами, полистать документы убитых фрицев. И вот однажды под Сталинградом он то ли не разобрал, что бой еще не закончен, то ли немцы решили вернуться в отбитый уже у них окоп, но, когда он спрыгнул в траншею, прямо на него смотрел молоденький фриц.

Филипп Алексеевич рассказывал нам эту историю не один раз и при этом всегда подчеркивал, что фриц был очень молод. А так как сам Филипп Алексеевич нам казался глубоким стариком, то этот несчастный немец в наших мозгах навсегда застрял каким-то почти ребенком. И это было странно, потому что немцы были фашисты и не имели никакого права быть детьми. Их надо было убивать, где только возможно.

Но фриц Филиппа Алексеевича был молод. Может, под Сталинградом тогда уже воевал гитлерюгенд, а может, все это была только игра воображения не привыкшего к виду живых немцев Колькиного отца.

Так или иначе, но, рассчитывая на то, что в немецких окопах должны быть наши, Филипп Алексеевич и на этот раз не взял с собой автомат. Огромный «ППШ» мешал ему в узких траншеях.

Оказавшись лицом к лицу с этим немцем, он понял, что не успеет вытащить из кобуры свой «ТТ». В руках у фрица уже был тот самый «вальтер». Немец навел его на Колькиного отца, но почему-то не выстрелил. Они постояли так несколько секунд, а потом фриц быстро сунул ствол себе в рот и нажал на курок. Почему он так поступил — Филипп Алексеевич так никогда и не понял.

Мы тоже этого не понимали, но были благодарны странному фрицу. Даже несмотря на то, что он был фашист.

Потому что без Филиппа Алексеевича стало бы намного скучней.

— Как это ты не помнишь ничего про беременность? — сказал он, усаживаясь к столу. — Эх, Васька, ну что за память? Я лично все помню. Спрашивайте меня, товарищи медики. Что вас интересует?

Венька на секунду засомневался, но все же задал свой вопрос.

— Синяки? — переспросил Филипп Алексеевич. — Да-а, разумеется. По всему телу. И жилы вот такими узлами. Величиной с кулак.

Василиса Егоровна поперхнулась чаем, закашлялась и начала смеяться.

— Филя, им правда надо, — переведя дух, сказала она. — Скажи честно — помнишь или не помнишь?

— Все помню, как на духу. У твоей сестры после родов начался геморрой. Простите, не к столу будет сказано.

— Филя!

— Что Филя? У Фили ничего не было. Ни до беременности, ни после. И у тебя ничего. Только на четвертом месяце возникло небольшое потемнение вот здесь, на локтевом сгибе. Я правильно говорю, товарищи медики? Это место называется локтевой сгиб?

— Перестань врать, Филя! Им серьезно надо для завтрашнего занятия.

— А кто врет? Вот тут у тебя было пятнышко. Васька, ты не поверишь, но я твое тело знал лучше, чем карту нашего наступления. Любо-о-овь! Так, молодежь, а ну-ка, заткнули уши.

Они познакомились в декабре сорок первого года. Филипп Алексеевич несколько раз говорил нам, что напишет об этом книгу, но пока рассказывал устно. И видно было, что ему нравится рассказывать.

Редакция «Красной Звезды» прикрепила его тогда к штабу 20-й армии, которая должна была отбросить немцев от Москвы в направлении Лобни и Ржева. Колькин отец напросился в передовые части, получил на складе буденновку и поехал отбивать деревню со смешным названием Катюшки. В общей сложности наши брали ее шесть раз. С Василисой Егоровной Филипп Алексеевич познакомился на третий.

В ту ночь он ползал по нейтральной полосе и разворачивал тела погибших красноармейцев головой к немецким позициям. Это было важно. От того, в какую сторону солдат упал головой, зависела судьба его близких. За трусость и предательство Родины отвечать должны были все.

Под утро он наткнулся на Василису Егоровну.

— Нет, Васька, ты мне скажи, — посмеиваясь, говорил Филипп Алексеевич. — Ведь мародерством приползла туда заниматься. Ну, признайся, что за жратвой.

Но Василиса Егоровна уверяла, что хотела помочь нашим раненым, а тот сухпаек, который у нее оказался, она вытащила из немецкого вещмешка. Дохлых фрицев там тоже было навалом.

Потом, даже когда фронт ушел далеко на запад, Колькин отец, отправляясь за материалом на передовую, всегда старался проехать через Катюшки. За что, кстати, то и дело получал от начальства по шапке.

— А буденновка-то все еще, между прочим, при мне, — говорил он, вынимая из шкафа и надевая на голову потемневший остроконечный шлем с синей звездой. — Холодно только в ней было. Зима в тот год выпала, я вам скажу, «Гитлер — капут».

Почему-то так получилось, что бойцы 20-й армии оказались тогда одеты в кавалерийское обмундирование времен Гражданской войны. Неизвестно, это ли повлияло на решение Василисы Егоровны, но летом сорок второго они поженились, а осенью, уже в Москве, у них родился Колька.

Будущий стиляга и, может быть, врач.

— Я помню, совсем кормить его было нечем, — сказала Василиса Егоровна. — Вот это я помню. На карточки ничего для грудников не давали, а у меня не было молока. Почему-то пропало. Наверное, от недосыпания. На крышах по ночам сидели. Тушили «зажигалки». Я все боялась, что усну прямо там и свалюсь с пятого этажа. У нас в Катюшках выше голубятни ничего не было. И то ее потом миной снесло.

Продолжая наступать, 20-я армия все дальше отбрасывала немцев от Москвы, а Филипп Алексеевич не спешил возвращаться в редакцию. За эти несколько недель наступления командующий армией Власов стал любимым генералом Сталина, и Колькиному отцу было понятно, что ни в какой другой фронтовой части такого материала для своих статей ему не найти. Он много писал о Власове, общался с ним, видел в нем нового Кутузова и спасителя Москвы. Никому даже в голову тогда не могло прийти, что армия Власова в конце концов попадет в котел. Тем более никто не мог предвидеть поведения самого генерала.

— Не знаю, почему он не застрелился, — говорил Филипп Алексеевич, и в его обычно добродушном лице проглядывали такие жесткие черты, что мне, например, становилось не по себе.

После предательства Власова ему действительно пришлось нелегко. Допросы фронтового смерша, допросы в Москве. Когда перевезли на Лубянку, он понял, что оставят в живых. Если бы хотели, могли расстрелять прямо у блиндажа особиста. Со многими так и поступили.

Но повезло. Кто-то на самом верху читал его фронтовые статьи и оценил их идеологическое значение. Ему

разрешили вернуться на передовую и продолжать писать. Правда, только с «лейкой» и блокнотом». О редакционном «Виллисе» он мог надолго забыть. Даже после войны никто не спешил предлагать «власовскому приспешнику» кабинет редактора.

Поэтому теперь, когда Филипп Алексеевич должен был вот-вот стать партсекретарем «Огонька», а в дальнейшем, возможно, и главным редактором, в семье у Кольки царило предпраздничное, слегка нервозное оживление. То есть ни Колькиному отцу, ни его матери, по большому счету, не было никакого дела до наших проблем. С доцентом Зябликовой и нарушениями в кровеносной системе в период беременности нам предстояло разбираться самостоятельно.

— Ну что приуныли, товарищи медики? — сказал Филипп Алексеевич, разворачивая газету. — Свет клином на ваших синяках не сошелся. Нет, ты посмотри, что тут пишут! Нашли все-таки солдат на барже. Подобрал американский авианосец. Сорок девять дней в океане болтались. А мне в редакции сказали, что по радио прошло сообщение, но я не поверил. Надо же как исхудали ребята. Где это, интересно, фотографировали? В Америке, что ли?

При слове «Америка» Венька вскочил из-за стола, забежал за спину Колькиному отцу и впился глазами в газету. Несколько минут они молча читали статью. Мы с Колькой уныло допивали свой чай, а Василиса Егоровна ушла на кухню шуметь посудой.

— А можно мы у вас газету на секундочку заберем? — сказал наконец Венька, почему-то сильно волнуясь. — На одну секундочку. И тут же вернем обратно.

— Да можете забрать ее хоть насовсем, только мне еще про спорт почитать надо.

Венька не отошел от Филиппа Алексеевича ни на шаг, пока тот просматривал результаты футбольных матчей.

— Да-а, — в конце концов протянул Колькин отец. — Не выйдет, видимо, уже Бобров на поле. Только тренером. А какой был центральный форвард! Я помню, «Динамо» включило его в состав для поездки в Англию, а он...

— Можно газету? — робко попросил Венька.

В Колькиной комнате, едва за нами закрылась дверь, он рухнул на диван, подбросил газету над головой и, стараясь, чтобы его не услышали в гостиной, зашипел на нас, как змея:

— Все, кексы! Ура, чуваки! Тридцать три! Говорю вам — это тридцать три оборота! Лабаем джаз!

Мы с Колькой стояли перед ним, как два школьника, и ждали, когда у него это пройдет.

— Чего вылупились? Читайте!

И мы прочитали:

«Младший сержант Асхат Зиганшин и рядовые Федотов, Поплавский, Крючков почти два месяца назад на оторвавшейся от причала барже были унесены штормом в открытое море. Ни продовольствия, ни воды, ни горючего. Потерявшие надежду солдаты вынуждены были питаться собственными ремнями, а также разрезанными на кусочки кожаными мехами гармони».

— Ну и что? — сказал Колька. — А где тут тридцать три? Гармонь, что ли? Я не понял.

— Сам ты гармонь! Ты посмотри на фотографию.

На всех четверых были узкие брюки и стильные пиджаки с широкими плечами.

— Теперь понял? — сказал Венька.

— Нет, — ответил за Кольку я.

— Ну, вы оба тупые! Их в Америку привезли! Авиа-

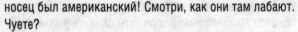
носец был американский! Смотри, как они там лабают. Чуете?

Но мы не чуяли. Нам хотелось, чтобы Венька все разъяснил. Или, по крайней мере, сказал нам, что мы будем завтра делать на семинаре по акушерству.

— Вы что, совсем сбрендили? — сказал он. — Какой семинар? Какое, на хрен, акушерство? Я вам говорю — нам баржа нужна!

Венька не всегда был стилягой. Сначала он был просто Венькой, потом комсомольцем, потом очень строгим комсомольцем, а потом уже, наконец, стилягой. И в Москве он тоже жил не всегда.

В наш медицинский ему пришлось переводиться из Ленинграда. С потерей курса. Но ему было все равно. Его не волновало даже то, что ему демонстративно отказали в общежитии.

— А мне без разницы, где стилять, — небрежно говорил он, выходя по утрам из каморки институтского дворника. — Я Петровича уже научил галстук завязывать. Готовлю его к «шузам» на «манной каше». Спорим, завтра он будет в них подметать?

Развитию дворника Петровича помешало участие Колькиных родителей. Узнав про Веньку, они велели нам немедленно его привести и предложили ему перебраться в их квартиру на Маяковке. Он согласился.

В Ленинградском «меде» Венька успел проучиться три семестра. Больше они просто не могли позволить ни ему, ни себе. То, что он устраивал там, не шло ни в какое сравнение с нашим патриархальным московским «стилянием».

Но сначала он был комсоргом. И, как все комсорги, ездил с бригадмильцами бить стиляг — на самые разные танцплощадки, к магазину «Советское Шампанское» на Садовой, который стиляги сокращенно называли «США», в парикмахерскую на Желябова, где стригли лучшие ленинградские коки, и на площадку у «Европейской», куда стекались самые клевые фарцовщики Ленинграда.

Фарцовщики избивались, коки отрезались, широченные пиджаки и узкие брюки приводились в негодность. Все шло как нельзя лучше.

Пока вдруг не случилось непоправимое.

Посреди всей этой идиллии, как гром среди ясного неба, на Веньку свалился Чабби Чеккерс.

Пораженный страшным открытием, Венька некоторое время просто не знал, что ему делать. Пропускал комсомольские собрания, мучился от бессонницы, худел. Потом наконец сдался и, закрывшись наглухо у себя в комнате, сам попробовал танцевать. Со временем в его несуразных движениях паралитика стало что-то проклевываться.

После долгих сомнений он решился на то, чтобы сделать это перед старым шифоньером с огромным зеркалом в комнате родителей, пока тех, разумеется, не было дома.

И понеслось.

Твист открыл ему то, на что комсомол не был способен. Венька еще продолжал ездить с оперотрядами, но твистеров уже выделял в отдельную касту. Обычных стиляг бил и сам, а за твистера мог запросто врезать кому-нибудь из бригадмильцев. Помогая однажды известному среди стиляг твистеру Толику по кличке Пижон сбежать с оцепленной танцплощадки, он окончательно покинул мир преследователей и навсегда стал одним из преследуемых.

Так песенка *Twist again* десятибалльным штормом раскачала Венькину жизнь, и вот теперь он хотел баржу.

Убегая с той танцплощадки, он уговорил Толика Пижона показать ему, что такое по-настоящему стильный твист. Полночи они провели в скверике рядом с Венькиным домом. Испещренный призрачной тенью листвы, Толик мягко качался на полусогнутых ногах, скрипел гравием и повторял:

— Вот так, чувачок. Понял, как надо? Плавненько! Ну куда ты рвешь? И руками как полотенцем обтирайся. Как будто оно у тебя за спиной. Туда и сюда. Как мочалкой.

Венька страшно гордился своим знакомством с Пижоном, и через два года, когда тот тоже решил на время «кинуть кости» в Москву, повел его в самые твистовые рестораны. Если бы Чабби Чеккерс узнал, что эти двое вытворяли на втором этаже «Будапешта», в кафе «Националь», в ресторане «Урал» на Пушкинской или в гостинице «Советская», он — сто процентов — бросил бы все свои дела в Штатах и примчался первым самолетом в Москву посмотреть на такой «сейшн». Потому что это надо было увидеть. Взволнованный «пипл» выносил Веньку с Пижоном из этих мест на руках.

Именно Толик Пижон объяснил Веньке, что «чувак» расшифровывается как «человек, усвоивший высшую американскую культуру».

После той памятной ночи в скверике учебу Венька почти забросил, а вскоре поехал в Харьков на съезд стиляг, который проводила там совсем не комсомольская организация под названием «Голубая лошадь». Вернувшись оттуда, он решил, что ему пора самому играть твист.

Поскольку ни одним инструментом он не владел, ему пришлось для этой цели переманивать музыкантов из институтского духового оркестра. «Состав» получился немного пестрым, но твист поначалу хотели играть все. Венька день и ночь проводил на репетициях, голосом и движениями показывая «составу», как это все должно быть. В итоге он так ловко научился изображать саксофон и барабаны, что запросто мог бы выступать на концерте вместо них.

Иногда он так, в общем, и делал. Когда очередной музыкант, уставший от его натиска и бесконечных репетиций, отправлял его к черту, Венька выбегал на сцену с саксофоном в руках и, не поднося его ко рту, начинал дудеть, к полному восторгу своих поклонников. «Состав», названный им «Волосатое стекло», почти мгновенно стал популярен во всех ленинградских институтах.

Но Венька упивался славой недолго. Ему захотелось электрогитару.

Один технический журнал сдуру опубликовал тогда статью какого-то пня из самодельщиков о том, как переделать акустическую гитару в электрический инструмент. При помощи телефонного устройства. Через две недели после выхода этой статьи ни в Москве, ни в Ленинграде не осталось ни одного работающего автомата.

Венька успел раскурочить семь. На восьмом его повязали и отвели в отделение, где уже сидело человек двадцать. Всех взяли в телефонных будках.

Когда его поперли из института, рядом с деканатом вывесили плакат: «Сегодня он лабает джаз, а завтра Родину продаст». Напирая на свои прежние заслуги перед комсомолом, Венька умудрился добиться перевода, а не отчисления. Плакат он привез с собой в Москву и повесил его в дворницкой у Петровича. Тому было все равно. Он сам вернулся с Колымы только из-за амнистии пятьдесят третьего года.

Познакомившись со мной и с Колькой в первый же день у нас на курсе, Венька усмехнулся над нашими просторными, как паруса из книги Александра Грина, штанами и сказал:

— Ну что, лабухи, дремлет Первопрестольная? И у нас с Колькой началась новая жизнь.

Перед семинаром по акушерству Венька затащил нас в пустую аудиторию и показал учебник по клинической психиатрии.

— Зацените, кексы! Еле-еле библиотекаршу уболтал. Упиралась как бык. Говорила — только для старшекурсников.

— А на фига он нам? — спросил Колька. — Там же нет ничего про кровеносную систему.

— И не надо! — усмехнулся Венька. — Устроим сегодня цирк. Зябликовой будет не до сосудов.

— В каком смысле цирк? — спросил я.

— В самом прямом. Открывайте главу «Симптомы шизофрении». Там все, что нужно.

Колька автоматически взял книгу у него из рук и начал листать.

— Подождите, — сказал я. — Придуриваться, что ли, будем? Под сумасшедших?

— Поздравляю, — сказал Венька. — Допер наконец.

— Нет, я не буду.

Колька тоже замер и перестал шелестеть страницами.

— Пару воткнет — зачешешься, — пожал плечами Венька. — Но будет поздно. Не допустит к экзаменам — и трындец. А нам надо выиграть время. Я насчет баржи пока еще не до конца все решил. Целую ночь не спал. Проблема связи. Нужна будет рация. Иначе американцы нас будут слишком долго искать.

— Ты что, совсем сдурел?

— Пока еще нет. Но вот почитаю учебничек и сдурею.

Мы с Колькой молча стояли посреди аудитории, а Венька спокойно уселся за преподавательский стол и начал просматривать оглавление.

— Так... Абулия. Посмотрим, что у нас тут? «Ослабление и распад волевых процессов. В тяжелых случаях больной настолько пассивен, что не способен обслуживать сам себя». Клево. Что еще? «Парамимия — гримасничанье. Парапраксия — вычурные позы, походка, манекенообразность и угловатость движений, манерность жестов». Чуваки, тут все про Зябликову. Вот по кому Кащенко плачет.

— Венька, ты что, серьезно? — сказал я.

— Подожди, подожди! Кажется, есть кое-что. Кататонические симптомы. «Мутизм — нарушение волевой сферы, выражающееся в остановке речи. Закупорка. Шперрунг». Хм... Может, шперрунг попробовать? Название стильное. Но если просто молчать, она точно поставит пару. Откуда ей знать, что у меня шперрунг покатил? Подумает — молчит кекс, и фиг с ним. Нет, надо что-то другое.

— Я пошел, — сказал я.

Венька поднял голову от учебника и, прищурившись, посмотрел на меня.

— Чего ты дрейфишь? — сказал он. — Не хочешь прикалываться — не надо. Я один все сделаю. Сам потом скажешь спасибо.

Видя, что я не отхожу от двери, он добавил:

— Или стукнуть решил?

Остановился он на атактических расстройствах.

— Вот, чуваки. То, что надо. «Речь становится неконкретной, витиеватой, неуместно абстрактной и символичной. При прогрессировании речевых расстройств теряется логическая связь между блоками фраз и отдельными предложениями. Наконец возникают логические нестыковки между отдельными словами». Чуете? Песня, а не симптомы. Двинули на семинар! Весь вечер на арене клоун Бенджамин!

Не знаю, как Зябликовой, но остальным поначалу,

скорее всего, точно показалось, что у Веньки не все дома. Стоило ей войти в аудиторию и посмотреть в направлении нашей троицы, как он поднял руку и, не вставая с места, начал говорить. Он сообщил ей о том, что советская медицина совершила небывалый скачок в области гинекологии и акушерства; что забота о женщине и о новорожденных в нашей стране превысила все мировые показатели; что капиталистические страны в этой сфере значительно отстают от нас по производству цветных металлов на душу населения; что младенцы в США и в Европе появляются на свет с пятимесячной задержкой, но зато у каждого из них есть свой маячок в качестве компенсации; что его самого зовут Орландо Эстонский; что его замучил постоянный параллелепипед в голове; что буддистская драматургия в нем инкогнито сидит и что албанцы втихую пожирают из него мозг.

— Ну и плевать, — сказал он, дождавшись нас на улице после семинара. — Подумаешь, выгнала! Зато пару никому не поставила. Держите учебник. Найдете мне к понедельнику симптомы постшизофренической депрессии. Я уезжаю.

— Куда? — в один голос произнесли мы с Колькой.

— Сказал же — рация будет нужна. У меня в Ленинграде кореш остался радиолюбитель. И в мореходку зайду. Надо переговорить насчет навигации. Интересно, бывают баржи с мотором? Вы как думаете, чуваки?

Вернувшись через три дня, он сообщил нам, что с рацией не покатило. Радиолюбителя месяц назад замели за приемничек, по которому он слушал «Голос Америки». И, хотя отпустили его почти сразу, он так пербздел, что по винтику разобрал всю свою аппаратуру.

— С космической скоростью, — пояснил Венька. — И все детали утопил в Неве.

Не успели мы облегченно вздохнуть, как он огорошил нас новыми планами:

— Короче, летом двигаем на Дальний Восток. Там этих барж немерено. Отвяжемся потихоньку и поплывем. Обойдемся без рации. Я к тому времени выучу карту океанских течений. Должна же быть такая карта. Или нет?

Но самое неожиданное, с чем он вернулся из Ленинграда, была песня. Мы уже две недели готовились к институтскому вечеру, на котором собирались танцевать твист, однако Венька решил теперь изменить программу. Изначально мы с ним вдвоем должны были лабать на сцене под Чабби Чеккерса, а Колька выходил в середине танца и начинал читать Маяковского. В том смысле, что мы с Венькой такие уроды, «золотая молодежь» и вообще дрянь, а всем надо, типа, идти на субботник. После стихотворения Колька бежал за кулисы и возвращался с метлой нашего дворника Петровича, которой прогонял нас со сцены.

Метла и Колькины прыжки с ней были очень важны, потому что иначе мы бы никогда не смогли сбацать твист при всем факультетском начальстве и не вылететь после этого из института. Колька и так появлялся на сцене довольно поздно. К его выходу на голове у декана волосы уже должны были стоять дыбом. Для нас это была единственная возможность показаться у себя в институте в том прикиде, в котором мы «давили стиль» на «Бродвее». Но Венька решил все отменить.

Он сказал:

— Будем петь буги. В обычном тряпье.

И мы стали петь буги.

А пока репетировали, он продолжал свою «шизоидную» войну с Зябликовой. Из того, что мы подобрали ему во время его поездки в Ленинград, он одобрил только депрессивно-дистимический вариант.

— ПШД, чуваки, должна быть полна грусти. Как песня Элвиса Пресли «Лав ми тендер, лав ми тру». На то она, кексы, и ПШД.

На занятиях у Зябликовой он старательно имитировал меланхолический аффект, являя всему курсу образ вселенской скорби. Зябликова посмеивалась над ним и вслух сравнивала его с картинами Врубеля, но Венька не собирался сдаваться. Она предупредила, что положит конец серии его блестящих успехов во время экзаменов, а он ответил рассуждениями о бессмысленности жизни, об ощущении собственной малоценности, о том, что он вообще больше ни в чем не уверен, и о странном невыраженном чувстве вины перед своими близкими.

Ко всем этим переменам добавились наши новые имена. Венька заявил нам, что теперь мы будем называть друг друга, как те чуваки с баржи. По его мнению, это было клево и вообще должно было сплотить нас, объединить, взбодрить и воодушевить.

Удивляясь про себя не столько самой идее, сколько количеству глаголов, я решил, что он все-таки слишком увлекся витиеватостью речи. Зябликовой в этот момент рядом с нами не наблюдалось. Впрочем, я тут же порадовался, что ему не пришло в голову ради тренировки поесть ремней. К этому я точно был не готов.

— Только я буду не просто Зиганшин, — добавил Венька, — а Зиганшн. Без буквы «и». Так вообще суперклево. По-американски. И поется как рок-н-ролл. Ты кем будешь, Колька?

— Поплавским, — сказал тот. — У отца есть один знакомый Поплавский. Генерал армии. В войну командовал стрелковой дивизией.

— Так, может, этот Поплавский его сын?

— Вряд ли. Он теперь в Польше живет. Командующий их сухопутными войсками.

— Клево, — сказал Венька. — А ты, Саня, кем хочешь быть?

Мне вдруг опять вспомнился фильм «Небесный тихоход», и в голове у меня зазвучала песня «Махну серебряным тебе крылом».

— Я хочу быть Крючковым, — сказал я.

— А Федотовым?

— Нет, Крючковым.

— Ну, смотри, — пожал он плечами. — А то был такой знаменитый художник. «Сватовство майора» нарисовал. И еще футболист.

— Футболиста я знаю, — сказал я. — А летчика не было? Боевого летчика?

— Насчет боевого — я, честно, не в курсе. Разве что летчик-испытатель. Но не уверен. Не буду врать.

— Тогда Крючковым.

— Договорились. Слушайте, чуваки, а может, четвертого найдем?

На концерте наш номер поставили во втором отделении. Мы выступали сразу после танца узбекских хлопкоробов. За кулисами была страшная толкотня, и Веньку несколько раз выталкивали на сцену раньше времени. Оказываясь перед зрителями, он потешно раскланивался, и в зале благодарно смеялись. Им было скучно смотреть на танцующих первокурсниц. То есть сначала им было не очень скучно, потому что девчонки все были с косичками, с сотней, наверно, косичек — непонятно, сколько времени они их заплетали, — но потом эти косички тоже достали всех. И тут, к счастью, Венька начал вываливаться из кулис.

Как стойкий оловянный солдатик.

А я к этому времени уже сильно устал и перенервничал. Выступление ректора и первая часть концерта заняли часа два. Все это время мы стояли за сценой и шепотом ругались друг с другом. Мне было странно, что

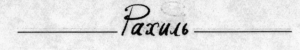

Венька совсем не волнуется, а, наоборот, вовсю весе-
лится, и я об этом ему говорил, но он беззвучно смеялся, показывал мне кулак и покручивал у виска пальцем.
Вот так прошло два часа.

Убегая со сцены, первокурсницы стукали Веньку и
как заведенные повторяли: «Дурак!»

— Поехали! — крикнул он нам с Колькой.

Мы вышли на авансцену, и я немедленно вспомнил
симптомы шизофрении из Венькиного учебника.

Манекенообразность. Угловатость движений.

Это было про нас. И вычурность поз тоже. Все сов-
падало.

Стать шизофреником оказалось очень легко. Я, например, даже не представлял себе, что в нашем зале может уместиться столько народу.

— Шуба-дуба! — страшно закричал за кулисами
Венька и выскочил вслед за нами.

В передних рядах кто-то свистнул, но туда сразу же
двинулись от входа дружинники из институтского опер-
отряда. Досмотреть — чем кончилось, я не успел.

Венька, как барабанщик палочками, щелкнул три раза
пальцами и весело задудел на своем невидимом саксо-
фоне.

Это были вступительные аккорды к рок-н-роллу Элвиса *My Blue Suede Shoes*. Мы с Колькой качнули головами, но вместо:

> One for the money,
> Two for the show

мы врезали совсем, совсем другое.

Когда после первого куплета в зале поднялся нево-
образимый крик и дружинники уже не знали, куда бро-
саться и кого хватать, я наконец понял, что должен был
испытывать Венька в ту ночь, когда мчался на поезде к
нам из Ленинграда в Москву, и как ему, наверное, не тер-

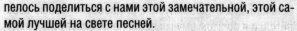
пелось поделиться с нами этой замечательной, этой самой лучшей на свете песней.

Но самое главное — я понял, что испытывал Элвис.

Венька как сумасшедший дудел на своем «саксе», мы с Колькой трясли головами так, что они только чудом не отрывались от наших шей, а зал, завывая, уже повторял припев вместе с нами:

> Зиганшин-буги,
> Зиганшин-рок,
> Зиганшин первым съел сапог.

В какой-то момент я поймал взглядом совершенно белое от ужаса лицо декана, но его тут же закрыла от меня огромная спина человека с красной повязкой, и я продолжал своим уже практически сорванным голосом:

> Как на Тихом океане
> Тонет баржа с чуваками.
> Чуваки не унывают,
> Под гармошку рок лабают.

И зал опять в восторге ревел:

> Зиганшин-буги,
> Зиганшин-рок.

Когда мы подошли к последнему куплету, я на мгновение вдруг вспомнил наши споры с Венькой насчет того, надо ли его вообще петь, и теперь прямо на сцене успел удивиться своим глупым, никчемным сомнениям.

Конечно, надо.

И врезал:

> Москва, Калуга, Лос-Анджелос
> Объединились в один колхоз.
> Зиганшин-буги,
> Зиганшин-рок,
> Зиганшин скушал второй сапог!

То, что творилось за кулисами, когда мы ушли со сцены, словами описать невозможно. Примерно как будто Гагарин слетал в космос еще раз. И опять — в первый.

«Узбекские» первокурсницы набросились на Веньку и начали его целовать, а он кричал: «Отвяжитесь, дуры!», смеялся и хватал их за плечи.

Никогда в жизни я не был так счастлив, как в тот момент. С годами я понял, что ощущение полного и абсолютного счастья вообще длится не дольше минуты. Где-то в атмосфере или над ней происходит что-то никому не понятное, и все на минуту соединяется, сходится, как стрелки на циферблате в двенадцать часов. И у тебя вдруг все получилось.

Вот только до конца никогда не ясно — это середина дня или середина ночи?

Нас всех троих тогда почти сразу отвели в деканат, и по дороге на третий этаж мы еще веселились, толкали друг друга на лестнице, а Венька повторял, чтобы мы все валили на него одного, что песню из Ленинграда привез он и бригадмильцами его не испугаешь. Мы с Колькой мотали головами в знак своего отчаянного несогласия, потому что, с одной стороны, не могли возразить вслух из-за сорванных голосов, а с другой — были уверены, что разлучить нас троих уже ничто на свете не сможет. Но мы ошибались.

Некто по имени Олег Степанович уже поджидал нас в деканате. А с ним — доцент Зябликова. Которая неизвестно по какой причине сообщила ему о Венькиных фокусах. О «постшизофренической депрессии», о меланхолии, о неуверенности в себе. Быть может, она этим хотела нам всем помочь — неизвестно.

Поскольку она уже догадалась, что песня тут совсем ни при чем. Этого Олега Степановича интересовала наша затея с баржей.

Потом уже Венька выяснил, что стукнул на него тот самый знакомый радиолюбитель из Ленинграда, но в этот момент в деканате у нас было такое ощущение, как будто нас предал весь мир.

И в психушке, куда нас привезли через два часа, у меня было точно такое же ощущение. Даже еще хуже.

«...посредством купирующей терапии аминазином и галоперидолом», — сказал Олегу Степановичу главврач, и нас развели по палатам.

Забавно, но Веньке не было плохо даже в дурдоме. Он быстро подружился с главным врачом, договорился, чтобы нам не ставили никаких уколов, и целые дни проводил в палате у одной странной еврейки, которая попала сюда, пытаясь ночью зарезать своего мужа. Прямо в постели, пока тот спал.

Венька сказал нам, что она сделала это из религиозных соображений.

Но меня не очень интересовали его рассказы. На третий день в психушке опять появился Олег Степанович. На этот раз он вызвал для разговора одного меня.

Оказалось, что Колькин отец, Филипп Алексеевич, накануне чистил свой трофейный «вальтер» и в результате несчастного случая погиб. Василиса Егоровна, у которой было слабое сердце, перенесла обширный инфаркт и скончалась в больнице. И вот теперь Олег Степанович хотел, чтобы я как друг рассказал обо всем этом Кольке.

«Ему будет легче услышать это от вас».

А я потом несколько дней ходил по больнице и думал, как же мне это сделать. Я вообще о многом думал тогда — о том, что было бы, если бы Колькины родители не повели себя так гостеприимно и Венька остался бы жить в каморке Петровича, о том, что Филипп Алексеевич не мог позабыть о патроне в стволе, потому что он всегда о нем помнил, о том, что будет теперь со мной, и о том, как странно это все складывается — вот люди любят друг друга, а потом раз — и умирают в один день.

Но главное — я думал о том, как мне сказать Кольке.

РАХИЛЬ

Часть вторая

Спустя тридцать лет выяснилось, что доктор Головачев так и не нашел в себе решимости справиться с обаянием короткого звука «ха!» — сигнала к атаке, с которым моя Рахиль призывала на помощь невидимые силы и, склонив голову, бросалась, как Орлеанская девственница, на кого-нибудь в бой. Чаще всего, разумеется, на меня. На мои перетрусившие полки бургундцев и англичан.

Даже спустя тридцать лет Головачев использовал этот сигнал с теми же военными целями. Только теперь он призывал к оружию не против замученного ревностью аспиранта и по совместительству санитара его сумасшедшей больницы, а против стоявшего перед ним мальчика лет десяти, на лице которого была ужасная скука и большой нос самого доктора Головачева. Вернее, теперь уже наверняка профессора.

— Ха! — говорил этот очень состарившийся человек. — Неправильное ударение! Неправильное!

— Почему? — с неприкрытой тоской спрашивал мальчик.

— Не делай вид, что тебе интересно! — кричал старик.

— Мне неинтересно.

— Вот так. Всегда говори правду.

Он повернулся ко мне и покачал головой.

— Вечно врут. Это поколение мы потеряем. Вы можете подождать еще минут десять? Нам надо выучить до конца стихотворение.

— Мы его уже выучили, — сказал от стены мальчик.

— Стой там! — прикрикнул на него Головачев. — И не смей больше мне врать.

— Мы выучили его уже два раза! Ты все забыл.

— Я ничего не забываю. Это ты неправильно делаешь ударение.

Он снова повернулся ко мне:

— Как, вы говорите, ваша фамилия?

— Койфман. Мы были знакомы в начале шестидесятых годов. В шестьдесят втором, если точнее.

— В шестьдесят втором? — Он поднял брови и кивнул. — У меня тогда родилась последняя дочь. Мать вот этого пройдохи. Стоять!

Я вздрогнул, но тут же понял, что он кричит не на меня. Просто мальчик у стены попытался дотянуться до вазы с печеньем.

— Бездельник! Ничего не получишь, пока не выучишь стих!

— Я уже два раза его рассказал!

— Не ври.

Он снова повернулся ко мне:

— Так вы говорите, ваша фамилия — Койфман? Отлично вас помню. Вы были тогда очень известный спортсмен. Кажется, ваш брат у меня лечился. Мания преследования и депрессивный психоз. Чем теперь занимаетесь?

Он смотрел мне в лицо и рассеянно улыбался. Не дождавшись ответа, он повернулся к своему внуку.

— Давай с самого начала. Ты видишь — ко мне пришли. Нельзя долго держать человека.

Они снова начали препираться, а я смотрел на мальчика и вспоминал лицо доктора Головачева, когда он показывал мне свою новорожденную дочь. Тридцать лет назад я сидел в этой же комнате, и он вынес ее из спальни, чтобы похвастаться. Впрочем, возможно, у него были другие цели. Я в тот момент еще не знал, что они сделали с Любой в своей больнице. Не только с ее головой, но и с ее телом. Поэтому, быть может, он вынес свою дочь в качестве утешения. В качестве приза за то, чего я так и не получил.

У нее было сморщенное лицо, скрипучий голос и крошечные дрожащие руки, а теперь ее сын стоял у стены и читал наизусть Языкова.

— Неправильное ударение! — останавливал его Головачев. — На второй слог! На второй слог бей — я тебе говорю!

И мальчик уныло принимался декламировать с самого начала:

Громадные тучи нависли широко
Над морем и скрыли блистательный день.

— Вот видишь, — радовался Головачев. — Второй слог ударный в «широко». Второй, а не последний.

— Дурацкое стихотворение, — отвечал мальчик.

— А я тебе говорю — все дело во втором слоге.

— Я уже читал с таким ударением. Сегодня утром и потом в обед.

— Не ври. Я бы запомнил. Всегда хочешь меня обмануть.

Когда он заставил внука читать стихотворение в пятый раз, я окончательно понял, что мальчик не лжет. Головачев действительно ничего не помнил. Он слушал декламацию внука, добивался правильного ударения, поворачивался ко мне, спрашивал о моих прежних успехах в гребле, а потом снова требовал, чтобы мальчик прочел наконец это несчастное стихотворение так, как надо. К пятому разу мне показалось, что я опять попал в сумасшедший дом. При этом больше всего удивляло поведение мальчика. Он хоть и сопротивлялся, но все же читал каждый раз эту историю про тучи над морем и терпеливо выслушивал потом бесконечно повторяющиеся замечания деда.

— Вот так, — говорил Головачев довольным голосом. — А теперь давай послушаем, как ты выучил стихотворение.

Я собирался уже встать и уйти, но в прихожей в этот момент хлопнула дверь.

— Ну что? — сказала, входя в комнату, раскрасневшаяся от мороза и быстрой ходьбы молодая некрасивая женщина. — Сколько раз он поел?

Судя по всему, это была та самая девочка, которую Головачев вынес мне в эту комнату тридцать лет назад.

— Ни разу, — ответил мальчик. — Я читаю ему стихотворение.

— Молодец. Можешь теперь отдохнуть. Если хочешь, беги во двор. Там Сережка с Наташей катаются на коньках. Спрашивали — выйдешь ли ты.

— Выйду. — Мальчик кивнул головой и убежал в другую комнату.

— Простите, — сказала она мне. — Я только пальто сниму.

Когда она исчезла в прихожей, Головачев потянул меня за рукав.

— Подайте мне печенье, пожалуйста. И скажите им, что это вы съели. Вы ведь спортсмен, вам нужны калории. А то они не кормят меня совсем.

Я поднялся со стула и передал ему всю вазу. Пора было уходить.

— Вы извините, что никто вас не предупредил, — сказала мне в прихожей его дочь. — Просто вы позвонили, когда меня не было дома. Знаете, предновогодние хлопоты, и на работе, как всегда, аврал.

— Ничего, — сказал я. — Все в порядке. В любом случае надо было его навестить.

Она тяжело вздохнула и потерла ладонью свой некрасивый, сильно закругляющийся к корням волос лоб. От этого движения стало заметно, насколько она устала.

— Он ничего не помнит. И, главное, он не помнит, что уже поел. Приходится просить Кольку, чтобы отвлекал его. Врачи говорят — надо быть осторожней. Он ест без остановки. От этого можно ведь умереть.

— Да-да, от вас дождешься, — ворчливо сказал Головачев, появляясь у нее за спиной с вазой печенья в руках. — А вы заходите еще. Расскажете мне про греблю. Мне в юности очень нравились такие вещи.

Он стоял за спиной своей дочери, но при этом его как будто не было здесь. Как будто он вышел из своего собственного тела и позабыл закрыть за собой дверь. От этого тело все еще на что-то надеялось и не бросало жить, однако окружающим эта надежда, судя по всему, была уже в тягость.

— А вы зачем приходили? — неожиданно спросил он, когда я уже стоял на пороге.

— Просто так. Хотел повидаться, — сказал я, немного помедлив.

Рассказывать о Дине теперь не имело смысла. К тому же я понял, что она все равно бы не согласилась. Выдавать себя за сумасшедшую было не в ее стиле. Этой девушке хватало своих собственных сдвигов. Впрочем, от судебного разбирательства они, к сожалению, освободить ее не могли. Необходимо было срочно искать другой выход.

* * *

Природа всякого выхода, к сожалению, состоит в том, что его непременно надо искать. Психолог показывает своему пациенту картинку со словом «подарки», и тот с радостью говорит либо «день рождения», либо «Новый год». Таковы его примитивные ассоциации. Но зато у него еще есть выбор. В случае с «выходом» опции исключены. Произнесите это слово, и пациент скажет: «Надо искать».

При этом забавно, что вход всегда находится сам собой. Нужно всего лишь чуть-чуть ослабить оборону, прислушаться к вполне симпатичным предложениям — и вот ты уже в самом центре абсолютно несимпатичных событий. И наверху усмехаются — думать надо было, дурак. И поправляют небрежно нимб, съехавший от усмешки.

С выходом другая история. Это только в кинотеатрах заботливая администрация подсвечивает его зелеными табличками. Но едва сеанс закончен и ты покидаешь зал, поиск выхода тут же становится твоей личной проблемой. При этом никаких зелененьких букв. Одни знаки вопроса.

Отдельным параграфом идет история выхода из ситуации, в которую ты не входил. Другие вошли, но так получилось, что поиски выхода кто-то передоверил тебе. Такому терпеливому геологу, задача которого — вечно искать. Бродить с рюкзаком и постукивать молоточком.

А у того, кто передоверил, губы все еще дрожат в усмешке. Ему интересно — получится на этот раз или придется искать нового Гомера? Чтобы опять намекнул — как нелепо эти внизу решают свои проблемы. Шумят, суетятся, а в итоге чешут в затылке и повторяют: ну ладно, может быть, в следующий раз повезет, или построим еще одну Трою?

Впрочем, Гомер — много чести. Хватит и невезучего профессора литературы, которому надо спасать от тюрьмы беременную невестку.

Кто знал, что из всех имеющихся в наличии девушек твой сын выберет клептоманку? И кто мог сказать заранее, что тебе отчего-то будет жалко ее до слез?

Как, впрочем, и самого себя.

— Не надо его жалеть! — громко сказала рядом со мной женщина с лицом, похожим на пожелтевший от времени кирпич. — Вырастет — потом спасибо скажет!

Она стояла в проходе между сиденьями, склонившись к девушке в красном пальто. На руках у девушки сидел мальчик лет четырех. Он отчего-то кривил губы и постукивал зеленым ведерком по очень красивому колену, которое выступало между двумя половинками мягкой ворсистой ткани красного цвета.

— Не смей бить свою маму! — сказала на весь трамвай женщина с кирпичным лицом.

Колено напротив меня играло в этой сцене настолько самостоятельную роль, что я уже не мог вернуться к своим размышлениям. Такова, очевидно, природа женских колен. И, видимо, размышлений. Хемингуэевский принцип айсберга. Подтексты, контексты, намеки, многозначительная недосказанность. Плюс мощная работа воображения. Мужского, естественно. Айсбергу даже не надо выныривать на поверхность. Стоит только намекнуть о своем присутствии где-то поблизости под водой, как тут же примчится «Титаник». И треснется изо всех сил. Даже если для этого придется немного нырнуть.

Та же история с мужской аналитической мыслью. Сильной самой по себе — кто спорит?

Вьется на свободе, как ленточка ДНК из учебника биологии, любуется своими цепочками и вдруг натыкается на красивое женское колено. Стоп машина. Полный назад.

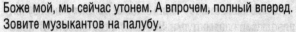

Боже мой, мы сейчас утонем. А впрочем, полный вперед. Зовите музыкантов на палубу.

Пусть даже на этом колене сидит непонятный капризный мальчик и стукает по нему зеленым ведром.

И тогда мужская аналитическая мысль постепенно превращается в это ведро, чтобы, опережая события, которые, кстати, скорее всего, даже и не произойдут, все-таки прикоснуться к этому колену, стукнуться об него и с замирающим от восторга дыханием благополучно пойти ко дну в холодных гостеприимных водах Атлантики.

— А ну, перестань! — сказала женщина с лицом из кирпича, и мне на мгновение показалось, что она обращается с этим призывом ко мне.

Во всяком случае, причины на то у нее были.

Но она, разумеется, говорила с капризным мальчиком.

Все эти шекспировские ведьмы в московских трамваях не так проницательны, какими кажутся на первый взгляд. Это Макбету они явились всезнающими. Великий бард хотел драматического контрапункта. Мудры, но уродливы. Вернее, уродливы, но мудры. От того, что стоит после «но», зависит отношение к жизни. То есть радуешься, когда просыпаешься по утрам, или нет.

Тем не менее по эту сторону от литературы одной отталкивающей внешности мало, чтобы обладать знанием тайн. Нужны, по крайней мере, две отталкивающие внешности. Или три. Или еще больше.

Набиться целой кучей в холодный трамвай и выпытать у несчастного профессора все его тайны. О чем он там думает, сидя у окошка в углу и глядя на чужие колени? Глядя их в своем воображаемом трамвайном раю.

— Давай бери себя в руки, — сказала кирпичная женщина. — Ты ведь мужик. Хватит капризничать. Видишь, мама совсем устала.

Лицо напоминает кирпич даже не цветом и геометрическими параметрами. Все дело в решимости. В сосредоточенности кирпича, который уже сорвался с места и полетел. А так бы лежал на этой крыше всю жизнь и мучался — ну почему я не птица.

— Отвяжитесь от него, — сказала наконец девушка в красном пальто, поднимаясь со своего места. — Чего вы к нему прицепились?

Но она тоже не собиралась жалеть малыша. Ему предстояло справиться со всем этим в одиночку. Семенить за ней, уцепившись за твердую от злости ладонь, выступающую из красного рукава на эти пятнадцать холодных сантиметров, которые для каждого из нас в свое время, собственно, и представляли собой то, что потом для удобства начинаешь называть «мамой». Семенить и справляться со всей этой трамвайной смутой, явившейся неизвестно откуда и неизвестно зачем. Запинаться, но успевать переставлять ноги. Потому что она не сбавит шаг. И еще снег прямо в лицо. Не сбавит шаг ни за что на свете.

В общем, никто не собирался нас с ним жалеть.

И, наверное, так было лучше.

* * *

— Да я бы все равно не смогла в сумасшедший дом, — сказала Дина, опускаясь в кресло напротив меня. — Они же там таблетки такие дают. Без таблеток диагноз никто ставить не будет.

Кресло, в котором она сейчас сидела, я купил восемь лет назад. Володька тогда прибежал с тренировки пораньше, крутился под ногами у грузчиков, пока его заносили, хлопал дверью в подъезде, потом забрался в это кресло с ногами и заявил, что будет делать уроки только в нем.

Настоящая кожа. Денег за защиту докторской ждали почти год. Зато сразу так много, что можно было не работать еще столько же. Хотя Вера хотела итальянскую мебель на кухню. Говорила — стыдно людей приглашать. Но перед кем там уже было стыдиться? К сорока четырем годам не то что друзья, знакомые почти все исчезли. Кто спился, кто умер, а кто дулся из-за этой самой защиты. Те, для кого «докторская» так и осталась навсегда колбасой. Поэтому решено было жить без кухни. За отсутствием посторонних и многочисленных тех, кто мог ее оценить. И позавидовать, разумеется. Поскольку я чувствовал, что для торжественной Веры это тоже было немаловажно. Видел по ее глазам и раскрасневшемуся лицу. Потому что, когда заносили кресло, лицо у нее раскраснелось. Пусть даже это кресло и было собрано ловкими мебельными мастерами в расчете на восхищение всего лишь одного скромного соседа по лестничной клетке. Который в нужный момент случайно вышел к лифту и сделал необходимое выражение лица.

А теперь со своим большим животом в этом кресле сидела Дина, только что выслушавшая мой рассказ о том, как время и обстоятельства обошлись с доктором Головачевым.

Правда, я еще думал при этом, что в его слабоумии отчасти был виноват он сам — иначе где же тогда справедливость? — но Дине об этом говорить не стал. Все эти концепции о воздаянии придуманы не для беременных женщин. Их забота — доставлять обратно то, что увез Харон. В области компенсаций они и так делают все, что могут.

— Нет, эти таблетки беременным нельзя, — сказала Дина. — Или тогда надо делать аборт. Нормального ребенка после таких таблеток родить невозможно. Получится какой-нибудь урод. Или уродка.

— Да-да, — сказал я. — Мне это как-то не пришло в голову.

— Так что зря вы ездили к своему сумасшедшему доктору. Но все равно спасибо. — Она помолчала несколько секунд и задумчиво потрогала свой живот. — Володька уже которую ночь не спит. Говорит, что тоже со мной в тюрьму поедет. А вы откуда его знаете?

— Кого? — удивился я. — Володьку?

— Да нет. — Она даже засмеялась чуть-чуть. — Вашего доктора.

— А-а, — кивнул я головой. — Да так... Работали вместе.

Мы помолчали, и она бросила взгляд на часы.

— Торопишься? — сказал я.

— Нет. Просто одну программу жду по телевизору. А дочь, вы говорите, у него некрасивая?

— Ну да, некрасивая. У нее лоб вот тут, — я показал пальцем, — слишком скошен. Такой признак вырождения. Слабая генетика. Головачев, наверное, из-за этого в конце концов стал таким.

— Из-за лба своей дочери?

— Нет, конечно, — улыбнулся я. — Очевидно, генетический код в их семье несет какие-то погрешности. У разных поколений это проявляется по-разному.

— И поэтому у него некрасивая дочь?

— В том числе.

Дина недоверчиво покачала головой.

— А на улице?

— Что на улице? — сказал я.

— На улице так много некрасивых людей. Неужели у них у всех плохая генетика?

— Тебя стали занимать абстрактные проблемы?

Мне захотелось съязвить, что прежде ее волновали только продукты, которые можно украсть, но в конце концов я промолчал. Ворованную колбасу мы ели все вместе. Ignorantia non est argumentum. Что в переводе на позднерусский означает «Меньше знаешь — все равно не дольше живешь».

— Нет, правда интересно, — сказала она.

— На самом деле, — вздохнул я, — это такое большое несчастье. На массовом уровне оно превращается в Великий Секрет Отсутствия Красоты. Все слова с больших букв. — Я прочертил в воздухе пальцем эти большие буквы. — Платон в общем-то намекал на это, но его мало кто понял. Просто считали идеалистом. Им так было легче.

— Кому?

— Некрасивым людям. Им надо как-то защищаться. Оправдывать свое житье-бытье. Вернее, нам.

— Нет, вы красивый. — Она улыбнулась и покачала головой. — И Володька красивый тоже. Он в вас. Потому что Вера Андреевна такая не очень красивая. А Володька у вас получился классный. На курсе все девчонки завидуют. Я его специально приводила туда. А он не понимал. Говорил: зачем ты мне назначаешь свидание у себя в институте?

Она откинула голову чуть назад и засмеялась.

— Нет, Вера Андреевна не некрасивая, — сказал я. — Просто секрет отсутствия красоты распадается на такие компактные персональные истории. Как запертые изнутри купе в поезде. Уютные, кстати. Особенно по вечерам. Лампочки в темноте светятся. Десятки тысяч историй. Все они прописаны в печальных тонах. И в каждом этом глухом купе с лампочкой сидит по одному грустному человеку. При этом все едут в одну сторону. То есть они в общем-то вместе, но каждый совершенно индивидуально грустит и хандрит, потому что думает, что он несчастлив. То есть у него не хватает того и того, и еще ему хочется этого. Но он всегда забывает о том, что у него уже есть. Всегда. Это такой закон. То, что ты получил, — оно сразу исчезло. Можно было и не стараться. Как дым.

Дина внимательно посмотрела на то, как я показываю руками дым, и покачала головой:

— Но правда ведь хочется чего-то еще. То, что есть, — этого всегда мало.

— Да нет же! — Я почему-то заволновался и даже вскочил на ноги. — Бог дает человеку так много, что на самом деле все, что нужно для счастья, — это лишь согласиться. Сказать — да, я согласен, я счастлив, у меня уже так много всего! Надо просто иметь силы, чтобы признать это. Господи! Ну неужели же не понятно?!!

— А вы? — сказала она.

— Что я?

— Вам ведь тоже всегда мало.

Прямо напротив меня на стене висело большое зеркало. Я постарался как можно быстрее отвернуться от Дины, но вдруг наткнулся на свой собственный взгляд.

Интересно, успела ли Горгона Медуза удивиться, когда увидела свое отражение в сверкающем щите грека? Черт бы побрал всех Персеев! Превращаюсь в камень.

Изучив таинственную жизнь минералов и не дождавшись ответа, Дина опять посмотрела на часы.

— Сейчас уже Володька придет. И Вера Андреевна. Вам пора уходить.

Я промолчал. Статуи не разговаривают.

— Вы не обижаетесь на него за то, что он вас из квартиры выгнал?

Она не испытывала к каменным истуканам ни малейшего сострадания. O tempora! O mores!

Таких, как она, нельзя подпускать к острову Пасхи.

На пушечный выстрел. Нельзя подвергать нас такой опасности.

— Хотите, я принесу ваше пальто?

Нормальный акт вандализма. Осквернение памятников старины.

Потолстевший Дон Гуан превращается наполовину (верхнюю, разумеется, поскольку нижняя, по его гнусным расчетам, может ему еще пригодиться) в Каменного Гостя, вежливо прощается и уходит со сцены. Занавес. Зрители встают со своих мест и начинают неодобрительно кашлять.

* * *

Хитрые китайцы говорят, что Новый год — это не праздник, а просто такой момент в твоей жизни, когда чудо либо происходит, либо нет. Выходя из своей бывшей квартиры, в которой я навсегда оставил свое любимое кресло, я не испытывал к Новому году ни малейшего интереса.

Меня заботило чудо.

Такое, когда вдруг за окном — хлопьями снег или неожиданно отпускает сердце. А ты еще не успел как следует испугаться, и от этого даже благодарность не смогла принять окончательные ровные очертания, а просто мелькнула и улетучилась, как отброшенная после неспокойных снов скомканная простыня. И ты идешь на кухню за стаканом воды. Наслаждаясь тем, что ощущаешь под собой пол. И босые ноги.

Или садишься в трамвай и видишь знакомую девушку в красном пальто. И успеваешь подумать: о господи, это чудо. Только мальчика с зеленым ведерком на коленях у нее уже нет. Колени совершенно свободны. И у тебя почти не возникает мысль, что вот бы взять и занять это вакантное место. Ты просто смотришь на нее сверху, уцепившись за ледяной поручень, и размышляешь о чуде.

О том, что все на свете должно произойти дважды. И стать чудом от этого. Все должно произойти еще раз. Непременно. Рифма — основа чуда. А может быть, его причина.

Как эти ее колени. Обязательно два. Они должны были случиться два раза. Левое и правое. Отрифмовать друг друга сквозь плотную, непроницаемую для твоего взгляда ткань.

«Взглядонепроницаемые колготки. Артикул такой-то. Гарантия на столько-то мужских взглядов. От пылких взоров не воспламеняются. Рекомендуется использовать в непосредственной близости с одинокими, больными, брошенными профессорами. *Быть может, им станет легче*».

Последняя фраза набирается курсивом. Обычный шрифт не передает ни сослагательности, ни заключенной в ней иронии.

Да, все должно произойти еще раз. Как снег за окном. С первого раза вряд ли кто-нибудь разберет. Просто белые точки. А потом ты уже говоришь: «Смотрите — снег».

И слово становится больше, чем произнесенные тобой звуки. Оно волнует. Это и есть чудо.

Я ехал в промерзшем трамвае, разглядывая клубы пара, которые неподвижно висели у наших губ — у моих, у двух азербайджанцев на задней площадке и у губ моей незнакомки в красном пальто. Азербайджанцы обсуждали, очевидно, торговлю, поэтому их пар был живой, клубящийся и иностранный. Девушка в красном пальто выдыхала совершенно московское облачко, в котором рассказывалось о мальчике с зеленым ведром. Мое дыхание тоже хранило кое-какие секреты, поэтому я начал его задерживать. Важно было, чтобы пар успел раствориться в трамвайном холоде, прежде чем я обновлю свое облако.

Когда закружилась голова, я решил сойти. Хотя до этого планировал ехать за красным пальто. До ее остановки. Что-то нас связывало. Иначе она не появилась бы во второй раз. К тому же Люба уже неделю собиралась в свою Америку, перекладывала старые вещи и целыми днями ворчала, что я путаюсь у нее под ногами.

А я не путался. Я просто переходил с того места, откуда она прогоняла меня, в какой-нибудь свободный угол и размышлял о том, где я буду жить после ее отъезда.

— Иди пить чай, — говорила она. — И не надо сидеть тут с таким потерянным видом.

— Это не потерянный вид, — отвечал я. — Это я думаю о Фолкнере. У меня завтра лекция на четвертом курсе. Очень талантливые студенты.

— Почти как твоя Наташа? — усмехалась она.

В общем, я не спешил к Любе домой. Может быть, именно по этой причине и затеял поездку к Головачеву. Чтобы не путаться у нее под ногами, пока она перебирает все эти кофты, блузки и свитера.

— Зачем они тебе в Америке?

— Отстань. Думаешь о своем Фолкнере — и думай.

Мои размышления о ритмической природе чуда Любу не волновали. Она собиралась в Америку.

Изо всех сил.

* * *

— Простите, Святослав Семенович, — сказал после лекции коренастый большеголовый студент, имени которого я не мог запомнить уже почти два семестра. —

Андрей Геласимов

Все-таки не совсем понятна мысль Фолкнера о том, что прошлого не существует. Не могли бы вы пояснить?

Такие бывают. На курсе их обычно человека два-три. Стараются обратить внимание. Все правильно — сессия на носу.

Остальные гурьбой столпились у выхода. Толкаются и хихикают. Знают, что сдадут и так. Ниже четверки я никому не ставлю. Мне все равно — читали они «Свет в августе» или нет. Думаю, что Фолкнеру, в принципе, тоже.

Но этот не уходит, стоит. На лице — пытливое выражение. Видимо, хочет «отлично». Зануда.

Я собрал свои листочки в портфель и пошел к двери. Эти смешливые расступились.

— Святослав Семенович... — У него в голосе недоумение, как будто я ему денег должен.

Не должен. Лекция идет в два приема по сорок минут. Между ними пять минут перерыва. Мои законные триста секунд. Триста секунд на молчание. На смотрение прямо перед собой в попытке увидеть то, чего не существует. Вокруг — хихиканье, бутерброды и толкотня. Пять минут. Не больше. По-новогоднему круглое счастливое лицо Люси Гурченко ни при чем. Не подходит.

До Натальи эти пять минут можно было проводить в деканате.

Но если Фолкнер все-таки прав и прошлого действительно не существует, то сейчас, именно в этот момент, я не только спускался по институтской лестнице, кивая в ответ на все эти бессмысленные студенческие «здрасьте», но и покупал то самое кресло, и поднимался к себе в квартиру с толстым свертком, перевязанным голубой лентой, а сзади — бледная и немного растерянная Вера, а в свертке — безымянное существо, но голубая лента означает, что сын. И еще в этот же самый момент я стою к Вере спиной, телефонная трубка в руке. Нагрелась, но я ее не отпускаю, и надо быстро наврать что-то, потому что звонила Наталья, и до метро всего пять минут, и очень хочется, и, может быть, лучше вообще повернуться и сказать правду, но я не говорю ничего — так лучше, нельзя причинять боль тем, кого ты уже не любишь, вернее, никогда не любил, просто так получилось.

По Фолкнеру выходило, что я, множественный, как те песчинки, о которых говорилось сынам Израилевым, по-прежнему продолжал совершать все свои деяния там, где меня застало время. Застукало с красным от стыда лицом.

В том числе и в сумасшедшем доме, куда я пришел ради священной войны с неправедным доктором Головачевым.

А что было делать? Мое сердце жаждало мести.

* * *

Оторванных пуговиц, разбитого стекла и разлитой чернильницы ему было мало. Сердце говорило — «еще!». Как ненасытный тренер у кромки поля кричит на измученного атлета, так и оно требовало от меня новых свершений. Быстрее, выше, сильнее. Олимпийский принцип. Важна не победа — важно участие.

Но я хотел победить. Отвоевать потерянное пространство. Изгнать оккупанта с захваченной многострадальной земли. Пуговицами было не обойтись.

Я понимал, что моей фантазии не хватает.

К счастью, источник для вдохновения вскоре обозначился сам. Забил рядом, как чистый лесной ключ. Фонтан животворящей влаги. И я припал к нему пересохшим ртом, телом, душой, сердцем и вообще всем, чем только можно было припасть.

> Природа жаждущих степей
> Его в день гнева породила.
> *Еще не видел из людей*
> *Никто такого крокодила.*

Пусть так. Зато теперь мне казалось, что я могу все. Самсон, разрывающий пасть льву. Давид, беззастенчиво позирующий Донателло.

План был настолько гениален и прост, что несколько дней я буквально летал по коридорам больницы. Санитары и нянечки не узнавали меня.

«Я сам здесь помою, — говорил я и отнимал у кого-нибудь из них швабру. — И здесь я тоже сам уберу».

«Да ради бога», — говорили они, но все же немного косились.

Они привыкли воспринимать любые проявления душевного подъема с опаской. Их опыт подсказывал им, что беспричинный энтузиазм чаще всего заканчивается плачевно. Аминазин, по их мнению, в этом случае был самым надежным средством.

Не спорю.

Но у меня была причина. Я понял, как вести войну с доктором Головачевым.

Основы сравнительного литературоведения подсказали мне, что надо искать параллель. Мне нужна была параллельная линия поведения. Сопоставительный анализ должен был выручить меня и на этот раз. Мне надо было найти аналог для ведения боевых действий. Требовалась практическая модель.

И я стал наблюдать за больными.

Кто-то из них должен был подсказать мне, как осуществить свою месть. Эти профессионалы вряд ли ограничились бы простым обрыванием пуговиц. По моим расчетам, их фантазия должна была оказаться прекрасной и буйной, как гнев греческого божества. Мне оставалось только просчитать и потом сымитировать их возможные действия.

При этом искусное исполнение гарантировало мою безопасность. Виноватым в том, что произойдет, должен был оказаться один из них.

Я радовался и волновался, как начинающий художник, который усаживается перед великим полотном и начинает копировать его с тайной надеждой постичь секреты давно ушедшего мастера.

«Быть или не быть?» — проблема для декадентов.

«Как это сделано?» — вот в чем вопрос.

Впрочем, я лично для себя все вопросы уже решил.

Русские не здаюца.

* * *

Марксистско-ленинская научная методология требовала строго детерминированного подхода, который предполагал движение от простого к сложному. Поэтому свой пытливый исследовательский взгляд я в первую очередь обратил на то, что выглядело попроще.

Самым простым случаем был наполовину стиляга Гоша-Жорик-Игорек, попавший в дурдом неизвестно по какой причине. До настоящего стиляги он не дотягивал ни речью, ни поведением, а сумасшедшим его можно было назвать лишь с очень большой натяжкой. За стенами больницы по городу разгуливало такое множество людей с лицами смышленых идиотов, что Гоша-Жорик, непонятно за что загремевший в лапы бесплатной советской медицины, мог бы спокойно сойти среди них за интеллектуала. Помимо тройного имени и, очевидно, тройного в каком-то смысле представления о себе, в нем не было ничего интересного. Во всяком случае, для моих упражнений.

При этом у него почему-то всегда блестели глаза, и доктор Головачев заметно выделял его среди других пациентов. Гоше-Жорику позволялось многое такое, за что остальным тут же вкатили бы лишний укол и подвергли «жесткой фиксации». Я несколько раз присутствовал при этой процедуре, поэтому отчетливо понимал, каким счастливым человеком должен был ощущать себя Гоша-Жорик. Острота восприятия счастья — вещь крайне редкая. Немногим удается ее испытать. Даже тогда, когда счастье прямо вот оно, человеку все равно кажется — нет, не может быть. С такой точки зрения можно было смело считать, что Гоше в этой жизни по-настоящему повезло. Думаю, он ценил благосклонность судьбы, принявшей в его случае облик доктора Головачева.

Как и в моем, кстати.

Однако именно это обстоятельство лишало Гошину фигуру всякого интереса в моих глазах. Фавориты доктора Головачева меня нисколько не занимали. Алгоритм действий и обстоятельств, приводящий к симпатии с его стороны, предметом анализа для меня не являлся. Моя взволнованная мысль двигалась в противоположную сторону. Генералы, склонившиеся над полевыми картами в самых любимых фильмах про войну, называли это «направлением удара». И делали решительный жест рукой.

Необходимо было понять, как ведет себя человек, наименее всего симпатичный доброму доктору Айболиту.

Последнее, что можно добавить о Гоше и что забавно отличало его от других, — это склонность называть людей хлебными именами. Молодой мужчина для него был «крендель». Молодая женщина — «плюшка». Мужчина в возрасте назывался «батон». Пожилая женщина — «сайка». Слово «крошки», когда он говорил о детях, звучало в его устах как упоминание о раскрошившемся хлебе.

Меня, как и других санитаров, Гоша называл «кекс». Быть может, он подозревал, что мы содержим в себе некий полезный ему «изюм», выгодно отличавший нас от остальных участников его беспокойной жизни, а может, он просто-напросто имел в виду сахарную пудру на кексах, которая напоминала ему о наших белых халатах. После того, как мы их постираем, конечно.

Впрочем, доктора Головачева он называл «доктор Головачев». В этом случае белизна одеяния никакой роли для него не играла.

* * *

Вторым номером после Гоши-Жорика-Игорька в моем каталоге шел странный узкоглазый поэт. Хотя говорить «странный» о пациенте сумасшедшего дома, наверное, тоже немного странно. Для того окружения и тех декораций, в которых я познакомился с ним (если можно называть знакомством мытье полов под пристальным взглядом пары темных раскосых глаз), он был совершенно нормальным. Просто слишком много декламировал вслух. Ну и что? Соломона Аркадьевича за такие вещи никто в психушку отправлять не собирался.

Хотя иногда мне казалось — а почему бы и нет? Отдохнул бы, набрался сил, перестал бы чувствовать себя одиноко. Навык в изготовлении бумажных головных уборов снискал бы ему тут настоящую славу. Порадовался бы старичок, что кому-то все это нужно — и его газетные треуголки, и Заболоцкий вслух, и он сам.

То есть временами мне все же удавалось увидеть позитивное зерно в советской системе психиатрического здравоохранения.

У поэта было звучное то ли монгольское, то ли бурятское имя, которое, как мне сказали, он выдумал себе сам. Запомнить его я был просто не в силах, поскольку для такой операции требовалось как минимум это имя хотя бы произнести. Сделать это без фонетических ошибок у меня не получалось, а свое настоящее имя он никому из больных упорно не называл. Очевидно, это нагромождение спотыкающихся согласных было чем-то дорого его сердцу.

Спросить его — что оно значит, я не мог. О любом контакте персонала больницы с пациентами немедленно доносилось главному врачу. Санитары и нянечки стучали друг на друга с большим и плохо скрываемым удовольствием. Общаться с больными имели право только Головачев и еще несколько психиатров. Мы должны были просто мыть пол, осуществлять «фиксации» и на всякий случай сопровождать врачей во время обхода. Мало ли что — в битве с помешанными вполне могли пригодиться мои скромные усилия аспиранта кафедры всемирной литературы.

Иногда я представлял себя в центре подобного сражения — с дужкой кровати или табуреткой в руке — словно матрос с гранатой при обороне Севастополя на моей любимой картине, кажется, художника Дейнеки, а может быть, не его, и мне становилось грустно оттого, что моя Рахиль не сможет увидеть меня в таком героическом образе.

Потому что посторонним вход в больницу был воспрещен. Даже если речь шла о бывших пациентах. Именно по этой причине доктор Головачев встречался с Любой у нас дома, а не в своем кабинете. Где все еще витал дух возмездия, разбуженный мной.

Моя Рахиль могла снова войти в эту больницу только при одном условии. Она должна была еще раз сойти с ума.

Как ни странно, но о возможности такого развития нашего запутанного сюжета я думал с некоторой нежностью и теплотой. Двери в палатах запирались только снаружи. Это обстоятельство так выгодно отличало их от двери в Любину комнату, что я был согласен вытерпеть определенные неудобства, связанные с ее возможным безумием. Тем более что я уже не совсем ясно понимал, кто из нас двоих был безумнее.

Или троих.

Так или иначе, имя узкоглазого «акына» оставалось для меня тайной. Можно было, конечно, заглянуть в историю его болезни, которая хранилась в кабинете Головачева, но я, честно говоря, боялся. После громкой тревоги с чернилами и разбитым стеклом за дверью в кабинет всегда кто-то присматривал. Стоило доброму Айболиту отправиться по коридорам своих владений, как рядом с его кабинетом как бы невзначай кто-нибудь начинал мыть окно. Или пол. Или расставлять ненужные стулья.

Получалось, что доктор все же испытывал нормальную человеческую симпатию к своему несчастному болоньевому плащу. Видимо, сострадание было не совсем чуждо его сердцу.

У себя на родине «акын», как мне рассказали, был довольно известен. Причем знали его там больше как поэта, нежели как потенциального подопечного доктора Головачева. Широколицые соотечественники, судя по всему, и теперь не подозревали о том, где проводит свои вдохновенные дни символ их дерзких мечтаний. Отправившись в Москву добывать себе славы, он стал в их глазах тем, чем за год до этого стал для всех нас Юрий Гагарин.

Он был для них космический Чингисхан. Посол кочевого прогрессивного человечества.

Однако в московских редакциях у «посла» не заладилось, и в конце концов что-то соскочило у него в голове. Он придумал себе звучное имя, стал сильно пить, драться с милицией и жить на вокзалах. Там у него появилось много новых хороших знакомых, которые горячо поддерживали идею дружбы народов, но били его за частую декламацию. Очевидно, поэзия не была близка их черствым сердцам.

К тому же они с трудом понимали монгольский, а на русском посол доброй воли стихов не писал.

«Эй, ты что, правда посол?» — «Да». — «Ну и посол отсюда. Ха-ха-ха. Или нет, постой. Держи-ка, братан!» Бац-бац. *«В пятачок, братишка».*

Зато в больнице теперь он держался вполне молодцом. Иногда снимал с себя пижаму и майку, оставив лишь брюки, поводил плечами, ощупывал грудь, оглядывал свое отражение в окне за решеткой и громко спрашивал кого-нибудь из соседей: «Красивое у меня тело?» Тому, кто с ним соглашался, он сообщал, что бросает поэзию и станет отныне философом, поскольку в философии больше толка и можно печатать свои труды в Париже, а не в Москве. Непринужденная светская беседа всякий раз заканчивалась неизменным приглашением на ужин.

«Буду очень рад видеть вас у себя», — говорил «Чингисхан» и натягивал пижаму, в то время как польщенный собеседник возвращался к своим занятиям, оставленным ради волнующего вопроса об азиатской красоте.

Мысль имитировать его поведение, чтобы отомстить Головачеву, казалась мне неубедительной. Этот «друг степей калмык» для моих планов абсолютно не подходил. Пользуясь его моделью, можно было рассчитывать лишь на то, что удастся насмерть заговорить доктора монгольской поэзией. Но, во-первых, для этого пришлось бы выучить совершенно удивительный язык, а во-вторых, меня мгновенно бы уличили по искаженной от хохота физиономии умершего Головачева.

Нет, этот «финн, и ныне дикой тунгус» мне совершенно не подходил. Ни как поэт, ни как философ.

* * *

В качестве собеседника он чаще всего избирал «внука Ленина» из Сестрорецка. Это происходило, скорее всего, потому, что, во-первых, тот, в отличие от других недужных, всегда готов был выразить свое восхищение по поводу красоты философского тела, а во-вторых, никогда не переспрашивал насчет обещанного званого ужина. Очевидно, он был хорошо воспитан. А может быть, просто не помнил, что его уже приглашали.

Впрочем, на самом деле память у него была великолепная. Иногда он мог вспомнить многое такое, что лично с ним даже не происходило. При этом вел себя очень скромно. Сказывалась наследственность Ильича.

Родственные связи с Лениным почти не тяготили его. Он был сдержан, немногословен, улыбчив и лысоват. Наблюдая за его поведением, я чувствовал, что он ни на минуту не забывает о том, кто он такой, но афишировать свое происхождение он, очевидно, считал ниже собственного достоинства. Восхищенные потомки должны были сами догадаться, кто оказался среди них, и тоже вести себя соответствующим образом. Чем скромнее была реакцияя окружающих, тем более лучистым и добрым становился его взгляд.

Однако он не всегда был внуком Ленина. В ординаторской рассказывали, что до этого он был «Бобром». Психиатрам его случай казался чрезвычайно интересным, поскольку у сумасшедших редко происходит замещение одного помешательства другим. Поэтому они обсуждали его довольно часто. К счастью, иногда забывая выгнать меня из кабинета.

«А я вам говорю, — ворчал, раскуривая трубку, старичок Иннокентий Михайлович, — ничего нетипичного мы с вами тут не имеем».

«Ну как же? — возражал его молодой коллега Алексей Антонович, отмахиваясь от едкого дыма. — А полное вытеснение предыдущей индивидуальности? Одновременная раздвоенность сознания — это я понимаю. Но он ведь даже не помнит, что носил футбольную форму. То есть, конечно, не носил. Я, так сказать, в фигуральном смысле. Вы меня понимаете?»

«Я понимаю вас очень хорошо, коллега. Однако позвольте с вами не согласиться. Ровно сорок лет тому назад, в одна тысяча девятьсот двадцать втором году, мой хороший знакомый — не стоит называть имен — защитил в Швейцарии диссертацию, построенную именно на таком случае».

«В Швейцарии?» — переспрашивал впечатленный и слегка взволнованный Алексей Антонович.

«Именно, дорогой мой, что в Швейцарии. А там, как вы понимаете, дуракам степени не дают. И главным врачом, кстати, никого без году неделя не назначают».

Алексей Антонович догадывался, что крамольная речь идет о Головачеве, делал заговорщицкое лицо, подмигивал Иннокентию Михайловичу, а потом вдруг замечал меня, притихшего за высоким стеклянным шкафом.

«А вам что, нечем заняться?» — повышал он на ме-

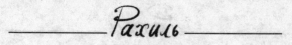

ня голос, хотя мы с ним были ровесники и, насколько я знал, он, так же как и я, ждал защиты своей диссертации.

Тем не менее мой диссер, по замечательным словам Любы, «в психушке у них не канал». Поэтому я поднимался со стула и послушно шел мыть полы, размышляя о лингвистической связи ленинградских и венецианских, скажем, каналов с новой разговорной лексикой моей взбунтовавшейся ироничной Рахили.

На пороге я чаще всего натыкался на того, кто подслушивал разговор в ординаторской, или даже на самого доктора Головачева. Вряд ли, конечно, он опустился бы до прямого надзора за подчиненными, однако оставлять их надолго в уединении он не любил. Это было заметно.

Пропуская его в ординаторскую, я кивал ему головой, а он каждый раз подмигивал мне, как будто между нами была какая-то тайна.

Впрочем, была. Только он о ней пока ничего не знал.

Его больше интересовала та ночь, когда Люба решила меня зарезать. Вернее, не меня, а того несчастного иудея, в которого, по ее смутным предположениям, я превратился, лежа в ее постели.

«Олоферн недорезанный» — было теперь мне имя.

Но она была не Юдифь. С этим бы я никогда не смог согласиться. Только — Рахиль. Рахиль у колодца — и больше никто. И я отваливаю камень, чтобы она напоила своих овец. Никаких насильственных мероприятий со спящими бородатыми мужиками.

Или у Олоферна не было бороды?

«Расскажите о том, как это произошло».

И глаза такие внимательные-внимательные. Как будто завидует.

«Я уже вам рассказывал. Тысячу раз».

Андрей Геласимов

«Ну, положим, не тысячу. Вы часто преувеличиваете. У вас всегда была такая наклонность?»

«Я не сумасшедший. Можете не радоваться, доктор. Это просто гиперболизация. В литературе — обычный стилистический прием. Троп».

«Что, простите?»

«Троп. Но, в общем, неважно. Мне надо мыть полы. Отойдите, а то я вам халат забрызгаю. Будут пятна».

«И поцеловал Иаков Рахиль, и возвысил голос свой и заплакал».

Мне действительно некогда было разговаривать с Головачевым. Он отвлекал меня от важных аналитических наблюдений. Теперь я старался мыть там, откуда было видно, как внук Ленина, пристроившись на самом краешке привинченного к полу табурета, летящим стремительным почерком исписывает невидимым карандашом одну за другой несуществующие страницы. Склонив над рукописью свой сократовский лоб, он время от времени энергично потирал его ладонью, потом вскакивал с места, пересекал раза два палату из угла в угол и снова возвращался к работе. Очевидно, готовил для своего деда выступление перед депутатами Балтфлота.

«Товарищи матросы! Загоним якоря наших железных линкоров в задницу контрреволюции! Дотянем мачты до неба! Выше, плотники, стропила! Гуще супчик, повара! То есть, разумеется, коки».

Впрочем, он практически не картавил. Это заметно лишало его обаяния, однако, в конце концов, он был ведь всего лишь внук.

Вот что оставалось совсем непонятным, так это как ему раньше удавалось быть «Бобром». Ни футбольного, ни хоккейного начала в его приземистой расплывшейся фигуре с большим животом я так и не смог увидеть. Быть может, оно витало в воздухе где-то поблизости от него, и, когда оно требовалось, он мог запросто до него дотянуться, воспользоваться им по своему усмотрению. Но теперь эта радость оставила его, и он больше не вскакивал по ночам с кровати от рева трибун, грозя кулаком туда, откуда летело: «Бобра с поля!» Он больше не рвался к чужим воротам, не падал в чужой штрафной. Он успокоился и придумывал план вооруженного восстания.

То есть, разумеется, я не говорю, что я был таким уж спортивным болельщиком, раз знал о Боброве. Просто в то время невозможно было о нем не знать. В шестьдесят втором году, войдя практически в любой московский двор, ты рано или поздно должен был услышать крик: «Бобер дорвался!» И не обязательно кричали мальчишки. Пыль во дворах зачастую поднимали столбом вполне оформившиеся мужики. Некоторые с бородами, как командиры подводных лодок. Или как Олоферн.

Покрикивали зычно: «Бобер дорвался!» и «Дай мне!» Обе реплики означали одно и то же — неодобрение излишней индивидуальной игры. Излишнего эгоцентризма и порывистой гениальности. Если, конечно, гениальность бывает излишней.

Впрочем, в нашей стране...

А я тем временем чихал от поднятой бородатыми «подводниками» пыли и продолжал думать о том, как это человек вдруг сходит с ума. И где грань между метафорой «Бобер дорвался» и тем непонятным волшебным моментом, когда бедняга вдруг действительно ощущает себя «Бобром» и, в общем, уже готов «дорваться»?

Из разговоров гордых врачей, кичащихся перед подчиненными своим психическим здоровьем, а перед пациентами — своими инициалами на груди, мне удалось узнать, что все началось в Сестрорецке. Будущий внук Ленина работал там в конце двадцатых годов учителем начальной школы. Не знаю, была ли она единственная в этой местности, но так получилось, что настоящий Бобров, когда был еще маленьким и незнаменитым, пришел учиться именно туда. Просто он тоже жил в Сестрорецке. Такое вот совпадение. И будущий внук Ленина, видимо, научил его читать. Что само по себе, конечно, прекрасно, однако со временем у него в голове произошла какая-то революция, и он незаметно экстраполировал свой педагогический вклад в судьбу будущей футбольной и хоккейной звезды на всю его блистательную карьеру. То есть он попросту решил, что это ему удалось открыть такой замечательный спортивный талант в неказистом мальчишке и что это именно он обучил Боброва всем его невероятным финтам. Внук Ленина, который тогда еще не знал, что он будет внуком Ленина, стал выступать среди односельчан и даже в местной газете, развивая тезис о своей педагогической гениальности. Этот прозорливый наставник великих, этот мудрый кентавр, выкормивший Геракла едва ли не собственной грудью, слово «Педагог» в своих статьях писал только с большой буквы.

В пятидесятые годы, когда «Бобер» гремел не только в СССР, но и по всей Европе, его сестрорецкий Учитель уже не мог усидеть на вулкане своего величия. То есть сначала это была просто такая Фудзияма величия — с белой симпатичной верхушкой, синеньким небом, соснами по бокам — никаких признаков сейсмической активности. Но потом внутри что-то вдруг задышало, что-то открылось, какие-то кратеры, магма, бурление, и бедные японцы стали беспокойно выглядывать из окон своих бамбуковых хижин. В общем, произошло непоправимое. В голове у него что-то щелкнуло, он бросил ходить в школу, закинул за шкаф свои методички, предпринял историческое исследование и выяснил, что Бобров — это он сам.

Оказалось, что во время войны семью Боброва эвакуировали в Омск вместе с заводом, на котором работал его отец. «Бобер» поступил там в военное училище интендантов и продолжал играть с местными пацанами в футбол. А летом сорок четвертого его поймал комендантский патруль. «Бобер» шатался по улицам в два часа ночи. Курсанты в это время должны были находиться в казарме, поэтому приговор был простой — отправка на фронт в двадцать четыре часа. Вот здесь лихорадочная мысль сестрорецкого исследователя как раз и нащупала трещину в истории. Достаточную по ширине, чтобы скользнуть в нее и разместиться вполне комфортно.

«Выяснилось», что группа проштрафившихся омских курсантов, отправленных вместе с «Бобром» на фронт, была неудачно сброшена на парашютах в Белоруссии прямо на головы мотострелковой дивизии СС. Группа попала под пулеметный огонь и практически вся была уничтожена еще в воздухе. Кроме одного человека. Которым, разумеется, и был «настоящий Бобров».

Ему удалось отстреляться, он долго скитался в лесах, вышел на партизан, разбил немцев и участвовал в Параде Победы на Красной площади. Правда, знамя фашистское ему дали не самое главное. Он хотел, чтобы там был портрет Гитлера, но какой-то наглый маршал с папиросой «Казбек» знамя с портретом у него отобрал. Тем не менее он дошел до Мавзолея, чеканя шаг, и плюнул на это «фашистское говно» всей своей гордой «бобровской» слюною.

А в это время его зловредный «двойник», которого якобы пожалели и не отправили тогда, в сорок четвертом, на фронт, уже перебрался из Сибири в Москву и забивал всем подряд, играя за ЦДКА. Шустрый «само-

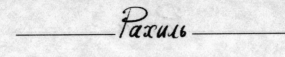

званец» успел даже съездить в Англию в составе «Динамо» и заколотить там в ворота «Челси» и «Арсенала» те
самые голы, которые по справедливости должен был за-
бивать уставший уже от разочарований пациент доктора Головачева.

В конце концов он до такой степени свыкся со своей
новой личностью, что, наверное, даже самому Всеволо-
ду Боброву она не была так близка, как ему. Он приль-
нул к ней так же искренне, стремительно и порывисто,
как юноша на лестничном проходе прижимается к еще
малознакомой девушке, когда лифт, к счастью, сломан,
и кто-то постоянно поднимается по ступенькам, и надо
всех пропускать, но лестница слишком узка и так просто не разминуться.

На этой почве наш «бомбардир» эпизодически по-
падал в больницу к доктору Головачеву, ибо чей разум
и сердце выдержит всю эту восхитительную гимнасти-
ку в полутемном подъезде, если она длится не двадцать
минут, как у обычных людей, а всегда. Со всей силой и
простотой бесконечности.

Врачи старались ему помочь, но на самом деле только заставляли его страдать. Попробуйте объяснить влюб-
ленному юноше, что его девушка любит другого, а потом попытайтесь снова поверить в абсолютную ценность
истины. Он приезжал в больницу совершенно счастливым и через месяц-другой отправлялся по месту жи-
тельства с мрачным лицом, запасом таблеток и массой
сомнений.

И вот однажды все эти сомнения самым благополуч-
ным образом разрешились. Он смог наконец их проверить в лифте гостиницы «Москва». Непонятно, каким
ветром его туда занесло, но на втором этаже в кабину
лифта, где он посматривал на свое отражение в зеркале,
предчувствуя уже некоторые интересные события и пе-

ремены, упругой походкой вошел высокий и красивый Сева Бобров. Неизвестно, о чем они говорили, пока лифт поднимался на пятый этаж, однако этого времени вполне хватило, чтобы «Бобровы» выяснили, кто из них кто, и, когда дверь лифта на пятом этаже плавно раскрылась, к ногам изумленной дежурной по этажу выкатился ни в чем уже не сомневающийся, слегка взлохмаченный, обыкновенный бывший учитель сестрорецкой начальной школы.

После всей этой веселой неразберихи, смуты и толкотни так и осталось неясным, узнал ли великий форвард того, кто учил его читать по слогам и писать на серой ворсистой бумаге «Мы не ра-бы», «Се-ва», «Ло-шадь», «Ма-ма» и другие для начала пока двусложные слова (*«Вот так, не торопись, здесь черточка, осторожней, обмакни ручку еще раз, не видишь — она у тебя рвет бумагу?»*). Бобров, как и на поле, решительно проявил все свои бомбардирские качества и поддержал реноме советского нападающего. Он стал нападающим в лифте.

Тем не менее для его первого учителя эта встреча спустя столько лет оказалась настоящим спасением.

Через несколько дней по Москве поползли совершенно нелепые слухи. В гастрономах и в поликлиниках люди передавали друг другу на ухо, что «Бобер» избил внука Ленина. Причина этой несообразности состояла то ли в том, что взволнованная дежурная по этажу, увидев катящегося по полу лысоватого толстячка, вообразила себе невесть что; то ли народ так сильно любил Боброва, что не мог себе представить, как он избивает кого-то менее значимого в мифологическом смысле, чем он сам; то ли вообще все привыкли к тому, что он вечно попадает в истории, и если в прошлый раз был генерал, которого он вытащил за погоны из такси и получил от Василия Сталина за это дело лично по физиономии, то теперь это должен быть кто-нибудь ну никак не меньше, чем внук Ленина, потому что сына ведь не изобьешь — он, наверное, уже совсем старичок, а старичков колотить даже самому Боброву вроде бы неприлично. Не комильфо.

При этом никто не хотел вспоминать, что никакого сына никогда не было (если только его не прятали где-нибудь за границей, и вот теперь его отпрыск инкогнито явился в лифт гостиницы «Москва» и врезал там скорому на ответ футболисту). А следом за отсутствующим сыном не могло быть и внука.

Но все это уже никого не волновало — вся эта причинно-следственная генеалогия. Кому интересно, откуда берутся внуки? Да ниоткуда. Важно, что они ездят в лифтах и дерутся с Бобровым. Наотмашь. А потом выпадают к ногам испуганных дежурных по этажу.

Вот это весело.

Так или иначе, после случая в гостинице жизнь сестрорецкого учителя круто переменилась. Он перестал бывать в больнице наездами и переселился туда насовсем. Уступая молве, он сменил в своем сердце шаткий и ускользающий образ Боброва на ясный и близкий каждому советскому человеку ленинский задор и ленинскую улыбку. Склонив голову над невидимой рукописью, он теперь часами писал воззвания к революционным солдатам, едко издевался над эсерами и социал-демократами, не сомневался больше ни в чем и являл собой образец полной гармонии и счастья.

Заканчивая процесс наблюдения за ним, я с грустью понял, что для своих планов мести я не смогу воспользоваться моделью его поведения. Любое возмездие предполагает в своем носителе незавершенность природы. Недостачу чего-то важного — нехватку, из-за которой, собственно, и начинается весь этот ужасный душевный зуд.

Внук Ленина достиг в своем развитии полного завершения. Его цикл замкнулся. Он наконец встретил самого себя и совершенно не подходил мне, потому что счастливые люди мстить не умеют.

* * *

«Жизнь, молодой человек, — это более или менее череда упущенных возможностей, — говорил мне Головачев. — Странно, как вы, однако же, свою тряпку выжимаете».

«Не факт, — отвечал я. — Для многих людей, уважаемый психический доктор, жизнь — это тайный план бога».

«Вот как? — удивлялся он. — Вы что, тоже стали религиозны? А как же комсомол? Да перестаньте вы елозить этой тряпкой. Забрызгаете мне весь халат. Вы член ВЛКСМ?»

«Мне надо домыть. Старшая сестра будет ругаться. Она и так меня ненавидит».

«Не выдумывайте. Вы слишком много анализируете. Поверьте, поведение окружающих не всегда поддается анализу. То, что вам показалось ненавистью с ее стороны, скорее всего, было просто минутным раздражением. Что она вам сказала?»

«Неважно».

«Вот видите. У нее, наверное, просто были месячные. Скажите, а у Любы восстановился месячный цикл? — Он запинался, но тут же суетливо добавлял: — Меня беспокоит воздействие тех препаратов, которые она получила у нас».

«Я не в курсе», — отвечал я, чувствуя, как лицо тяжело и неуправляемо наливается краской.

«Вы смутились, — говорил, улыбаясь, Головачев. — Ну да, вы ведь еще совсем молоды. Сколько вам лет?»

«Какая разница?»

«И хамите по-прежнему. Вам нравится работать у нас?»

Я молча тер шваброй и без того уже сверкающий участок пола.

«И служил Иаков за Рахиль семь лет; и они показались ему за несколько дней, потому что он любил ее».

Головачев был прав. Комсомолец не должен интересоваться религией. Но я чувствовал, что, говоря «вы **тоже** стали религиозны», он вольно или невольно объединял меня с моей Рахилью. Помещал меня туда же, где находилась она со своими новыми идеями, стриженой головой, проколотыми ушами и бесконечными лихорадочными разговорами о диббуках, суккубах и каббале.

Внутренние согласные в трех последних словах удваиваются, сигнализируя о твердом, несгибаемом и даже упрямом характере говорящего. Повышенная частотность употребления в повседневной речи лексических единиц с двойными согласными свидетельствует также о торопливости, ажитации и постоянном состоянии возбуждения. Удвоение близкого к фрикативному согласного «к» в слове «суккуб» является фонетической аллюзией на фрикционные процессы совершенно иного свойства и тоже имеет непосредственное отношение к упомянутому выше состоянию возбуждения.

Которое удовлетворяется неизвестно кем.

N.B. Как это неизвестно? Мужской вариант суккуба называется инкуб. Проникает к женщинам по ночам в закрытые спальни.

Поэтому в глазах Головачева я был ей пара. Хотя бы в этом смысле. В смысле моей якобы «**тоже** религиозности».

А Любу тем временем завораживал весь этот чувственный мистический бред, эти мощные сексуальные черти, рядом с которыми я, очевидно, выглядел как робкая полупрозрачная рогатенькая улитка, уставшая от своего домика, от самой себя, от солнца, от слишком широкой и сухой песчаной тропинки, которую надо — вопрос жизни и смерти — обязательно пересечь.

Да тут еще и стиляги. В голове у моей Рахили действительно был кавардак, и препараты доктора Головачева никакой ясности в него не вносили.

Не знаю уж, как они действовали на ее цикл. Дверь к ней в комнату по ночам для меня оставалась наглухо заперта.

Днем с Любой еще можно было поспорить о том, что Якоб Бёме был никакой не каббалист, а просто сапожник и, на худой конец, один из дальних предвестников немецкого романтизма, но по ночам даже такие темы переставали ее волновать. Не знаю, что она делала там за своей закрытой дверью. Во всяком случае, точно уж не спала. Невозможно поверить, что человек может спать с такой силой, с такой бесконечной решимостью и с такой злостью, что ему требуется настолько плотно закрытая дверь. Дверь, закрытая насмерть.

«И еще говорю вам: легче верблюду пройти сквозь игольное ушко».

Да, Головачев был прав. Религия комсомольцу совсем не нужна.

«Что же вы молчите? — продолжал он через минуту. — Так нравится вам работать у нас или нет?»

Но я не молчал. Я думал о том, может ли человек на самом деле, все равно — каббалист он или не каббалист, повлиять своими молитвами, бормотанием, ритуалами или чем там еще на весь этот божественно-космический процесс? Космический не в смысле Юрия Гагарина и лунохода, а в смысле неизбежности попадания неизвестно откуда кому-то в живот, и в смысле появления с криком и сморщенным красным лицом из этого живота, вернее, из того, что находится ниже, и в смысле растущего с этого самого момента чувства необъяснимой горечи, как будто тебя обманули, обманывают и будут обманывать всегда, и в смысле вытекающего из этой горечи ощущения какой-то, быть может, ошибки, неизвестно кем совершенной, но раз уже она оказалась совершена и ты родился, то кто-то ведь должен был ее совершить.

И кто же это тогда? Ведь должен этот Кто-то существовать, раз совершает ошибки.

И можно все-таки повлиять или бесполезно? Молитвами, бормотанием, каббалой, запертой дверью — чем угодно. Можно или нельзя?

Существование тайного плана бога, о котором я говорил Головачеву для того, чтобы он отвязался и дал мне домыть этот несчастный пол, предполагало, что, в общем, нельзя. По Лейбницу, провидение само знало, как ему наилучшим образом распорядиться нашими судьбами, хлопотами, беготней, зарплатами и выбором того момента, когда зарплата уже не нужна.

Фильмы про войну с немцами подтверждали правоту Лейбница и его тезиса о мире «предустановленной гармонии», в котором запрограммирован всеобщий конечный успех. Военные генералы в просторных землянках склонялись в этих фильмах над картами будущих сражений и рисовали на них цветными карандашами полукруглые стрелки. Сцены были почти немые, и генералы в кадре совсем неразговорчивые, поскольку режиссер всегда отчетливо понимал и давал понять зрителю, что никакое бормотание, каббалистика или молитвы тех, кто сидит там, в окопах, а на карте представлен этими самыми стрелками, не изменят движения генеральской руки. Потому что ей лучше знать. Потому что девятого мая все равно будет День Победы.

Но те, внутри нарисованных стрелок, могут никогда о нем не услышать. Им остается бормотание и каббала.

«Вы что-то сказали? — оживал заждавшийся моего ответа Головачев. — Не клеится у нас с вами разговор как-то».

«Мне надо домыть. Старшая сестра будет ругаться».

«Да-да, разумеется. Простите, что вас отвлек. Скажите мне только напоследок, почему фига называется «комбинацией из трех пальцев»? В ней ведь участвуют все пять».

Он складывал правой рукой фигу, показывал ее мне и вопросительно смотрел, на этот раз твердо решив дождаться от меня ответа.

«Перестаньте меня проверять, доктор, — отвечал я, роняя тряпку в ведро так, чтобы брызги долетели до его халата. — Я не сумасшедший. И с логикой у меня пока все в порядке».

«Докажите».

Я выпрямлялся над своим надоевшим уже нам обоим ведром и смотрел прямо в лицо доктору Головачеву. Он улыбался и повторял, одобрительно кивая:

«Докажите».

Яркий солнечный свет из окна падал как раз на тот участок пола, с которого я едва не стер прошлогоднюю охру, пока «беседовал» с этим «инженером человеческих душ».

«Докажите», — настойчиво говорил он, щурясь от

солнечных бликов и поднося свою фигу прямо к моему лицу.

«У того, кто первым сформулировал эту устойчивую фразеологическую единицу, — медленно начинал я, — не хватало двух пальцев. Понятно? Мизинца и вот этого. Как называется этот вот небольшой?.. Понимаете? Не было на руке пальцев. Откусила акула. Ходили в «Ударник» на «Последний дюйм»? Отличный фильм. Акулы искусали папу, а мальчик в конце ведет самолет. И главное — ему надо суметь приземлиться. Только билеты очень трудно достать. Стиляги все раскупили. Там музыка. Хотите, спою?»

Я отступал от него на один шаг и начинал раскачиваться из стороны в сторону, сильно фальшивя и к тому же перевирая слова. Я ведь не знал за два дня до этого, когда пытался в темноте зрительного зала разглядеть профиль окаменевшей рядом со мной Любы, что слова надо заучить, поскольку придется петь их доктору Головачеву в коридоре нашей с ним и с моей Рахилью психушки. К тому же Соломон Аркадьевич в кинотеатре так громко рыдал, что мешал мне как следует запомнить текст.

«Земля трещит как пустой орех, — выводил я и тут же сбивался. —

Та-та-там чего-то дня».

Дальше было уже понятней, и я выкрикивал во весь голос:

«Какое мне дело до вас до всех?

А вам — до меня?»

Я замолкал, Головачев усмехался и наконец поворачивался ко мне спиной.

«А еще знаете почему? — кричал я ему вслед. — Знаете, почему три пальца? Потому что слово, которое этот жест означает, тоже состоит из трех букв. Из трех!

Понятно? Это же семиотика! Знаковые системы! И, вообще, такие вещи нельзя показывать своим подчиненным. Это неприлично! Слышите вы меня? Это неприлично! Где вы этому научились? Эй! Куда вы уходите?!!»

Но он уже исчезал в соседнем коридоре.

* * *

Мое эстрадное творчество не прошло незамеченным. Медсестры и санитары стали коситься на меня еще больше, а пациенты начали меня узнавать. Я видел, что они отличают меня от других санитаров. Неясно, каким образом до них доходили флюиды из ординаторской, но я чувствовал, что они знали. Быть может, в силу своих мозговых отклонений они обладали какими-то дополнительными психическими способностями и могли запросто уловить происходящее сквозь две-три кирпичных стены, а может, просто понимали, чем отличается счастливый человек от несчастного.

Как член ВЛКСМ и будущий кандидат наук, в чудеса я по возможности старался не верить. Поэтому склонялся к версии номер два.

Сумасшедшую Люсю, например, из всех чудес на свете волновали одни только *бэники*. По поводу *эников* у нее, очевидно, сложилось какое-то представление, а вот *бэники* — то есть как они выглядят, как ходят, во что одеваются, что едят (помимо вареников, разумеется) — все это волновало Люсю до глубины ее безумной и, судя по всему, самой прекрасной на свете души.

«А почему они всегда вместе?» — спрашивала Люся у медсестры, протягивая по утрам лодочкой сложенную ладошку.

«Нельзя им по раздельности, — отвечала сестра, от-

считывая в Люсину руку огромные белые таблетки. — Где эники, там и бэники. Куда они друг без дружки?»

Потерпев поражение в случае с монгольским поэтом и внуком Ленина, я наблюдал теперь за Люсей скорее уже по инерции, чем из каких-то стратегических соображений. Мой план имитации поведения сумасшедших полностью провалился. Выбрать модель оказалось невозможным. Имитировать пришлось бы буквально всех. Включая, между прочим, самого себя.

Поэтому я, наверное, и решился на разговор с Люсей. На больничные правила мне уже было плевать. Конспирация не имела никакого смысла. Я не хотел теперь даже прикидываться своим.

«Бэники — это такие стиляги, — сказал я Люсе. — В узких брюках, цветных галстуках и слушают джаз».

«Стиляги? У нас здесь жили стиляги. Они не похожи на бэников. Их любит доктор Головачев».

«Похожи, похожи. Они украли у меня жену».

«Воровать нельзя, — сказала она. — Это плохо».

«Я знаю. Поэтому я очень расстроен».

Люся уходила от меня по коридору, наговаривая свое бесконечное «эники-бэники ели вареники», а я смотрел ей вслед, как двумя днями раньше смотрел вслед доктору Головачеву, и мне отчего-то опять было так больно и тяжело на сердце, что я всерьез задумывался: а так ли уж прав был старина Лейбниц со своим миром предустановленной гармонии? И куда эта гармония запропастилась, когда дело дошло до меня?

Впрочем, на разговор с Люсей я решился не только из-за того, что мне теперь было плевать на больничные правила. Если бы мною двигало только это, я бы, наверное, просто разбил какое-нибудь стекло или еще раз опрокинул чернильницу. Но дело заключалось не в одном

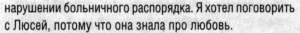

нарушении больничного распорядка. Я хотел поговорить с Люсей, потому что она знала про любовь.

Про любовь, и не только.

Близкие начали подозревать, что с ней на эту тему не все в порядке, когда она пришла на день рождения к своей подруге, выпила вина, присела на корточки перед чужой шестилетней девочкой, погладила ее по голове, сняла с себя золотое кольцо и вложила его девочке в мягкий розовый кулачок.

«Ты хорошая, — сказала Люся. — Я тебя очень люблю».

Всем понравилось, но колечко Люсе вернули. Девочку успокоили леденцом.

Потом Люся отказалась получать на работе зарплату. Она сказала мужу, что боится разбогатеть, и он начал ходить второго и семнадцатого числа к проходной авиазаправочной службы, чтобы убедить Люсю вернуться к кассе и не смешить людей.

«Но ты же сам слушал этого поэта в Политехническом, — сопротивлялась Люся у проходной. — Тебе же нравилось, когда он сказал: "Уберите Ленина с денег!" Я тоже не хочу эти деньги. Ленина на них рисовать нельзя».

Операторы станции горюче-смазочных материалов выходили с работы, пересчитывали аванс, поглядывали в сторону Люси и ее мужа, усмехались, крутили пальцами у виска.

В конце концов ему разрешили расписываться в ведомости вместо Люси. Она работала хорошо, и профком даже попросил у ее мужа фотографию, чтобы все, кто идет через проходную, могли увидеть Люсино улыбающееся лицо. И еще на ней было желтое ситцевое платье с круглым вырезом и такими «овальными штучками в виде узора», как говорила она сама и рисовала при этом в воздухе пальцем кружочки и опять улыбалась, и белые туфли без каблука с узеньким ремешком. Но туфель на фотографии не было видно, хотя Люсиному мужу они очень нравились, и он сожалел, что не сказал фотографу «в полный рост». А тот ведь спросил, но почему-то показалось, что будет дороже, и переспрашивать насчет цены было уже неловко.

Люсин муж купил эти туфли в ГУМе, когда в первый раз получил зарплату вместо нее. Наверное, поэтому он и ударил Люсю, узнав, что она отдала их цыганке, которая приходила продавать ненастоящий мед. Просто не смог сдержаться. Он считал эти туфли своим подарком и говорил, что такую вещь могут позволить себе далеко не все. Он лично отдал за них половину Люсиного аванса, и две недели пришлось жить на его деньги. Сорок четыре рубля. Ударил совсем не сильно.

Потом Люся поехала к своей подруге и узнала, где живет та чужая шестилетняя девочка, которой она хотела подарить обручальное кольцо. А потом как-то раз ушла с работы пораньше, чтобы мужа еще не было дома и чтобы можно было спокойно раздать во дворе и на остановке разные вещи, не обнаружив которых муж рассердился и ударил ее немного сильнее, чем в первый раз. Но она не испугалась и просто сказала ему: «Я тебя люблю». А он сидел на кухне, плакал и время от времени скрипел зубами. Потому что Люся подарила какому-то старичку наручные часы его отца. А на часах была надпись «От маршала Рокоссовского» и чуть помельче — «ш.б.», что означало «штрафной батальон». И отец уже умер от больных почек и сердца и вообще от всего того, что с ним произошло в его штрафной жизни, и поэтому надеяться на новые часы, да еще с такой надписью, было уже глупо.

Люся всем говорила: «Я вас люблю», но когда муж

спрятал от нее то, что у них осталось, Люсе стало нечего отдавать. Вот в этот момент она, очевидно, и сошла с ума от такого несчастья. Говорить «Я вас люблю» и не подкреплять слова подарком было для нее невыносимо. Поэтому Люся старалась говорить о своей любви как можно чаще. Ей важно было, чтобы люди не обижались на нее за то, что ей нечего им подарить. Кроме самой себя.

Так что Люсин муж сам в общем-то был виноват. Не надо было прятать от нее все эти вещи. Тем более что после кольца и часов все остальное не имело значения. В принципе, лучше было отдать. Быть может, Люся тогда бы и успокоилась.

Потому что операторами на станции ГСМ в основном были мужчины. Они носили комбинезоны и дружили с техниками, у которых был доступ на летное поле и которые вставляли в самолеты шланг. Люсины слова про любовь они восприняли так, как и должны были их воспринять те, кто связал свою жизнь с авиацией. То есть с небом.

«Есть одна у летчика мечта».

Про любовь эти мужчины знали не меньше Люси, поэтому она просто не могла им отказать. Ведь это она первая говорила: «Я вас люблю», а работники авиации привыкли верить женщинам на слово. В этом отношении они всегда были настоящими рыцарями. Или гусарами. Смотря по обстановке.

Люся делала все, что они просили, а потом рассказывала об этом мужу, поскольку его она любила все-таки больше, чем всех остальных. Он ревновал и приезжал к ней на работу драться, но там над ним просто смеялись, и даже бить его никто не хотел. Впрочем, может быть, они испытывали к нему жалость. Ведь их было много, и они могли запросто отбить ему почки и сердце, и для этого вовсе не обязательно было попадать в штрафной батальон. Но они его не трогали. Просто смеялись и старались увернуться, когда он бегал за ними по всей станции с принесенной откуда-то монтировкой, которую пришлось завернуть в газету, чтобы доехать на электричке до аэропорта.

Несправедливость измены заключается в том, что обманутый и так, в общем, наказан неизвестно за что. Плюс методично уничтожает себя ревностью с такой силой, как будто самый ненавистный теперь ему человек на свете — это он сам. И тем не менее даже этого мало. Помимо всей муки, ненависти и брезгливости по отношению тоже, как это ни странно, к самому себе, тошнотный букет неизбежно украшается сияющим образом соперника-победителя. Который приобретает мифологические черты в считаные секунды. Стоит только услышать от того, кто тебе так дорог: «Ты знаешь, мне надо что-то тебе сказать. Только не сердись, ладно?» И холодные подрагивающие пальцы на твоем рукаве. А счастливый соперник уже занимает в твоем сердце такое же место, как ревущий дракон в сердце рыцаря Ланселота. Или чаша Грааля — в сердце короля Артура. То есть на всю жизнь. И разница между драконом и Граалем лишь в том, какие уроки ты из всего этого извлечешь. Хоть и не виноват во всем, что с тобой случилось. Просто ни сном ни духом.

Поэтому Люсин муж и бегал по станции горюче-смазочных материалов с высоко поднятой над головой монтировкой, пытаясь хоть как-то восстановить справедливость и лишить своих многочисленных соперников мифологического статуса, доставшегося им, разумеется, незаслуженно.

То есть его мотивы мне были совершенно ясны. Непонятным оставалось то, что испытывала Люся, когда изменяла своему мужу. Пусть даже от самой большой любви ко всему человечеству.

Об этом я и хотел у нее спросить в коридоре. Но не спросил. Побоялся услышать правду.

* * *

С правдой вообще выходил какой-то напряг. Ненависть к ней достигла во мне такой высокой точки, такого фальцета, что, если бы Головачев подошел вдруг ко мне и сказал: «Давайте начистоту. Сейчас я вам расскажу, чем мы с вашей женой тут занимались», то я бы, скорее всего, даже не дал ему договорить.

Я бы убежал или стукнул его своей мокрой шваброй. Лишь бы он замолчал.

Боюсь, к тому моменту я сам начал немного сходить с ума, но не хотел себе в этом признаться. Тяжело знать правду о своей жене — еще тяжелее знать ее о том, кем ты сам был совсем недавно и кого привык называть «я».

Наверное, поэтому Головачев и проверял меня время от времени. Со стороны ему было видней.

Как только я взглянул на себя и на всю нашу ситуацию под этим новым углом, мне вдруг показалось, что нормальных людей вообще не существует. То есть, может, они и существуют, но определение «нормальность» или «я — не сумасшедший» — это все-таки больше самооценка, краткая и невероятно хвастливая автобиография, но никак не описание работы полностью функциональной системы.

Просто взгляд изнутри. Сквозь узкие смотровые щелочки. Которые к тому же заросли волосами. Но некоторым нравится. Они подходят и говорят: «Какие красивые у вас ресницы».

То есть во всей этой близорукости и мохнатой в некотором отношении невозможности разглядеть истину присутствует еще и эстетический элемент. Забавно.

А нужен специалист. Чтобы послушал, подумал и сделал вывод: «Да, вы не сумасшедший. Вам нечего здесь делать, батенька. Пожалуйста, немедленно отпустите его». Но о себе он ведь, наверное, тоже думает, что он не сумасшедший. И судит меня, опираясь на свое собственное представление о том, как должен вести себя абсолютно не сумасшедший человек. Такой же примерно, как он.

А что, если у нас с ним просто одинаковая форма безумия?

Короче, я понял, что с теми, кто на тебя похож, надо держать ухо востро. Впрочем, пообщавшись несколько недель с доктором Головачевым, я стал подозревать практически всех. Кое-кому ради забавы даже присматривал место в нашей больнице.

Большое опасение, например, вызывала заведующая той самой кафедрой в моем институте, где мне все никак не могли дать часов и без конца повторяли: «Ну вот дождемся вашей защиты, а там посмотрим». Как будто у них было что-то со зрением и после заседания диссертационного совета оно чудесным образом должно было исцелиться.

Постоянная надежда на чудеса. Будь ты хоть комсомолец, хоть член КПСС с большим пузом. В любом случае догадываешься, что партбилет в кабинете у окулиста не помогает. Всегда хочется чуда. «Простите, как лучше пройти к купальне Силоам? Замучили эти минус десять» (см. Ев. от Иоанна, гл.9, ст.7 — 11).

Клавдия Федоровна, руководившая кафедрой, тревожила скорее даже не поведением, а внезапной переменой своего отношения к жизни. Будучи уже довольно опытной старой девой — с устоявшимися привычками, любовью к белым носкам и панталонам в горошек, которые она в жаркие дни надевала под тонкое прозрачное платье, — обладая твердой психикой и ясными представлениями о том, как вести домашнее и кафедральное хозяйство, она вдруг однажды решила выйти замуж.

Разумеется, ей это удалось. Благодаря решительному складу ума и отсутствию брезгливости в выборе средств ей вообще многое удавалось, и, скорее всего, именно по этой причине она неожиданно забрала себе в голову, что ей нужен муж. Захотела продемонстрировать свою мускулистую силу. В фехтовании такие штуки называются «тур-де форс». Не по делу, конечно, но удовольствие доставляют. Ведь не была же она настолько наивна, чтобы верить во всю эту чушь насчет надежной мужской руки, которая и в старости опора, и в юности тоже чего-то там — шаловливое, неугомонное и любопытное. Плюс юркое как хорек. Только зазевайся.

Тем более что ее женская рука была понадежнее целого пучка мужских. Подрагивающих в ее присутствии, покрывающихся мурашками и потом. Далеко не от вожделения, надо сказать.

В общем, претендента искать ей пришлось недолго. Постоянная занятость — конференции, заседания, разнос подчиненных, снятие стружки со студентов — не предполагала длительного и серьезного поиска. Выбор пал на Тихосю. В миру — Тихон Николаевич Осипецкий. Самый худой доцент в мире.

Тихося приносил на свои семинары кефир и пил его из толстой бутылки, запрокидывая голову и не отворачиваясь от студентов. У него было что-то с желудком, поэтому он всегда морщился, делая очередной нелегкий глоток. Девушки стыдливо опускали глаза, потому что стеснялись смотреть на Тихосин кадык, который шевелился как отдельное существо и каким-то образом все время намекал на то, что, по идее, он должен располагаться где-то в таинственном низу Тихосиного организма, а не на бесстыдно открытой, да еще и выбритой шее. Мужская часть аудитории не прятала глаз, поскольку, сидя рядом со смущенными девушками, она в той или иной степени думала о том же, на что намекал тихо шевелящийся Тихосин кадык. Мужская часть аудитории думала о любви.

И тут появилась Клавдия Федоровна. Очевидно, ее тронул тот неясный призыв, который исходил от Тихоси в момент публичного распития кефира. Скорее всего, он исполнял свой номер с бутылкой и на кафедре тоже. Чем еще занять себя одинокому доценту на перемене? Свадьба состоялась почти мгновенно. А вот дальше все пошло непонятно как.

Через день после свадьбы счастливый муж был вышиблен из уютного семейного гнезда, которое ему так и не дали свить. Заботливой птахи, снующей с веточкой в клюве туда-сюда, из Тихоси не получилось. Видимо, в те моменты, когда он цедил свой кефир, в его запрокинутую голову вливался не только молочнокислый продукт, но и самые разнообразные мысли. Поделившись этими размышлениями со своей новобрачной, нетерпеливый Тихося совершил роковую ошибку. Клавдия Федоровна была порядочной девушкой и совершенно иначе смотрела на взаимоотношения полов. Она была изрядно удивлена тем, что кому-то из ее коллег вообще могли прийти в голову такие грязные мысли. Она даже представить себе не могла, какое пагубное воздействие оказывает обычный кефир на неокрепшее половое сознание советских доцентов.

Так или иначе, пылкий Тихося с треском вылетел из двухкомнатной квартиры Клавдии Федоровны, а привычно невыносимая жизнь ее подчиненных превратилась на этот раз в настоящий ад. В многострадальный Сайгон, где как раз в это время американцы негласно уже занимали бывшие казармы французских колонизаторов. И мне, кстати сказать, предстояло там работать. Выживать в джунглях Меконга. Разумеется, в роли трепещущего вьетнамского крестьянина.

«Have you seen Vietcong, son? You haven't? You're lying, dirty native swine! Die, son-of-a» («Вьетконговцев не видел, сынок? Нет? Не лги мне, мерзкий туземец! Сдохни, уб.». Пер. с англ.).

Так что усилий доктора Головачева для исцеления Клавдии Федоровны могло бы и не хватить. Медицина в ее случае разводила руками, а «внук Ленина» рядом с этой гордой наследницей рода Клавдиев выглядел как буколический персонаж. Беззаботный пастушок Вергилия, наигрывающий под кустом на свирели свое «ай-лю-лю».

* * *

Сокращать Тихосю до «Тихоси» было одно удовольствие. Тихоном Николаевичем, кажется, его не называли даже в лицо. Он бы, наверное, и сам удивился, услышав хоть что-нибудь вместо «Тихоси». Так, моя еврейская бабушка при всей своей нелюбви к Иосифу Сталину еще и теперь говорила «Сталинград», когда вспоминала живущих в этом городе родственников.

Люди привыкают к определенному звуку. Особенно когда он связан с тем, что для них дорого. Тихося, очевидно, был дорог самому себе (поскольку, как выяснилось, даже Клавдия Федоровна дорожила им совсем недолго), а моя бабушка любила Сталинград. Хотя к этому времени уже прошел целый год с тех пор, как Гагарин слетал в космос, а Сталинград стал Волгоградом.

К третьему курсу мы несколько раз пытались сократить и других преподавателей, но у нас ничего не вышло. Получались какие-то жалкие «Валвикты», «Натсеры» и «Григорасты». «Григораст», в принципе, было неплохо, но семантического волшебства «Тихоси» в нем не хватало. Фонетика в этом мероприятии — всего лишь полдела. Стоило один раз увидеть, как наш любитель кефира и тайных мыслей вынимает из портфеля, поглядывая на студенток, свою заветную бутылочку, и сразу становилось понятным, что имя ему — Тихося.

Во всяком случае, тот, кого раза три успели назвать Григорастом, на настоящего «григораста» ни в коем случае не тянул. Максимум — на «григорастика». К тому же никакой внятной дисциплины он не преподавал. Так, один небольшой спецкурс. Кажется, даже в зачетку во время сессии он не шел. Поэтому, когда четвертой парой вне расписания ставили его семинар, по коридору шелестело: «Сорвемся».

Люба на эту тему постоянно распевала песенку «С одесского кичмана сорвались два уркана». Ей ужасно нравилось убегать. При этом совершенно неважно — откуда. Если бы мы учились на одном курсе, я вообще не посетил бы, наверное, ни одной лекции. Шатался бы с ней по Москве и целовался в парадных. Но она была на десять лет старше, и «срываться» мне приходилось совсем с другими людьми.

«Это неправильный вариант, — поправлял Любу Со-

ломон Аркадьевич. — Утесов поет: «С одесского кичмана бежали два уркана». Понимаешь? «Бежали», а не «сорвались». Откуда ты взяла это слово? Сорваться можно
только с какой-нибудь высоты. Упасть откуда-нибудь, понимаешь?»

Думаю, она научилась этому слову у тех самых хулиганов из Приморья, которых так полюбила в детстве и
которые, несмотря на все свое могущественное влияние,
почему-то позволили ей впустить неприключенческого
и не захватывающего меня в ее жаждущее стремитель-
ных порывов сердце.

Правда, совсем ненадолго.

«Сорвались — бежали. Не все ли равно? — говорила
она, морщась и теребя недавно проколотую мочку уха. —
Сережку мою никто не видел? Головачев расстроится, если придет, а я без нее».

Видимо, Соломон Аркадьевич все-таки угадал. Слово
«сорваться» она предпочитала из-за того, что в нем звучала тема падения. Не в окончательном смысле Paradise
Lost Джона Мильтона, но где-то в ту сторону.

Вот так просыпаешься — и уже не в раю. С добрым
утром, мое замечательное грехопадение! Сиди и думай — как докатился до такой жизни.

«В двадцать девятом году, — настойчиво продолжал Соломон Аркадьевич, — в Ленинградском театре
сатиры я своими ушами слушал эту самую песенку. И
спектакль, если хотите, назывался «Республика на ко-
лесах». Так вот, Леонид Осипович пел «бежали». Урканы
бежали, а не сорвались! Ну почему ты такая упрямая?»

Странно, что он этому удивлялся. Как будто мы с ним
поменялись местами и это не я, а он совсем недавно же-

нился на Любе и выяснял теперь, каким бывает настоящее, нешуточное упрямство.

«И сказала Рахиль Иакову: дай мне детей; а если не так, я умираю».

Потому что если Люба говорила «надо найти сережку», это значило — надо найти сережку.

Ведь Головачев мог расстроиться. А этого не хотел ни один из нас. Моя Рахиль перестала бы со мной разговаривать даже днем, если бы доктор всего лишь нахмурил брови. В больнице я мог высказывать ему все, что угодно, но дома приходилось быть осторожным. Люба не спустила бы мне его дурного настроения.

Поэтому я бросался под стол и под кресло на помощь Соломону Аркадьевичу, выискивая пропавшую сережку, стукаясь лбом об этого сердитого старичка и стараясь отвлечься приятными мыслями о том, кого бы еще из своих будущих коллег я поместил в нашу с доктором Головачевым психушку.

* * *

Да в принципе всех.

Различие между ними в этом смысле было попросту минимальным. Как между двумя рядами звездочек, выделяющих с двух сторон слишком короткую главу.

Которая стала такой короткой лишь по одной причине — тема ее столь обширна, что начни писать — и не остановишься никогда.

«Я список кораблей прочел до половины».

Вторая песнь «Илиады» покажется не длиннее Люсиной считалочки.

Эники-бэники ели вареники.

Эники-бэники бумс.

* * *

— Классная история, — сказала Дина, потягиваясь в своем кожаном кресле. — Вы ее рассказывали кому-нибудь?

— Да нет, — пожал я плечами. — Зачем? Кому это может быть интересно?

— Перестаньте! — Она махнула рукой. — Целую повесть можно написать. Или роман. Клевая история — сто процентов. Особенно интересно про долбанутых. Только у вас лицо стало совсем бледным. Вам не плохо?

— Ты знаешь, голова что-то кружится. Видимо, слишком долго говорил. Так бывает. Пойду на кухню, налью воды. У меня тут таблетка.

Дина немного посмотрела, как я пытаюсь подняться с дивана, и снова махнула рукой.

— Сидите. Я сама принесу. Вам кипяченой? Или из-под крана можно?

— Спасибо, — сказал я. — А то что-то правда в глазах немного темнеет. И такие искорки в уголках бегут.

— Вам кипяченой? — повторила она.

— Все равно.

Мне было действительно все равно. Я просто хотел, чтобы она побыстрее вышла из комнаты, раз уж у меня самого не получилось. Хлопнуться в обморок на глазах беременной женщины — это совсем не то, что рассказывать ей три часа о своем героическом прошлом. Другой формат. Особенно когда причина твоей разговорчивости состоит в том, что тебе просто-напросто некуда больше идти. Ну или почти некуда, потому что Люба все еще терпит, но ведь любому терпению приходит конец. И тогда ты сидишь в своей бывшей квартире и стараешься уложиться со своим рассказом в три часа с небольшим. Дольше нельзя — придут Володька и Вера. Они, скорее всего, даже не знают, что я практически каждый день сижу на этом диване и рассказываю Дине то, что, может быть, ей совсем даже и не надо знать. Но я все же рассказываю, потому что, во-первых, она единственная, у кого нет причин меня ненавидеть, а во-вторых, я почему-то надеюсь, что тот, кто внутри ее живота, тоже все это слышит. Хотя бы голос.

Немагнитная запись звука. Общение с потусторонним миром. Плюс подозрение, что оно таким и останется. От перемены мест слагаемых сумма, если честно, только выигрывает. То есть миры поменяются, но один из нас все равно будет «по ту сторону». Океана, реки, ручья — неизвестно чего, но обязательно водоема. И обязательно в родительном падеже, поскольку одного из нас в любом случае придется родить, а другой уже вот-вот станет ответом на школьный вопрос «нет кого?». И водоем обязательно с берегами. Потому что должен быть резкий контраст — зыбкость того, что надо пересечь, и надежность конечного пункта. То есть два берега и между ними река. А в воде снуют разные подозрительные типы. В том и в другом направлении. И где-то среди плывущих голов виднеется уже и моя. Покачивается на волнах, как поплавок в ветреную погоду. Думает себе о чем-то. А с той стороны приближается мой внук. Середину уже переплыл.

Или внучка.

Надо же, они так и не сделали УЗИ.

— У вас лицо немного порозовело, — сказала Дина, протягивая мне стакан.

— Да, кажется, стало лучше.

— Но вы таблетку выпейте все равно. И вот мармелада съешьте кусочек. В сахаре много калорий.

— Боишься, что я тут у тебя упаду и проваляюсь бревном до самого вечера?

Андрей Геласимов

— Нет, мне просто вас жалко.

Я понял, что шутка не удалась, и молча запил таблетку.

— А как звали этого доктора? — неожиданно спросила она. — То есть зовут.

— Головачева? — Я вытер губы и вернул ей пустой стакан. — Его зовут Дементий Петрович.

— Странное какое-то имя.

— Да нет, ему подходит. С именами, ты знаешь, бывают связаны очень забавные истории. Одна вот как раз насчет мармелада.

— Может, не будете больше рассказывать? А то опять побледнеете.

— Последнюю. Расскажу тебе последнюю историю — и ухожу. Тем более что это в общем-то анекдот.

— Ну хорошо. — Она бросила взгляд на часы и снова уселась в то самое кожаное кресло.

Но стакан по-прежнему у нее в руке. Как знак быстротечности времени. Самый красноречивый на свете хронометр. Красноречивее кремлевского циферблата по телевизору в новогоднюю ночь. Совершенство часовой техники. И никаких шестеренок. «Картье» умирает в корчах от зависти. На тонких стенках еще блестят капли воды, но смысл совершенно понятен — давай быстрее, профессор, время пошло. Даже и не часы. «Стакан-секундомер» — имя этому стеклянному совершенству. Оглушительный выстрел из стартового пистолета. Уши заложило, и беговую дорожку затянуло дымом. И заложило уши.

Инверсивный повтор синтаксической конструкции. Подобный стилистический прием ведет к актуализации второго семантического слоя, который уже не связан с мотивом акустических последствий выстрела из пистолета, а указывает на тему легкого сердечного приступа, перенесенного героем чуть раньше. С другой стороны, этот троп может служить всего лишь проявлением некоторого синтаксического упрямства.

— Ты не волнуйся, я до их прихода исчезну.

— Я не волнуюсь.

— Так вот, — вздохнул я. — По поводу разных имен и сладкого мармелада. Ты знаешь, почему он называется «мармелад»?

Дина отрицательно покачала головой и снова посмотрела на часы. Как будто стакана в руке ей было мало.

— Дело в том, что королева Шотландии, — продолжал я, — однажды велела своему повару засахарить апельсины. Неизвестно, почему ей взбрело это в голову, но вот захотелось королеве Марии такого непонятного по средневековым временам лакомства. А когда повар все это приготовил, к нему явилась французская горничная королевы и сообщила, что у той пропал аппетит. И на глазах у расстроенного кулинара эта самая горничная всю тарелочку и подъела. Да притом по-французски еще приговаривала: «Marie malade», что означало: «Мари больна». С тех пор так оно и пошло «Mariemalade». Забавная история?

— Прикольно, — согласилась Дина. — Только вам уже правда пора идти.

— Да-да, — сказал я и поднялся с дивана. — Ты знаешь, если бы фраза «профессор болен» тоже стала обозначать какое-нибудь лакомство, пусть даже вполовину не такое вкусное, как мармелад, я бы считал, что жизнь прошла не впустую.

В прихожей, когда она уже открыла передо мной дверь, я повернулся и все-таки сказал то, что должен был сказать часа три назад, но, в принципе, мог побояться и уйти, вообще так и не заговорив на эту тему:

— Знаешь, я встречался с тем капитаном, который составлял на тебя протокол тогда ночью. Помнишь? Он хочет, чтобы я помог его дочери поступить следующим летом в Физтех.

— Ну? — Дина отступила на шаг в глубь прихожей.

— Мы ездили с ним в Долгопрудный. Я познакомил его там со своим приятелем. Он в МФТИ заведует кафедрой.

— И что? — сказала она.

— Вот. Съездили туда и поговорили.

— Ну и что? Что он сказал?

— Капитан сказал... — Я вдруг запнулся, потому что услышал, как у меня в ушах стучит сердце.

— Да говорите же! Они заберут заявление?

— Нет. — Я покачал головой. — Администрация магазина отказалась его забирать. Дело передают в суд.

Мы постояли молча у открытой двери еще целую минуту.

— Иди в квартиру, — наконец сказал я. — Тебя здесь продует.

Дина ответила не сразу.

— У меня на поясе шаль, — голос глухой, и силуэт в полутьме размытый.

— Теплая?

— Да. Володька купил на вьетнамском рынке.

Я шагнул к ней и взял ее за руку.

— Ты не волнуйся. Я что-нибудь придумаю. Тебе нельзя волноваться.

— Хорошо, я не буду, — сказала она, и ее рука выскользнула из моей, как рыба выскальзывает из некрепкой сети.

Плавно, безжизненно и неудержимо. Медленно уходя в глубину.

Через секунду дверь за моей спиной закрылась.

* * *

Летом 1954 года, когда я закончил седьмой и перешел в восьмой класс, одной из центральных интриг моего четырнадцатилетнего, но тем не менее уже наполовину еврейского существования стало ожидание сентября. Осень манила не потому, что я успел за пару недель соскучиться по одноклассникам, и, разумеется, не потому, что Пушкин, Болдино и «короче становился день» — все это было еще впереди, таких вещей надо было ждать еще лет пять, а может быть, даже больше, — нет, тем летом хотелось поскорее вернуться в школу по абсолютно иной, хотя, возможно, не менее поэтической причине. В восьмом классе начинали преподавать анатомию.

На новый предмет возлагались совершенно особенные надежды, поскольку в 1954 году советский школьник четырнадцати лет не мог иначе получить ответы на те весьма острые вопросы, которые у него формировались к этому возрасту. В кинотеатрах висела табличка «Детям до 16», оказавшаяся, кстати, в итоге полным «фуфлом», потому что Фанфан-Тюльпан в кадре максимум целовался, а в городских банях любое мало-мальски пригодное отверстие, ведущее в мир сказок «1001 ночь», непременно затыкалось с той стороны какой-нибудь абсолютно не сказочной мочалкой. Поэтому печальный Гарун аль-Рашид должен был ждать сентября. Ответы хранились в школьной библиотеке.

Теперь, спустя почти сорок лет, я шел по переулку мимо Сандуновских бань, ловил разгоряченным лбом снег и думал об огромном животе Дины. Я размышлял о жен-

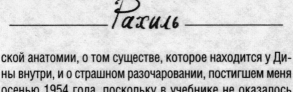

ской анатомии, о том существе, которое находится у Дины внутри, и о страшном разочаровании, постигшем меня осенью 1954 года, поскольку в учебнике не оказалось картинок — вернее, они были, но все какие-то с ободранной кожей — практически никакой эротики.

Понятно, что все лето грезились обнаженные одалиски. Но не до такой же степени.

Во всем этом эротическом-неэротическом царила сплошная неразбериха. То есть любое мероприятие, казалось бы, начиналось вполне приятным чувственным образом — мой интерес к учебнику анатомии, любовь моего сына к цветастым юбкам Дины и, очевидно, к ее поцелуям, — однако к моменту развязки, к тому времени, когда я наконец расписывался в библиотечном формуляре и отходил с потертым учебником поскорее к окну или когда внутри Дины уже вовсю толкалась и вертелась новая жизнь, весь этот чувственный элемент без следа исчезал, как будто появлялся в самом начале лишь для того, чтобы заманить, сбить с толку, перекрасить до неузнаваемости совершенно простую и очевидную мысль о том, что учебник предполагает только учебу, а любовь — только чувство ответственности и тяжелый труд. И никакого веселья.

Я отчетливо понял, что система работает именно таким образом и что во всем этом кроется огромный подвох. Однако было ясно еще и другое — понимание природы обмана вовсе не значит, что ты не захочешь обмануться еще раз.

Будучи в здравом уме и в твердом сознании.

— Это у кого твердое сознание? — сказала Люба, снимая со шкафа чемодан, принадлежавший еще, очевидно, Соломону Аркадьевичу. — У тебя, что ли? Держи крепче, а то упаду. Будем валяться здесь с переломанными костями, как два старикашки.

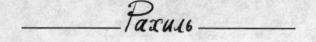

— Мы и есть старикашки, — сказал я, держась за стул, на котором она стояла.

— Ха! Ты, может быть, и старикашка, — она сдула с чемодана пыль, — а я нет. Я уезжаю в Америку.

— Осторожнее, все летит на меня.

— Ха! — еще раз сказала Люба и опустилась со стула на пол. — Смотри, какой чемодан. Просто красавец! Что ты говорил там насчет сознания?

— Ничего. — Я постарался стряхнуть с себя чемоданную пыль, но в итоге только ее размазал.

— Иди в ванную комнату. Сейчас я тебя отмою. Ты никогда ничего не умел делать сам. И еще гордишься при этом своим якобы твердым сознанием.

— Я ничем не горжусь.

— Вот и правильно. Из всех евреев с нетвердым сознанием твое сознание — самое ужасное. У тебя оно мягче мягкого места.

— Спасибо, но вообще-то я не еврей.

— Только не надо тут мне обижаться. Говорю тебе: иди в ванную комнату.

Оттирая влажной щеткой пыль с моих плеч, она продолжала отчитывать меня, как будто я на самом деле был в чем-то перед ней виноват.

— Люди с твердым сознанием не идут по своей воле работать в дурдом. Не идут, Койфман. Они находят себе другое занятие.

— Боже мой, Люба, это было тридцать лет назад. И потом — а как же тогда доктор Головачев? Он там тоже, между прочим, работал по своей воле.

— Кто? — Она даже не остановилась, продолжая решительными движениями чистить мой пуловер.

— Доктор Головачев. Он лечил тебя, а потом ходил к нам домой, чтобы, чтобы...— Я вдруг стал запинаться. — Ты знаешь, мне кажется, я не знаю, зачем он к нам приходил.

— Вот видишь, — сказала Люба. — Подними руки. Ты даже сам не знаешь, кто такой этот доктор, и хочешь, чтобы я помнила его фамилию. У меня что, по-твоему, должна быть резиновая память? Повернись. Не стой, как Лотова жена. Увидел привидение своей бабушки?

Но я видел отнюдь не бабушку. Если бы это была она, я бы, скорее всего, просто обрадовался. Увидеть ее наяву, а не в фотоальбоме, да еще через столько лет после того, как у меня навсегда исчезла такая возможность, было бы настоящим подарком. К тому же мир теней мог испугать меня уже ненамного больше, чем кусок колышущейся марлевой ткани, который натягивают в театре перед сценой встречи Гамлета с духом его отца. И ставят по синему фонарю в обеих кулисах.

Нет, тут было совсем другое.

Я видел, что Люба не лжет. Она действительно не помнила доктора Головачева. Не помнила о нем ничего. Этот человек выпал из ее жизни, из ее сердца, из ее головы с такой стопроцентной надежностью, как будто его там вообще никогда не было, как будто это не он поселился там когда-то в своем дурацком желтом плаще и как будто воспоминание о нем представляло для Любы теперь не больше важности, чем пыль с чемодана ее отца, которую она сначала на меня преспокойно сдула, а теперь с ничуть не меньшим спокойствием отряхивала с моих плеч.

— Ты можешь хоть чуть-чуть повернуться? Или это я должна вертеться вокруг тебя?

Разумеется, я мог повернуться. Я мог сдвинуться влево, и я мог сдвинуться вправо. Я вообще мог начать вращаться как юла, или как бесноватый шаман, или даже как сверло буровой установки, но в этот момент до меня вдруг ясно дошло, что, быть может, именно эта склонность к повороту, к излишней и, как выясняется, не очень оправданной вертлявости оказалась в моем случае роковой.

Как и в случае с женой Лота. Похоже, мы с ней оба немного застряли в прошлом.

Слишком подвижные шейные позвонки. Что-то о них было в том замечательном учебнике 1954 года. Который, кстати, тоже давным-давно пора забыть.

Шею держать прямо и смотреть только вперед. Для этой цели профессор Илизаров из города Кургана изобрел специальные аппараты. Голова фиксируется в строго фронтальном режиме путем просверливания в ней дырочек, сквозь которые пропускаются сверкающие стальные спицы. Думать эти металлические прутики голове не мешают. Во всяком случае, так утверждают врачи. Попавший в это положение выглядит нелепо, но зато смотрит всегда вперед. Профессор Илизаров решительно сократил ему угол обзора. Все, что оказывается вне поля зрения, — неважно. Широкое стальное кольцо вокруг головы напоминает нимб. К «нимбу» прикручены гаечки. Христианская аллюзия не очевидна, но при достаточно свободном восприятии все-таки можно увидеть в этом сооружении цитату, скажем, на Фра Беато Анджелико или на Джотто. На их фресках нимбы тоже выглядят несколько механически. Светлый наивный лиризм раннего Ренессанса.

N.B. Интересно, бывает ли в голове сквозняк после того, как спицы из нее вынимают, а дырочки еще не совсем заросли?

Потому что никакого прошлого не существует. Фолкнер абсолютно прав. Но только не в том смысле, что твое прошлое всегда с тобой, а в том, что, выйдя из своего прошлого, не надо без конца оборачиваться. Просто погаси свет и выйди из комнаты. Освободи помещение. И не превращайся в соляной столп. Не оборачивайся. «Exegi monumentum» не актуально. Кому нужны белые памятники, если они не из мрамора? И, главное, ради чего? Какой-то Содом, какая-то Гоморра, какой-то Головачев.

— Але! Ты еще здесь? — сказала Люба. — Я не очень мешаю? Если тебе интересно, то я закончила. Пыли на тебе больше нет.

— Спасибо, — сказал я и взял щетку, которую она мне протянула.

Моя физиономия в зеркале постепенно утрачивала характеристики соляной окаменелости.

— И, кстати, твоя криминальная невестка совершенно права, — долетел Любин голос уже из кухни. — Эта твоя одиссея в дурдоме вполне тянет на небольшой роман. Такой в стиле О'Генри. Хоть на что-то сгодились бы твои литературные замашки. Заработал бы денег, стал бы знаменит.

— О'Генри не писал романов, — сказал я, по-прежнему стоя перед зеркалом в ванной комнате.

— Ну, тогда кто-нибудь еще. Тебе лучше знать. Ты же литератор.

— Я ученый. Я только анализирую.

— И днем, и ночью кот ученый, — пропела она, мелькнув в дверном проеме у меня за спиной. — Ты будешь жареную картошку? У меня есть лук.

* * *

Я почти не лукавил, когда делал вид, что не обращаю внимания на слова Дины и Любы о возможности написать книгу. Тень, падающая от слова «почти», была при

этом настолько узкой, что в ней мог укрыться всего один факт — делать вид мне все-таки приходилось.

Разумеется, я и сам много раз думал о такой книге и неоднократно даже садился ее писать, уговаривая себя тем, что после двух диссертаций я все же кое-что смыслю в литературе. Но заканчивалось это мероприятие всегда одинаково. Настроение портилось больше чем на неделю, студенты становились глупее обычного, семейная жизнь превращалась в молчаливый кошмар, по телевизору показывали полную чушь, телефон звонил лишь для того, чтобы кто-то неприятный сообщил еще более неприятные новости, а в деканате непременно затеялась новая форма отчетности, требующая заполнения бесконечных и абсолютно лишенных смысла огромных таблиц.

Никакие персонажи сквозь ячейки этих таблиц проглядывать не хотели. Один из них, впрочем, время от времени посматривал на меня из зеркала. Ничего художественного обнаружить в нем не удалось. Именно тогда я несколько нервно сообщил своим третьекурсникам, что автор не должен писать о самом себе. Персональный опыт переживания ситуации не позволяет реализовать ее в эстетической плоскости. Художественная конструкция слишком хрупка и прозрачна, чтобы удержать реальное жизненное наполнение. Она существует не столько в сознании автора, сколько в воображении читателя, поэтому свой личный опыт автор должен держать при себе. Он обязан лишь создавать повод для поэтических грез, которые сами собой проносятся перед восхищенным внутренним взором его читателя. Но грезы эти автору не принадлежат. В этом и состоит мастерство.

«А как же Генри Миллер?» — сказал тогда кто-то из удивленных моим неожиданным пылом студентов.

Видимо, я все-таки слишком порывисто делал свое сообщение.

«А что с ним?» — Я пожал плечами, восстанавливая сбившееся после моего пламенного монолога дыхание.

«Ну, он ведь описывает свои собственные похождения в Париже».

«Кто это вам сказал?»

«Там так написано».

«А вы что, всегда верите тому, что написано? Быть может, он вообще из Америки не выезжал. Сидел в своем городишке и выдумывал из себя сексуального монстра. Сексуального, понимаете? Первая гласная фонема произносится как звук «е», а не «э». При очень мягком стартующем «с». Как в слове «сюсюкать». Слышите, насколько так ироничнее? Сексуального Брэм Стокер, например, писал в Уитби на севере Англии, а не в Трансильвании. И вряд ли пил кровь. Вы отдаете себе отчет, каким образом работает мифология? Особенно когда речь идет о ее поэтической стороне».

Впрочем, тут я, видимо, все же увлекся. В студенческой аудитории очень важно настоять на своем. Об этом знает даже начинающий ассистент кафедры.

Так или иначе, книгу о своих похождениях в сумасшедшем доме я не написал, и разговаривать о ней мне ни с кем не хотелось. Ни с Диной, ни с Любой, ни тем более со студентами.

От всей той истории, случившейся со мной в 1962 году, у меня надолго остался глубокий интерес к проблемам безумия, реальности прошлого и быстротечности времени. Эти мотивы волновали меня до такой степени, что я, как тот писатель, который все же не может удержаться и тянет в свой текст фрагменты собственного интимного опыта, иногда тоже был не в силах сопротивляться искушению и начинал рассуждать об этих вещах прямо во время лекций. Оправдать себя мне в этих случаях было легко. Никто ведь не мог внятно мне объяснить, как это так происходит, что между шестьдесят вторым и девяносто вторым годом лежит ровно тридцать лет, сколько бы вы их ни пересчитывали, а промчались они как один день. Как щелчок пальцев.

И кто виноват в этой математической неразберихе?

«То есть возьмем, например, женщин, — говорил я, выходя из-за лекторской кафедры и становясь прямо перед первым рядом столов. — Одни жалеют, что лучшие годы, когда им было двадцать или двадцать пять, потратили на роды, на стирку, на запах мочи, а потом — раз, и уже тридцать семь. А другие мучаются, что вот уже тридцать семь, а лучшие годы прожиты впустую — карьера, тусовки, мужчины, — но вот детей заводить уже поздно. И штука в том, что и та и другая страдают ровно от одного и того же. Ни у одной из них не получилось остаться двадцатилетней. Такой, как вы. Поэтому постарайтесь не торопить время...»

«А у мужчин? — непременно интересовался кто-нибудь из этих довольных тем, что лекция вдруг прервалась, да еще по такому забавному поводу. — Как это бывает у мужчин?»

«Тут все еще проще, — отвечал я, совершенно ясно понимая их примитивную хитрость в ожидании конца пары, но не имея уже сил остановиться. — Сначала держишь ребенка над горшком и повторяешь без конца свое «А-а», пока он не покакает, а потом он вдруг вырастает и пишет в тетрадях те же буковки «а» с маленькими двоечками и троечками в правом верхнем углу и говорит, что это алгебра, и что «не мешай, папа», и что «это вовсе не «ху» без буквы «и краткое», а символы «икс» и «игрек», и «ничего ты не понимаешь». А ты стоишь и думаешь: куда же подевался тот зеленый пластмассовый горшок? И ручки у него не было, потому что вы были молоды и целовались, и окно было открыто, и в него — солнце, и ты уронил этот горшок на пол, потому что дыхания не хватило, и руки сами собой разжались, и вообще ты забыл, что он у тебя в руке, и он упал и сломался, и твой ребенок проснулся в кровати за деревянной решеткой и закричал, и воробьи за окном стали чирикать еще громче. И не было никакой алгебры. Для тебя — уже, для твоего ребенка — еще. Такое время между двумя заходами на математику. Короткое и странное, как перемена в школе. Как мечта школьника об учебном дне, состоящем из одних перемен. Хотя бы один раз в неделю. Ну или хотя бы раз в год... Что? — говорил я в ответ на их сдержанные, но все более многозначительные прикосновения к сумкам, портфелям и шуршащим пакетам. — Пара уже закончилась? Хорошо, можете идти. Все свободны. Не забудьте к семинару прочесть «Потерянный рай». Книг в библиотеке достаточно. Должно хватить на весь курс».

Они уходили счастливые оттого, что в конце лекции можно было не конспектировать, а я оставался и глядел в окно, испытывая смутное сожаление, поскольку все-таки проболтался, и в то же время злорадство, именно потому, что они не законспектировали мою болтовню, а следовательно, остались не предупреждены. И, значит, не одному мне в итоге маяться от всех этих фокусов, которые проделывает с нами время.

Но чаще я все же соскакивал на сумасшедших. Стоило только коснуться той сцены, когда Гамлет кладет свою голову на колени Офелии — и безумие одного персонажа, подобно заразной болезни, перескакивает от этого прикосновения на другого, — как даже самый редкий гость на моих занятиях, который обычно усаживается с независимым видом на последнем ряду, знал, что лекция на этом закончена. Можно писать девушкам смешные записки, рисовать чертиков на крышке стола и подписывать под каждым из них мое имя.

А чье же еще? Несмотря на видимое отсутствие в аду чертей женского пола, кто-то все же сумел наставить этим беднягам рога.

Впрочем, инфернальность настольного творчества искупалась тем сосредоточенным молчанием, в которое погружался художник, слегка высунув от усердия кончик языка и позволяя мне без помех развивать мою любимую тему.

«Страна, откуда ни один не возвращался».

Поскольку с точки зрения туризма разница между смертью и безумием весьма незначительна. И в том и в другом случае фирма гарантирует билет только в один конец. Путь обратно — на усмотрение самого туриста. Получится — будем рады видеть вас снова. От всего сердца. Поэтому путешественник, собирающийся в одну из этих *«undiscovered countries»*, должен отнестись к сборам в дорогу со всей серьезностью и вниманием. Неизвестно, что может пригодиться в пути. Тем более — по прибытии на место. Поведение туземцев и завсегдатаев — вообще отдельный вопрос.

Как и поведение притихшей студенческой аудитории, которая вместо того, чтобы конспектировать, жевать бутерброды или шушукаться, сидит и пристально смотрит на разволновавшегося профессора. На то, как он уронил свои записи, нагнулся к ним, замер, что-то сказал, резко выпрямился, а теперь ходит от стены к стене, так и не подняв разлетевшиеся по полу листочки, смешно размахивает руками и говорит весьма странные вещи.

«Ницше считал, что занятия искусством надо объявить уголовно наказуемым преступлением. Художников, уличенных в написании картин, композиторов, писателей, скульпторов он предлагал немедленно заключать в тюрьму. Наказанием, по его мнению, должна служить смертная казнь. Быстрая и безжалостная. Только тех, кому удалось создать настоящий шедевр, можно отпускать на свободу. Просто выпускать из тюрьмы. Это и есть награда. Плохих произведений искусства в результате этой программы должно было стать значительно меньше. Но не стало. Никто не рискнул. Гитлер убивал только цыган и евреев. Сталин, в принципе, уже приближался интуитивно к концепции Ницше, но начал не с того конца. Он казнил гениев. В итоге в советской литературе получился Александр Безыменский. Такое вот имя. Ну, и писал стихи».

Я останавливался на мгновение, находил в себе силы удержать этот бьющий из меня поток, окидывал взглядом их изумленные лица и переходил к самому главному:

«Давайте посадим гениев в сумасшедший дом».

Я делал паузу.

«Давайте разместим их по палатам. Пусть живут парами. Больше двух коек в палату ставить нельзя. За лучшую пару гениев ставлю автоматом зачет. Прямо сейчас. Могу в зачетку».

Они сидели несколько мгновений вполне неподвижно, но потом их маленькие практические мозги начинали заметно шевелиться у них в черепах и шептать им, что у «препода» снова заскок и надо не упустить моментик.

«А то будешь потом париться с учебником, как лох».

Первыми, как всегда, реагировали те, кто усаживался поближе к лекторской кафедре. Этим важно, чтобы преподаватель запомнил их в лицо. Будущие работники администрации. Или шлюхи.

Как получится.

«Марк Твен должен оказаться в одной палате с Эдгаром По».

«Почему?»

«Он продолжает его романтические традиции. В некоторых произведениях».

Все-таки работники администрации. Выдает использование в речи устойчивых конструкций без понимания смысла. Для шлюх маловато мозгов и чувства собственного достоинства.

«Спасибо, девушки. У кого есть другие идеи?»

«Хемингуэя надо посадить вместе с Диккенсом», — оживали незаметные персонажи в средних рядах.

Эти — групповой портрет курса. Любого. Собирательный образ, о котором на уроках литературы любят поговорить школьные учителя. Меняется только год выпуска на снимке. И лицо куратора группы. Слегка печальное, поскольку он-то догадывается, что такое «собирательный образ» и каково оказаться с ним на одной фотографии. Вот уже в пятнадцатый раз.

«Поясните насчет Хемингуэя и Диккенса».

«Женщины, Святослав Семенович. У этих писателей были проблемы с женщинами».

«Ну и что? У всех есть проблемы с женщинами. Подозреваю, что у женщин у самих из-за этого масса проблем. Почему эти двое должны жить в одной палате?»

«Хемингуэй был женат несколько раз и все время бросал своих жен, а от Диккенса жена ушла к другому и оставила ему десять детей».

«Интересно. И что же, по-вашему, тогда между ними общего?»

«Хемингуэй мог бы помочь Диккенсу разобраться в этих вопросах. Объяснил бы ему, как надо себя вести».

«А-а, — говорил я. — Теперь понимаю. Обмен опытом. Передовик производства берет лентяя и прогульщика на буксир. Такое уже было в живописи, когда Гоген взялся присматривать за Ван Гогом. Кончилось неразберихой, бритвой, беготней и отрезанными ушами. Нет, надо быть осторожнее. Гениям нельзя поучать друг друга. Наставником гения может быть только абсолютная бездарность».

«А что, если Киплинг и Шекспир?» — раздавался голос откуда-то сзади.

«Любопытно, — отвечал я. — Ждем объяснений».

В этой зоне, не доходя до самых последних рядов, селились «небезнадежные». В одной книге Бродский писал о венецианской набережной *Fondamenta degli Incurabili*, куда во время эпидемий то ли холеры, то ли чумы свозили тех, кому помочь уже было нельзя, поэтому место так и назвали — «Набережная неисцелимых». Там, откуда только что прозвучал голос, вместе с моими неясными надеждами время от времени обитал какой-нибудь студент, у которого, как мне казалось в отдельные моменты его просветлений, был шанс этой венецианской набережной избежать. Впрочем, чаще всего выяснялось, что и в этом смысле я воспринимаю действительность с излишним оптимизмом. Во всяком случае, Люба никогда не упускала возможности быть ироничной по этому поводу.

Но я все равно надеялся.

«Почему Киплинг? И почему Шекспир?»

«А помните «Книгу джунглей»?»

«Интересный вопрос. — Я разводил руками с деланой скромностью. — В общих чертах помню. А что?»

«Да нет, я не проверяю вас. Просто хотел объяснить, о чем речь».

«Спасибо за доверие. Итак, мы готовы».

В этот момент он обычно поднимался на ноги, чтобы его было видно из любой точки аудитории. Очень правильный ход. Беспрестанно ворча по поводу выскочек, публика тем не менее любит подобные харизматические вставания. Обожает, когда появляется кто-то, кому не скучно навязывать ей себя. При этом всегда тайно рассчитывает на конфуз. Жаждет посмотреть, с каким лицом бедолага будет садиться. В этом смысле публика — настоящий философ. Ей удалось постичь диалектическую драму, заключенную в бесконечной пропасти, которая пролегла между глаголами «встать» и «сесть».

«У Киплинга, — тем временем продолжал мой обаятельный наглец, — звучит такая же тема, как у Шекспира в «Макбете». Вполне, кстати, психиатрическая».

«Какая же?»

«Мания величия. Макбет в начале пьесы страдает комплексом неполноценности, но его жена делает все, чтобы он ощутил себя чуть ли не новым Цезарем».

«Согласен. А при чем же здесь Киплинг?»

«Маугли — тот же Макбет. Он занимает нишу отверженного в стае, но потом начинает лихорадочно стремиться к лидирующей позиции. Роль жены Макбета, не помню, как ее зовут, — он делал нетерпеливый жест, — у Киплинга играет Багира. Видели диснеевский мультик? Она его все время подзуживает. И медведь Балу тоже».

«У Маугли мания величия?» — надо признать, такой интерпретации мне еще слышать не приходилось, и от этого в моем голосе неизбежно проскальзывали серебристые змейки иронии.

Однако сажать писателей в сумасшедший дом студентов до меня тоже наверняка никто из преподавателей не просил. Так что в некотором роде мы были квиты.

«Ну да. Иначе он бы просто наслаждался положением рядового волка. Власть в лесу должна принадлежать Шер-Хану. Он законный хозяин джунглей. Человек там рулить не имеет права. В джунглях человек может быть лишь человеком. Или лягушкой — как, собственно, его и назвал Акела. Каждый должен занимать свое место».

«Но Киплинг ведь, кажется, и писал об этом. О том, как человек становится человеком».

«Да нет, Маугли у него просто бандитский босс. Как молодой Корлеоне в «Крестном отце». Помните? Пришел не на свою территорию и решил всех построить. Мания величия, точно вам говорю. Лечить надо. И у Шекспира как раз про то. Поэтому они с Киплингом должны быть в одной палате».

«Забавно. Ты правда так думаешь или выстроил эту схему лишь для того, чтобы получить автоматом зачет? Впрочем, не надо, не говори. Давай зачетку».

Реальность моего автографа, на который уходило минуты две — пока передадут через все ряды зачетку, пока я в ней распишусь, пока она вернется обратно, — производила наконец нужный эффект, и аудитория пробуждалась уже не на шутку.

«*Слышь, он не гонит! Давай впарим скорее чего-нибудь!*»

Наступало время для клоунов. На каждом курсе обязательно есть один. Или два. Начиная с выпуска восемьдесят пятого года обращаются друг к другу голосом Ленина, Брежнева, чуть позже — Ельцина и Жириновского. Картавят, шепелявят, мычат и, в общем, несут всякую ерунду. Даже когда никто вокруг не смеется. До середины восьмидесятых разговаривали голосом Хазанова из «кулинарного техникума» или Папанова из «Бриллиантовой руки». Историко-политический вектор отсутствовал. По причине трусоватости и ежемесячного комсомольского собрания факультета. Теперь они бесконечно и надоедливо цитируют последнюю телевизионную игру в КВН — ту самую, где скачущие мальчики, прыгающие девочки, уставшее от собственной известности

и потому кокетливо рассеянное жюри, а ты умираешь от скуки, но дотянуться до выключателя просто нет сил — слева в груди опять что-то не то, «не комильфо» с точки зрения того кардиолога, которым ты, в принципе, уже мог бы работать где-нибудь в сельской больнице, и ты стараешься экономить движения. Мысль Гете о том, что юмор — это не тогда, когда человек хохочет, а когда у него слегка подрагивают уголки губ, этим шутникам не близка. Маски Бригеллы и Арлекина в комедии дель арте, несомненно, писались именно с них. Причем писали их художники-реалисты. Сходство поистине уникальное.

Ожидая конца очередной репризы, я иногда думал, что Аристотель был прав, отказавшись писать в «Поэтике» о комическом. Наблюдая, скажем, за шутками Луи де Фюнеса, я никогда не мог понять, почему он стал так знаменит. Совершенно не смешной человек. Просто очень много шумит и размахивает руками. Быть может, смешное усматривается публикой в том, что он лыс, низкорисл и некрасив? Но в таком случае смеяться необходимо над половиной всего человечества. Впрочем, скорее всего, публика любит похохотать над ним потому, что он так богат и знаменит, а у нее тем не менее всегда остается возможность над ним поиздеваться. Публика говорит: «Мы тебя поимели». Но тут ведь никогда не скажешь с уверенностью — кто кого поимел.

Поэтому на курсе всегда был хотя бы один клоун.

«Надо Эдгара По засадить в одну палату с сестричкой Бронте. Однозначно. Не с той, которая «Джен Эйр», а которая «Грозовой перевал».

«Вот как? Почему?»

«Подонки».

«Ты можешь говорить другим голосом? Этот мне неприятен».

«Однозначно».

«Я буду тебе очень признателен».

«Такой подойдет? Таким голосом разговаривать можно?»

«А кто это?»

«Не узнали?»

«Я сдаюсь».

«Это ваш голос».

«Мой?.. Ну, хорошо. Ладно. Говори моим голосом. Мне все равно. Так почему Эмили Бронте и Эдгар По должны оказаться в одной палате? Только предупреждаю: никакой эротики в формате поручика Ржевского. Одно нарушение, и сразу штрафное очко. На экзамене ставлю оценку на балл ниже. Или на два».

«Так нечестно».

«Зато никаких последствий. Как в рекламе про безопасный секс. Видел по телевизору?»

«Так нечестно».

«Не хочешь рисковать — можешь оставить гэг при себе».

«Ладно, у меня есть другая фишка».

«Отлично. Ты, кстати, почему-то перестал разговаривать моим голосом. Впрочем, неважно. Что там у тебя под вторым номером? Та же Бронте и Эдгар По? Или меняешь пару?»

«Нет, пусть будут они».

«Хорошо. Теперь мы готовы тебя послушать».

Он несколько мгновений еще переживал молча драму своего несостоявшегося триумфа, проматывал в голове возможность выставить посмешнее запасную историю, подавлял приступ злости и наконец начинал:

«Эта Бронте должна оказаться в одной палате с Эдгаром По по-по-тому, что у них будет любовь и, потом, этот По ее...»

«Внимание! Будь осторожен!»

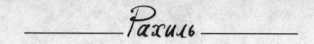
«Короче, у них родится двойня. Мальчик и девочка. Похожи как две капли воды. Только между ног...»

«Один балл потерян».

«Блин, Святослав Семенович, но это же анатомия! Даже дети в детском саду знают. В любом школьном учебнике нарисовано».

«Хорошо, продолжай дальше».

«Вот. Малыши будут очень симпатичные, и назовут их соответственно Альфред Хичкок и Маргарет Митчелл».

Он замолкал на секунду, грустно моргал и потом пожимал плечами:

«Смеяться после слова «лопата». Я же говорил — так нечестно. Первый прикол обломили, а в этот никто не въехал. Зажали зачетик, Святослав Семенович. Лучше бы и не дразнили тогда».

«Я никого не дразнил. Просто в твоей истории мало смысла».

«Ага, мало смысла! — Он начинал зажимать пальцы на левой руке. — У Эдгара По ужастики, а у Бронте — «мыло». Он американец, она англичанка. С Хичкоком и «Унесенными ветром» та же беда. Крест-накрест. Только через сто лет. Теперь он англичанин, а она из Штатов. У нее «мыло», а у него трупаки. Только в кино. Вы же сами про него рассказывали! Я говорю — так нечестно!»

Мы продолжали с ним препираться еще несколько минут, в течение которых к дискуссии подключались другие, менее прописанные предыдущими обстоятельствами персонажи, и вся моя так называемая лекция благополучно летела коту под хвост. Среди раздающихся со всех сторон голосов звучали и такие, о существовании которых я узнавал обычно только во время экзамена. Эти искренне радовались единственной возможности вокализовать свое присутствие и, скорее всего, издава-

ли вполне бессвязные реплики. В общем шуме разобрать, конечно же, трудно, однако в бессвязности реплик я был уверен. Чудеса случаются, Дед Мороз где-то есть, справедливость восторжествует — в это я верил всю свою жизнь, но для того чтобы поверить в осмысленность тех таинственных голосов, требовались сверхъестественные усилия. Такого напряжения ждать от меня просто бесчеловечно.

«Хорошо! — в конце концов сказал я. — Занятие окончено. Все свободны».

«Но у нас еще десять минут!»

«Все свободны! Я должен еще раз повторить?»

Когда аудитория опустела, я собрал наконец свои разлетевшиеся по всему полу, покрытые пылью и отпечатками студенческих ботинок листы. Заталкивая их в портфель, я снимал с них чьи-то длинные волосы, пытался отряхивать, сдувал грязь. Настроение было вконец испорчено.

«Не надо сажать писателей в сумасшедший дом», — раздался вдруг голос откуда-то с опустевших задних рядов.

Я вздрогнул и уронил портфель на пол. Листы из него опять разлетелись.

«Зачетов сегодня больше не будет!» — Я почти закричал.

Сдержаться действительно было очень трудно.

«А я не хочу зачет. Я просто хотела сказать, что из сумасшедшего дома надо всех отпустить. Там можно оставить только Хемингуэя. Он бы тогда не застрелился».

Я перестал собирать свои записи и посмотрел наконец туда, откуда звучал голос.

«Почему бы он не застрелился?»

«Он был бы там счастлив».

Я выпрямился и смотрел, как она медленно спуска-

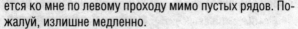
ется ко мне по левому проходу мимо пустых рядов. Пожалуй, излишне медленно.

«Как твоя фамилия?»

«Меня зовут Наташа, — сказала она. — Можно я буду писать у вас курсовую?»

«Курсовую? Но курсовые будут только через семестр».

«Я уже тему придумала — «Эволюция образа сумасшедшего в современном романе». Начну с Бенджи из «Шума и ярости». Можно?»

Курсовая у нее получилась абсолютно бездарная, но уже через два месяца своего научного руководства я знал, чем отличается музыка в стиле «техно» от направления «рейв», кто такой Тарантино и почему губы у меня все время обветрены.

«На ветру нельзя целоваться», — говорила она и тянула меня в подъезд.

Тихие семейные вечера с Володькой и Верой у телевизора превратились в пытку.

* * *

Петру Первому следовало прожить дополнительные триста лет и настойчиво продолжать строительство своих «навигацких школ», потому что даже в конце двадцатого века, да еще разменяв пятый десяток, кто-то по-прежнему вдруг выясняет, что движется неверным курсом.

Следовательно, виноват штурман, что, в общем, неудивительно, так как во всем обычно виноваты евреи, а штурман, судя по окончанию, натуральнейший он и есть. Ничуть не меньше, чем Койфман. Который грустит о Петре Первом, поскольку сбился с курса и стал от этого, к своему стыду, совершенно счастлив.

Но «навигацкая школа» все равно бы не помешала. Потому что навык ушел. *«Извините, где тут у вас паруса? Где ветрила?»* Плюс надо ведь вспомнить, за какие веревки тянуть. После шестьдесят второго года корабль из гавани не выходил. Команда сушила весла, капитан спал, а Штурман переписывал в судовом журнале свою фамилию. Менял большую «Ш» на маленькую. Чтобы все считали это профессией.

И тут появляется юное создание, которое вдруг говорит: «Можно я буду писать у вас курсовую?» А тебе почти пятьдесят.

Так нечестно.

При этом бездарность курсовой влияет на отклонение от курса с той же силой, что огромный топор, засунутый зловредными пиратами под компас (точнее, «компас» с ударением на второй слог, как говорим мы, видавшие виды соленые *мариманы*). То есть чем глупее получается у означенного создания начало первой главы, тем больше умиления это вызывает у т.н. научного руководителя. *«У-ти-тю-ти, сюси-пуси! Вы посмотрите, как моя ляля сама научилась ходить».* Излишне говорить, что это умиление абсолютно лишено каких бы то ни было отеческих чувств и, по самой своей сути, заточено совершенно в другую сторону. Поскольку если ты и напоминаешь самому себе кого-то из беглой семейки Лотов, то уж никак не папашу. Инцест в твоей персональной истории смутно присутствует лишь на лолито-набоковском, геронтологическом уровне. Волнует разница в возрасте, а не то, что ты когда-то стирал пеленки именно этому существу. Разумеется, не стирал. Но все остальное волнует чрезвычайно.

В общем, подобные штормы не для сошедших на берег морских волков. Особенно если они никогда и не были такими уж морскими волками. Волчатами максимум или, на худой конец, очень крупными спаниелями. Но потом карьера пошла по другой линии. «*Дай, касатик, я тебе погадаю. Ай, какая у тебя короткая эта линия. Сердечный ты мой! Совсем не длинная, но зато посмотри какая толстая*». Любовь после шестьдесят второго года для меня очень быстро превратилась в табу, и корабль встал на глухую стоянку. Якорь ушел в грунт «по самое не хочу» — так, что даже колечка не было видно. Того колечка, за которое его можно вытащить в случае если что.

В случае если — «*По местам стоять! Внимание в отсеках! Свистать всех наверх! Господи, неужели это опять случилось?!!*» — и тому подобных вещей.

В случае если Наташа. А тебе почти пятьдесят.

Там, в шестьдесят втором году, когда я беспомощно раскачивался на гигантских волнах точно такого же шторма, непонятный стиляга Гоша-Жорик-Игорек все еще распевал у себя в палате песенку о приключениях необыкновенного капитана Гарри, повторяя бесконечным рефреном последнее слово в каждой второй строке:

> *А в гавань заходили корабли, корабли,*
> *Большие корабли из океана.*

Я вспоминал о нем и о том, как «*в воздухе сверкнули два ножа, два ножа*», и мне становилось грустно оттого, что я так и не сумел отомстить доктору Головачеву. Даже несмотря на то, что мстить, как выяснилось, было практически не за что.

Теперь, когда на меня обрушилась бестолковая история с поцелуями в подъездах, постоянным враньем дома и курсовой работой о сумасшедших, эта песня волновала совершенно особенным образом. Напряженный эротический контекст, отчаянные моряки, кинжалы, схват-

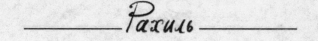

ка в таверне — все это до известной степени тоже делало из меня отчаянного парня и головореза.

С одним инфарктом, двумя пожилыми женами и рассчитывающим на мою порядочность двадцатилетним сыном.

Но головорезы не бывают порядочными людьми. Поэтому я полюбил насвистывать песенку про гавань, про корабли и про капитана Гарри. Иногда даже во время лекций.

Этот неудержимый мачо стал моим неразлучным спутником и проводником, заняв место Вергилия. Правда, в отличие от Данте, я не сумел остаться всего лишь сторонним наблюдателем и туристом. Как соскользнувший с лекторской кафедры лист бумаги, я кругами спускался туда, где мне предстояло навсегда слиться с местным и, по-видимому, далеким от раскаяния населением.

По пути со мной происходили забавные вещи. То есть в том состоянии, в котором я находился, я не считал их в окончательном смысле этого слова забавными, но какой-то непораженный, не затронутый общим весельем участок в моей голове все же умудрялся мне сообщить, что все это, наверное, полная чушь.

Случилось так, что я полюбил песни.

Не только авантюрную историю капитана и атамана, но вообще — песни. Я стал вдруг слушать слова, покачивать головой и выяснил, что в большинстве из этих произведений рассказывается обо мне. Как на русском языке, так и на английском.

Долгие годы, когда я вскакивал с дивана, чтобы выключить радио или телевизор, или кричал из ванной комнаты: «Володька, хватит крутить эту дребедень!», оказались ошибкой. Я наконец понял, как глубоко я заблуждался, считая современные песни пошлыми, нелепыми и лишенными всякого смысла. Именно смысла в них оказалось навалом.

Выяснилось, что все они про любовь.

Даже когда в тексте звучало слово «бухгалтер», я все равно отчетливо слышал перед ним сочетание «милый мой». Эти два слова, расположенные в тесной и трогательной близости друг к другу, настолько полно компенсировали недополученное мною за последние двадцать лет, что я был готов простить распевавшим их по телевизору девушкам абсолютную и недвусмысленную вульгарность, и даже название «Комбинация», которое они придумали для своего коллектива, не вызывало у меня шока, но, напротив, пробуждало какие-то юношеские, давно забытые ощущения, связанные отнюдь не с шахматами или футболом.

— Ты всегда был эротоман, — сказала Люба, выслушав мой рассказ. — Вот тебе и грезилось нижнее белье. А песни тут ни при чем. Говорила я тебе два года назад — не бросай Веру, но ты не послушал. У тебя ветер свистел в голове. И нечего теперь спирать на эти песни. Как были дерьмом, так дерьмом и остались.

— Да нет, ты не понимаешь! — взмахнул я рукой. — Представь, как вся эта квинтэссенция дурного вкуса в одно мгновение вдруг стала вовсе не квинтэссенцией и каждое слово зазвучало как будто бы про меня.

— Ха! — сказала она. — Ты сдурел, «милый мой». У нормальных людей это называется — сбрендил.

Она покрутила пальцем у своего виска и пощелкала языком.

— Хочешь валерьянки? Или ты от нее еще больше дуреешь, как кот? Боюсь, я уже не могу тебе доверять. Скоро тут у меня замяукаешь. Может, тебе к Вере назад попроситься?

— Я не хочу к Вере. Я ее не люблю.

— Ха! Придумал проблему. В твоем возрасте...

Она отвернулась, но по движению ее плеч я видел, что слова о моей нелюбви ею услышаны.

— Ты не понимаешь, — продолжал я. — Вот смотри — Крис де Бург.

Я ткнул рукой в экран телевизора.

— Ну неужели ты не чувствуешь того же, что и я? Того, о чем он поет?

— А о чем он поет?

— О девушке в красном. Он с ней танцует в пустом зале — щека к щеке, и говорит ей, как она красива.

— Боже мой, какая пошлятина, Койфман. — Люба даже прикрыла глаза рукой. — Ты что, правда так втрескался в свою вертихвостку? Ты сам-то хоть слышишь, что говоришь? Нельзя доводить себя до такого состояния. Тебе ведь этим же ртом завтра говорить о Шекспире. Иди в ванную комнату и немедленно его помой.

— Что помыть?

— Пошляк! Рот помой. Я лично уже не могу тебя слушать.

За прошедшие тридцать лет ее атака потеряла ту страсть, с которой японские летчики поднимали в воздух свои истребители в ночь нападения на Перл-Харбор, однако время от времени у меня еще появлялась возможность испытать на себе гнев божества-камикадзе, влюбленного до потери памяти в своего микадо — в то, ради чего можно и, в общем, хочется умереть.

В такие минуты моим надводным судам оставалось только открыть кингстоны, а флагманская субмарина под рев сирен и грохот зенитных орудий стремительно шла на погружение, выбрасывая из торпедных аппаратов судовой мусор и топливо, чтобы противник решил — цель уничтожена — и, может быть, все-таки вернулся домой. Несмотря на то, что возвращение в план операции, в принципе, не входило.

Я отлеживался на дне, прислушиваясь к потрескиванию корпуса и винтам противолодочных кораблей, словно наши подлодки во время Карибского кризиса в том самом шестьдесят втором году, когда Хрущеву достаточно было снять ботинок и хлопнуть им по столу, чтобы мои не поступившие в институты ровесники оказались в наглухо задраенных отсеках на расстоянии торпедного удара от днищ американских эсминцев, а весь мир — в руках измотанных тяжелым походом командиров советских отчаянных субмарин.

Невзирая на свою твердую решимость не иметь больше ничего общего с женой Лота, я все же никак не мог расстаться со своим прошлым и, уходя на глубину от ударов неутомимого и все еще восхитительного противника, вновь и вновь старался разглядеть сквозь толщу морской воды и никуда не промчавшихся тридцати лет черты этого самого атакующего меня божества — моей не состарившейся еще там Рахили.

Иногда у меня возникало довольно твердое подозрение, что это прошлое, собственно, и есть все то, что я сумел накопить. Собрать по крохам и трястись над своим тайным сокровищем, как несчастный Скупой Мольера. Откажись от него — и команда к всплытию, вполне возможно, станет уже не нужна. Кто знает, что там окажется наверху, когда поднимешься и выставишь перископ?

Сплошной океан.

Как если бы в шестьдесят втором те командиры все-таки получили приказ открыть ракетные шлюзы.

* * *

Однако Любу эти военно-морские аллюзии нисколько не волновали. Ценность прошлого, как и возможность ядерного апокалипсиса, в ее глазах с точки зрения ма-

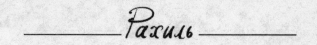

тематики приближалась к нулю. Ее заботили проблемы моего эстетического воспитания.

— Койфман, я принесла тебе шедевр, — сказала она, входя в квартиру и включая в прихожей свет. — Ты должен ценить. Стояла в гастрономе за молоком и записывала для тебя слова как дура. Вот слушай. Хорошо еще карандаш под рукой оказался. Такое даже в гастрономе не каждый день услышишь по радио. Там есть такая армянка. Она все время включает свой черный приемник.

Произнеся этот монолог, Люба развернула листок бумаги и надела очки.

— Давай я помогу тебе снять пальто, — сказал я.

— Нет-нет, подожди! Это не терпит! Да постой! Я сама потом эту сумку туда отнесу! Слушай!

Она торжественно взмахнула рукой и прочитала громким размеренным голосом:

Ты называла меня своим маленьким мальчиком,
Ну а себя — непоседливым солнечным зайчиком.

Покачав от восхищения головой, она многозначительно улыбнулась.

— Ты чувствуешь, Койфман, какая сила? Действительно, каждое слово про тебя! Эта штука будет посильнее «Фауста» Гете! А если бы ты слышал, какой у певца был голос! Такой высокий, пронзительный. Заметь — я не говорю «писклявый». Койфман, я тебя поняла. Любовь — это прекрасное чувство!

— Человеколюбие, между прочим, не только христианская добродетель, — сказал я. — В Торе на эту тему тоже немало сказано.

— Нет-нет, подожди, Койфман, я там еще не все записала. В этой стране в очередях все ужасно толкаются. Но я старалась запомнить сюжет. У этой баллады, представь себе, имелся сюжет. Она сидела у него на коленях. Да поставь ты на пол эту несчастную сумку!

Я послушно замер и приготовился слушать. Она посмотрела на меня две-три секунды, вздохнула, сморщила нос и потом устало махнула рукой в мою сторону.

— А, ну тебя! Вечно вот так все испортишь. А было ужасно весело. Ну что ты стоишь? Неси теперь эту сумку на кухню! Хочешь, чтобы я с ней таскалась по всей квартире?.. И не надо больше делать мне таких глаз!

Вынимая из сумки продукты, она вдруг задумалась, остановилась и даже присела на табурет.

— Что? — забеспокоился я. — Принести валидолу?

— Да нет, подожди. Послушай, а ведь эта твоя вертихвостка может тебе помочь.

— Наталья?

— Ну да. С паршивой овцы хоть шерсти клок.

— Люба...

— Оставь, пожалуйста, этот тон. Я тебе о деле хочу сказать. Ты понимаешь, что такое гешефт? Поэтому помолчи. Ее Ромео ведь служит в НКВД?

— Люба, даже в шестидесятые годы эта организация называлась уже по-другому.

— Мне абсолютно плевать, как называлась, называется или будет называться эта организация! Мне важно узнать, служит ли в ней тот человек, который спит с твоей молодой женой.

Я помолчал секунду, но потом, разумеется, все же ответил:

— Да, он работает именно там.

— Хорошо. — Люба кивнула головой с таким удовлетворением, как будто ей доставляло особую радость удостовериться в том, что кто-то из моих знакомых работает в КГБ. — Так вот, он-то тебе и поможет.

— В каком смысле? Что ты имеешь в виду?

— Боже мой, Койфман, хватит делать вид, что ты меня не понимаешь. Ты же знаешь — я этого терпеть не могу!

— Но я правда не понимаю тебя.

— Пусть он вернет долг.

— Какой еще долг?

— Койфман, он спит с твоей женой. Сколько раз нужно это тебе повторять?

— Нисколько, Люба. Ты и так уже сделала мне достаточно больно. Я бы хотел, чтобы ты совсем перестала это повторять.

— Койфман, он должен с тобой расплатиться.

— Люба, то, что ты говоришь, — это звучит ужасно. Это нелепо.

— Койфман, он должен помочь твоей невестке, — неожиданно твердым голосом остановила она меня. — Он просто обязан. Если он откажется, можешь считать его совершенно бесчестным человеком.

Я хотел что-то сказать, но не нашел слов. Просто смотрел на нее в изумлении, а она кивала мне головой.

— Да-да, Койфман. Ты ведь не способен сам ей помочь. Нельзя, чтобы она садилась в тюрьму. У нее в животе твой внук. Тебе придется позвонить этому человеку. Вот увидишь, он не откажет.

Я стоял перед ней молча еще целую минуту или, может быть, две. Потом сел на соседний табурет и покачал головой.

— Я не смогу. Это унизительно, Люба.

Следующим утром она отправилась за документами на отъезд в США. По ее подсчетам, они уже были готовы.

Вернулась к обеду ужасно расстроенная, долго не хотела мне ничего говорить, наконец расплакалась и сказала, что все пропало.

— Они хотят, чтобы я умерла в этой стране, Койфман. Они считают, что без Любы Лихман эта страна не проживет. Ты представляешь, как много я для них значу. Какая честь, Койфман, какая честь!

МУЖСКИЕ РАДОСТИ

Я посмотрел в зеркало и сказал:

— Ну, и куда я в таком виде пойду?

Она хихикнула, мелькнула у меня за спиной и ничего не сказала. Потом еще раз мелькнула.

Я подумал: «Туда-сюда. Странно».

Но потом додумал: «Всему есть свое объяснение. Женщины должны мелькать».

— Ты скоро?

Она прошуршала в своем шелке у меня за спиной еще раз. Шик-шик, шик-шик. Красная, как фестиваль эстрадной песни в Сопоте.

— Куда я пойду? Там же генерал будет. Смотри, что ты сделала.

Она скользнула между мной и зеркалом.

— Где? Ну, покажи. Вот здесь, что ли? Да ерунда. Потерла пальцем.

— Хочешь, пудрой присыпем?

На эту тему — лет десять назад всю контору повезли на стрельбы. Председатель на совещании сказал: «Что-то оперативники у нас давно не стреляли».

А половина офицеров уже с мамонами, как сундуки. На огневой удобно только в положении «сидя».

Как груднички в кроватке. И ножки раскинули, чтоб потверже сидеть.

Потому что если «лежа», то получаются качели. При беглом огне даже в слона не попадешь. Сильно раскачивает через пузо.

Шутка.

Но мне ничего. Два раза в неделю спортзал, а по выходным — бассейн. Даже в сорок переплывал его туда-сюда десять раз. И сейчас, если надо, переплыву. То есть в порядке. Без складок над брюками обошлись.

Потому, кстати, она и мелькает. Так бы мелькала где-нибудь в другом месте.

Я тогда взял пулемет. Молодежь стреляла из полуавтоматического, а я говорю: «Дайте-ка мне вон ту дуру». Чтобы знали, кто в доме хозяин.

И снял рубашку.

Не то что выпендриваться хотел. Типа Рэмбо, весь из себя. Просто жарко было. Июль.

Когда приехал домой, жена сказала: «Откуда у тебя засосы?»

Я говорю: «Это не засосы, а синяки».

Она говорит: «Знаю я твои синяки».

Так и не поверила. А там на прикладе такая пимпочка, куда ершик вставляется для чистки ствола. Он там хранится. И у этой пимпочки крышка с пружиной. После первой же очереди приклад к плечу присосался. Как пиявка. Отдача сильная. Я его — чмок — оторвал, и по новой.

Молодежь смеется. Говорят: «Михалыч, тебя жена из дому прогонит». Но потом притихли.

От мишени одни клочья остались.

Я поднимаюсь и говорю: «Вот так, молодые люди. Родина может спать спокойно».

Но с женой все равно потом разошлись. После Гор-

бачева в конторе это уже никого не волновало. До перестройки только следили за такими делами. Как в церкви. У них тоже батюшка должен быть женат. Надежнее.

И дополнительный контроль. Пеньковскому в Штатах за утечку по ракетному топливу памятник из чистого золота могли поставить. Но не поставили. Потому что жена чекиста только во-вторых жена. Ей известно, что надо делать, когда муж предатель.

Так что теперь у меня просто Наталья. Мелькает и ни о чем не думает. Ей важно не опоздать в ресторан.

— Ну, чего замолчал? Говорю тебе — давай пудрой присыпем.

В итоге я все равно собрался быстрее. Хоть на пальцах пересчитывай: раз — красное платье, два — синее, три — опять красное. Им нравится выбирать. Знают, как из одной проблемы сделать четыре. Потому что четвертая проблема — это я.

Платье — шшик — на пол, а я стою и смотрю. Второе — шшик — и мне уже начинает нравиться. Третье — шшик — и я думаю: «А может, вообще никуда не пойдем?»

И говорю.

Но она смеется и просит застегнуть «молнию».

Тоже ничего. Согласились. Спина под шелком на ощупь приятная. Замок по такой скользит как по маслу. Сначала вдоль попы, а потом — в ложбинку на талии. Ныряет, как лодочка с крутой волны. Только шляпу придерживай.

То есть хорошая досталась. Не жалуемся. У одного еврея увел.

Ему все равно не в коня корм. Профессор.

— Все, я готова, — сказала она.

— Правда, что ли?

— Нет, пошутила. Принеси из кухни мои сигареты. Они где-то там.

Я протопал на кухню и оттуда кричу:

— На столе нет.

— А в шкафчике?

Я открыл шкафчик, посмотрел.

— Нету.

— А на подоконнике?

— Слушай, может, ты сама их поищешь? Чего мы через всю квартиру орем?

— Я в обуви.

— А я в чем?

И тут раздался звонок в дверь.

Вот что мне не нравится, так это звонки в такую минуту. Сто процентов. Можно даже не спрашивать. То есть ты тут собрался, напудрился, ищешь ее дурацкие сигареты, а они вдруг звонят. Нельзя, что ли, позвонить соседям? Те, скорее всего, никуда не идут.

— Открывать?

— Подожди, — крикнул я. — Вот они, твои сигареты! Я сейчас сам открою.

Подошел к двери и посмотрел в «глазок».

— Ну что? Кто там? — шепчет она. — Чего ты застыл? Будешь открывать или нет?

— Сегодня какое число?

— Двенадцатое.

Я сел на подставку для обуви.

— Ты чего, Николай? Кто там?

— А ты не могла с утра мне напомнить, что сегодня двенадцатое число?

Она уставилась на меня, и глаза у нее стали круглые-круглые.

— Не поняла.

— Да иди ты.

И мы оба молчим. Через полминуты раздался второй звонок.

— Принеси табурет, — сказал я. — На вот твои сигареты. Можешь курить сколько влезет.

— Подожди, мы ведь опаздываем! Ты же сам меня торопил.

— Уже не опаздываем. Неси табурет.

Встал и пошел к себе в комнату. Мне на это смотреть неохота. Видели все уже.

— Открой ему! Пусть заходит.

Сел в комнате, отдыхаю. Газету взял. Думаю: «Свежая. Посмотрим, что тут у нас».

— Зашел? — кричу так, что голубь с подоконника чуть не свалился.

— Да.

— Хорошо.

А в газете непонятно про что пишут. Кто только читает всю эту чушь?

— Сел он там?

— Сел.

— Ну и пускай сидит.

Голубь смотрит на меня через окно, а я на него. Так и сидим. Я ему кулак показал. Он отвернулся.

А в прихожей полная тишина.

Я думаю: «Чего это они там притихли?»

Кузнецов посмотрел на меня и говорит:

— Подстригся, Николай Михалыч? Раньше волосы вроде длиннее носил. Или лысеешь?

Наталья стоит в углу. На ней пальто застегнуто на все пуговицы. Смотрит на него, потом на меня и говорит:

— А почему ты так непонятно выглядываешь? Ты можешь сюда весь войти и объяснить мне, в чем дело? Кто это?.. Вы кто такой?

Кузнецов говорит:

— А вам Николай Михайлович обо мне ничего не рассказывал? Сегодня же двенадцатое число.

Наталья как закричит:

— Да слышала я уже про это двенадцатое! Вы можете толком мне хоть что-нибудь сказать? Мы идем в ресторан или нет, Коля?

Кузнецов на «Колю» насторожился, и я убрал голову из двери.

Через секунду в прихожей его голос:

— А я подумал — вы дочка. Просто, думаю, до этого с мамой жила. Поэтому я вас раньше не видел. Так и подумал, когда вы дверь мне открыли.

Я кричу:

— Ты сидишь там — вот и сиди! Догадки свои при себе можешь оставить!

И мы все опять замолчали.

Наконец Наталья не выдержала и говорит:

— Ну я не знаю! Это какой-то идиотизм. Со мной такого еще никогда в жизни не было. Хоть кто-нибудь понимает, что происходит? Я лично — нет! И в этом пальто я уже вся вспотела!

А в газете — ну вообще ничего. Шаром покати. Хоть бы про футбол что-нибудь. Или про Пугачеву.

Вдруг за окном как шарахнет. Наталья в прихожей ойкнула.

— Опять стреляют?!!

И мне через дверь кричит:

— Коля! Что это? Снова путч? Стреляют — слышишь? А ты ничего не говорил!

— Это дети, — сказал Кузнецов. — У них карантин. Все школы из-за гриппа закрыты. Поэтому они взрыва-

ют китайские петарды у вас во дворе. И вообще по всему городу. Я пока шел от метро, два раза бабахнуло. Очень страшно. Неожиданно потому что.

— Идиоты! — сказала Наталья.

— У нас дома уже все переболели, — добавил Кузнецов. — Две девочки и один мальчик. Еще до карантина.

— Твои дела семейные никого здесь не интересуют! — крикнул я из-за двери. — Сиди и помалкивай!

А потом думаю: «Чего это Наталья там с ним стоит? Шибздик, конечно, но кто его знает».

Приоткрыл дверь и говорю:

— Иди-ка сюда.

Она посмотрела на меня и скрестила на груди руки. Волосы на висках слиплись от пота.

— Может, хватит оттуда выглядывать?

Я ей повторяю:

— Иди сюда.

Не очень таким громким голосом.

Но ей уже начихать. Даже на негромкий голос. Хотя обычно пугается.

— Сам иди. Я собралась в ресторан — я раздеваться не буду!

Я говорю:

— На-та-лья.

Она отвечает:

— Че-го-о?

В те же три слога.

Я думаю: «Ну, теперь понесло. Не успокоится, пока не прижмешь как следует. Думает — если жопа красивая, то перед ней все будут хвостом вертеть. Наивная, как президент СССР Михаил Горбачев. Ничего, жизнь научит».

Но не при этом шибздике. Сейчас уйдет, тогда побеседуем.

Я дверь прикрыл, но сам от нее не отхожу. Даже если тихо будут говорить, все равно услышу.

Но они говорят нормально.

— Зажигалочки не найдется? — Натальин голос.

— Вот, пожалуйста.

Чирк-чирк.

— Спасибо. Вас не угостить сигаретой?

— У меня есть.

— Тогда курите. Чего мы будем здесь просто так время терять?

Я думаю: «Ловко придумали. Заняли мою прихожую и курят как у себя дома».

Кузнецов говорит:

— Если вы собирались куда-то идти, вы идите. Я один могу тут посидеть. Потом уйду и дверь за собой просто захлопну. Я знаю, как она закрывается.

— Ага, размечтался! — кричу я через свою дверь. — Может, тебе еще денег дать? Шутка.

— Нет, денег не надо. То есть надо, но у тебя я не возьму.

— Гордый?

— Да нет, не особенно. Просто твои деньги мне не нужны.

Я говорю:

— Гордый. А знаешь что?

Он говорит:

— Что?

Я говорю:

— Гордость фраера сгубила.

Он говорит:

— Я знаю. Только мне непонятно — кто такой фраер.

— А это много будешь знать, скоро состаришься. Тебе еще долго сидеть? Мы правда опаздываем.

— Пятнадцать минут.

— Ну, сиди. Только, смотрите, пепел там на пол не сыпьте! Наталья, может, снимешь пальто и пройдешь сюда?

— Мне здесь нормально.

Я думаю: «Ну, подожди. Сейчас этот шибздик уйдет».

Они еще покурили молча, и потом Наталья ему говорит:

— Ладно, я поняла. Это у вас ритуал какой-то. Рыцари плаща и кинжала. Вы, типа, масоны, что ли? Последние из могикан Чук и Гек. Или как там его? Чингачгук?

— Да нет, что вы, — говорит он. — Все далеко не так поэтично. Виноваты перчатки Леонида Ильича Брежнева.

— Чьи перчатки?

У Натальи от удивления даже голос чуть-чуть изменился. А может, она просто затянулась сигаретой в этот момент. Так бывает. И голос сразу становится такой ватный.

— Генерального секретаря ЦК КПСС и председателя Совета Министров.

Она помолчала и потом говорит:

— Не поняла.

А он:

— Да в этом нет ничего интересного.

Но Наталья — человек любопытный.

— Нет-нет, подождите! Как это — ничего интересного? При чем здесь Брежнев? Я не понимаю. И перчатки его при чем?

Я думаю: «Расскажет или не расскажет? Мемуарист долбаный».

Он помялся и все-таки рассказал:

— Я в середине семидесятых работал в одном институте. Занимал должность доцента. И к нам приехал Брежнев зачем-то. Ректора, кажется, награждать. И он там ходил по коридорам, кашлял и заглядывал в аудитории. А потом вдруг начал всем пожимать руки. Даже студентам. Но перчаток не снял. В перчатках со всеми здоровался. Может, ему холодно было, я не знаю. А на следующий день я в деканате пошутил по этому поводу. Сказал голосом Брежнева: «Нас голыми руками не возьмешь». Передразнил то есть, ну глупость совершенная. Просто за язык потянуло. Мне даже в голову не могло прийти, что это крамола. К тому же я был уверен, что вокруг только друзья. Десять лет уже там отработал, начиная с лаборанта. Но кто-то куда надо написал письмо, и очень скоро в институте появился ваш — я имею в виду Николай Михайлович. Он был тогда еще молод и, кажется, в чине старшего лейтенанта.

— Капитана! — крикнул я.

— Ну, капитана, — согласился Кузнецов.

— Слушай, может, закончим вечер воспоминаний?

— Нет, мне интересно, — сказала Наталья. — Рассказывайте, что было потом.

— Да ничего особенного, — ответил он. — Обычная в таких случаях рутина. Для Николая Михайловича, я уверен, это дело вообще было ужасно скучным. Не надо ни за кем бегать, ни в кого не надо целиться из револьвера.

— Револьверами не пользуются уже давно! — крикнул я.

— Ну, из автомата. Из чего там вы целитесь?.. Вот после этого меня уволили, а потом не брали на работу уже никуда, только в ЖЭК и в котельную. И еще я подметал. Пробовал писать докторскую, но ни один совет не соглашался назначить научного консультанта. Не бывает дворников — докторов наук. А когда началась перестройка, я стал приходить сюда. Раз в год. В тот самый день, когда к нам в институт приезжал Брежнев. У меня он помечен в календаре.

— Зачем? — сказала Наталья.

— Не уверен, что знаю, но, мне кажется, простой шутки — к тому же не очень удачной — все-таки мало, чтобы испортить человеку всю его жизнь. Для этого нужны какие-то более веские причины. Я ведь всего-навсего обыватель. Никакой не борец. Я имею в виду — не Вера, там, скажем, Засулич. Какой смысл был в том, чтобы смешивать меня с грязью?

— Был бы смысл, мы бы тебя вообще закатали на Колыму! — крикнул я. — Хлебнул бы мурцовки. Ты же кандидат наук. Законы физики должен вроде бы понимать. Знаешь ведь, что бывает с тем, кто ссыт против ветра.

— Это ты о категории страха?

— Нет, это я о том, у кого нет мозгов.

Он не сразу ответил. Я даже подумал — обиделся.

— Ты знаешь, — сказал он, — я долго размышлял на эту тему и понял, что бояться не надо.

— Смотря чего.

— Нет, вообще ничего. Просто ничего бояться не надо.

— Сам придумал?

— Я же говорю тебе — долго размышлял.

— Молодец. У тебя работа такая.

— Нет, у меня работа — подметать двор.

— Никто тебя, между прочим, не заставлял дискредитировать первое лицо государства.

— Никто. Только над ним теперь смеются по всем телевизионным каналам. И никому не страшно. И ты не страшный. Раньше я тебя очень боялся. Даже спать иногда не мог. А теперь — ничего. Нормально. Посижу у тебя и пойду в магазин. Хлеба надо купить. Я по дороге в булочную к тебе зашел. Всего две станции на метро. Крюк совсем небольшой.

— Да. Я вижу, ты стал очень смелый. С авоськой ко мне пришел.

— Можешь иронизировать, но мне это правда досталось не так легко. Я просто подумал... Понимаешь, больше всего на свете человек боится смерти. Остальные страхи второстепенны. Их можно преодолеть. А тут — как об стену. Умрешь — и на этом все. Но я вдруг подумал, что жизнь и смерть, как явные противоположности, должны обладать сходными параметрами. А жизнь ведь конечна. В этом ее главное свойство. И это знает каждый дурак. Каждый идиот знает. Так, значит, и смерть, она тоже кончится. И тогда бояться, получается, нечего. Ты понимаешь? Совсем нечего.

Я посмотрел на часы.

— Понятно. Спасибо, что объяснил. Только твои пятнадцать минут закончились. Наталья, убери за ним табурет. И окурки положи в пепельницу.

Когда входная дверь хлопнула, я вышел в прихожую. Наталья стояла на том же месте с новой сигаретой в руках.

— Ну у тебя и работа, — сказала она, сделав губы трубочкой и выпуская дым. — Может, на пенсию выйдешь?

— Мысль неплохая... Только, знаешь...

Я хотел наехать на нее пожестче за все эти выкрутасы в прихожей, но потом вспомнил про ресторан и про то, что генерал уже наверняка на месте. Пора было выдвигаться. К тому же с такой красивой задницей она имела право на некоторые вольности. Будем считать их подарком судьбы.

От нашего стола — вашему.

«А то вдруг вечером не захочет. Телевизор, что ли, сидеть и смотреть?»

— Что? — сказала она.

— Да нет, ничего. Всякая чепуха. Мы идем или нет?

— Ты меня спрашиваешь?

РАХИЛЬ

Часть третья

Николай назначил мне встречу в Александровском саду. По телефону он говорил весьма сдержанно и без особой приветливости, однако раздражения на мою просьбу увидеться я в его ответе не уловил. Выслушав меня, он просто попросил перезвонить, но через полчаса сам позвонил мне на кафедру.

— Увидимся в два пятнадцать, — сказал он. — Ты можешь там быть ровно в пятнадцать минут третьего?

— Могу, — сказал я. — А к чему такая точность?

— Потом объясню. Не опаздывай, а то ты меня подведешь.

Я не хотел никого подводить, поэтому вошел в Александровский сад без пяти два. Когда я звонил Николаю, во мне теплилась смутная надежда на то, что он пригласит меня к себе домой и я хотя бы мельком смогу увидеться там с Натальей. Расхаживая теперь по заснеженной аллее, я немного грустил оттого, что этим надеждам не суждено было сбыться, однако в то же самое время испытывал странное облегчение, поскольку увидеть ее вписанной в мир, который построил для себя другой мужчина, было бы для меня, скорее всего, еще мучительнее, чем не увидеть ее совсем. Перемена контекста всегда губительнее простой утраты. Исчезновение Моны Лизы с полотна Леонардо, пожалуй, еще мож-

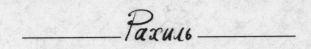

но перенести и, в принципе, даже привыкнуть к неле-
пой пустоте в центре осиротевшего пейзажа, но если бы
пропавшая дама вдруг улыбнулась с какой-нибудь другой картины — вот это был бы уже караул.

Я присел на одну из скамеек и вспомнил, как рыдал
в детстве, случайно увидев свой украденный велосипед
под чьей-то промчавшейся мимо меня чужой отврати-
тельной задницей. Самым обидным казалось то, что велосипед этой заднице совершенно не подходил. Он был
ей абсолютно чужим, и я мог поклясться, что в считаные
секунды, когда он пронесся мимо меня, я успел отчетливо ощутить тот ужасающий дискомфорт, от которого
он страдал под неправильным игом чужих ягодиц.

Так или иначе, но слезы мои были гораздо крупнее,
обильнее и, кажется, даже более соленые на вкус, чем
за месяц до этого, когда, собственно, и произошла утра-
та. Точнее, мировоззренческая дефлорация, поскольку
девственная вера в человечество после этого происшествия в моей душе, разумеется, не восстановилась уже
никогда. Физиология есть физиология. Впрочем, это был
далеко не единственный случай в моей жизни, когда процесс потери оказался необратимым.

— Здорово, профессор, — жизнерадостно сказал
Николай, подходя к моей скамейке. — Мерзнешь? Чего
так оделся легко? Новый год скоро, а ты в плаще.

— Он на меховой подстежке. К тому же по радио обещали потепление.

— А ты все ждешь, когда тебе чего-нибудь пообе-
щают? Хочешь, я тебе денег дам? В долг. Потом вер-
нешь, когда будут. Купи себе пальтецо.

— Нет, спасибо. Я хотел о другом поговорить.

— Сейчас, подожди! — Он остановил меня власт-
ным жестом. — Достань сигареты и дай мне закурить.
Быстро!

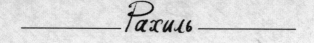

Его тон изменился так неожиданно, что я опешил и на мгновение оцепенел.

— Давай, давай, — сдавленным голосом прошипел он. — Не сиди как истукан. Шевелись!

Я запустил руку в карман плаща и вынул оттуда мятую пачку.

— У меня «Беломор».

— Неважно, — сказал он и нагнулся ко мне, чтобы прикурить. — Прошли?

— Что? — Я был абсолютно сбит с толку его поведением.

— Двое сзади меня. Один в такой дутой оранжевой куртке. Прошли или нет?

Я повернул голову вслед удаляющейся паре.

— Прошли. А кто это?

— Неважно. Как только сядут на скамейку в дальнем конце аллеи, скажешь мне. Понял?

— Да.

Он продолжал стоять, склонившись ко мне, как будто что-то мне говорил, а я косил глазами в сторону, чтобы, во-первых, уследить за оранжевой курткой, а во-вторых, не смотреть в его зрачки, которые весело блестели прямо перед моим лицом.

— Давай, давай, профессор, помогай Родине.

Я не был уверен, что он это сказал, но в тот момент мне так показалось. Хотя губы его оставались практически неподвижны.

— Сели, — сказал я примерно через двадцать секунд, сдерживая дыхание.

— Отлично.

Он наконец выпрямился, затянулся папиросой поглубже, подмигнул, сел на скамейку рядом со мной и ласково обнял меня за плечи.

— Вот так и сидим, — негромко сказал он.

Андрей Геласимов

— Что происходит?

— Работаем, профессор. Ловим шпионов. А ты как хотел? Середина рабочего дня. Ты что думал, я ради тебя отложу работу? Радуйся, что я к тебе домой с ней не пришел. Ты, кстати, где живешь? Мои ребята пробили — тебя нигде нет. Квартиру твой сын продал. В бомжи, что ли, решил податься?

— Это мое дело. Где хочу, там и живу.

— Ладно, профессор, не ерепенься. Я просто так спросил. Живи где хочешь.

Мы посидели так еще пять минут, не говоря друг другу ни слова. Ситуация все больше напоминала дурной сон. Причем снился этот сон явно не мне. Каким-то образом я угодил в одно из сновидений Николая. Впрочем, если это все снилось ему, тогда сон, возможно, был не такой уж дурной. Кто его знает, к чему он привык на своей работе.

— Сейчас этот в оранжевой куртке уйдет, — сказал Николай. — Ему надо позвонить жене.

— Да? Откуда ты знаешь?

— Это мой человек. Мы пришли за вторым. Нас интересует высокий в пальто. Вот видишь, оранжевый встал и пошел. Сейчас подойдет дама.

— Она тоже твой человек?

— Нет, ей надо с кем-нибудь переспать.

— Понятно, — сказал я, хотя все это мне было совершенно непонятно.

— Я имею в виду — за деньги.

— Ага, — кивнул я, как будто мысль насчет денег многое проясняла. — Интересно, но если она не твой человек, откуда ты знаешь, что она подойдет?

Николай впервые оторвал взгляд от мужчины в темно-синем пальто и посмотрел на меня.

— Подойдет, куда она денется? Они всегда здесь

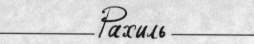

подходят. Это такая скамейка. Богатые стервы покупают себе мужиков. Хочешь заработать — сам можешь попробовать. Сейчас мы его заберем, а ты потом сядь туда и подожди пять минут. Может, на свои лекции после этого ходить не захочешь.

— Да ты что? Правда бывают такие скамейки?

— Я тебе больше скажу: бывают такие бабы. Ну ты даешь, профессор. Совсем в своем институте мхом оброс. А жизнь тем временем идет мимо. Рыночные отношения на дворе. За полчаса на этой скамейке заработаешь три своих профессорских оклада. Как минимум. Хотя не знаю — сумеешь ли? Для местной публики, наверное, староват. Надо тебе подумать над своим маркетингом. Внимание!

К мужчине в синем пальто подошла женщина, о чемто спросила его и пошла дальше, покачивая голубым пластиковым пакетом с огромной латинской буквой «L».

— Отбой, — сказал Николай. — Ложная тревога.

— А зачем его арестовывать именно так? Подойди к нему и надень наручники, или что вы там обычно при этом делаете. Выкрути руки.

— Злой ты, профессор, — усмехнулся он. — А работа у нас, между прочим, полезная. И даже иногда опасная. Просто на этого у меня ничего нет. А он сегодня улетит к себе в Осло. Пробовали подсылать ему проституток, он им отказывал. Наркотики не подбросишь — не тот персонаж. Тоже, как ты, профессор. Норвежский консул будет просто смеяться нам в лицо. А мне надо-то задержать его в России всего на семьдесят два часа. Понимаешь? Поэтому и сидим здесь. Сейчас дамочка подойдет, а потом ты включаешься в дело.

На мгновение мне показалось, что я ослышался. Рядом громко кричали какие-то дети с цветными лопатками и зеленым ведром.

— Понял? — сказал Николай. — Как только она дает ему деньги, мы с тобой подходим, и ты говоришь ему, что он задержан.

— Подожди, подожди. — Я почувствовал, как у меня все похолодело внутри. — Кто говорит, что он задержан?

— Профессор, сейчас не до этого. Она может подойти в любую секунду. Будь начеку.

— Ты что, совсем обалдел? — Я смотрел на него, не в силах найти других слов. — Ты спятил?

— А кто будет с ним говорить? Я, что ли? Я языков не знаю. Ты же у нас профессор. Наталья сказала, что ты чешешь на пяти или на шести.

— Постой, ты с ней это обсуждал?

— Ну да, а с кем же еще? Она мне тебя и предложила. У меня переводчиков больше нет. Не могу же я своего человека светить. Он потому и ушел — тот, в оранжевой куртке. Нам знаешь как сократили штаты. Не платят уже никому. Офицер получает меньше, чем дворник.

— Да плевать я хотел на твои штаты!

— Не кипятись! Люди смотрят. Наталья сказала, чтобы я тебе заплатил. На вот, держи.

Он вложил мне в руку несколько смятых купюр. Я хотел бросить их под скамейку, но он вдруг схватил меня за локоть и потянул по аллее.

— Все, профессор! Пошли! Вот она! Давай, давай, быстрее!

Хватка была настолько сильной, что я едва не застонал от боли. В ушах как колокол грохотало сердце.

— Давай, давай, профессор! Надо успеть!

Когда мы подбежали к этой злосчастной скамейке, по обе стороны от норвежца уже сидели сотрудники КГБ. Оба они были одеты в черные кожаные куртки и сосредоточенно держали перепуганного иностранца под лок-

ти. Еще один стоял рядом с ошарашенной дамой в норковой шубе и держал ее за руку, из которой торчала купюра достоинством в сто долларов.

Как в странном сне, который — это было ясно теперь — снится отнюдь не Николаю, или как в романе Кафки, я вдруг некстати подумал, что этих денег мне действительно на кафедре не заработать — во всяком случае, не за такой короткий срок. Я посмотрел на свою свободную руку — не ту, за которую меня все еще крепко держал Николай, — и с удивлением понял, что его деньги по-прежнему зажаты у меня в кулаке. Я так и не выпустил их, пока он тащил меня через всю аллею. На глазах переставших размахивать лопатками притихших детей.

— Короче, давай, профессор! Удиви его! — сказал Николай, слегка задыхаясь от бега.

Я перевел взгляд на норвежца. Из-за тонких очков на меня смотрели глаза, полные непонимания, беспомощности и страха.

— Скажи ему, что он задержан. Говори! Чего ты молчишь?

Я разжал левую руку и смотрел, как из нее на снег падают деньги.

— Так, быстро все подобрал! — Он на мгновение отпустил меня, чтобы я мог собрать купюры.

Но я, почувствовав неожиданную свободу, развернулся и медленно, как во сне, побежал к выходу из аллеи. Тротуар под ногами скользил, прохожие расступались, дети открывали рты, но я не слышал, что они мне кричат. Все звуки заглушал грохот сердца.

Николай догнал меня у ворот. Железные створки были едва приоткрыты, и мне пришлось остановиться, чтобы протиснуться сквозь них. Он добежал до ворот раньше, чем мне удалось это сделать. Просунув руки через литую решетку, он схватил меня за плащ и изо всех сил притянул к воротам с другой стороны. Я стукнулся головой, и некоторое время мы так и стояли, разделенные высокой решеткой. Я не видел его, но чувствовал горячее дыхание у себя на левой щеке. Потом я его услышал:

— Ну ты даешь, профессор. А говорил — спортом не занимаешься. Еле тебя догнал. Устроил тут мне тараканьи бега. Сказал бы сразу, что по-норвежски не понимаешь. От тебя студенты тоже так бегают, когда не готовы к экзамену?

— Я не буду тебе переводить, — задыхаясь, сказал я.

— Да я уже понял. Догадливый. Ты о чем хотел поговорить-то со мной?..

* * *

Много говоришь с людьми или мало, но с годами выясняется, что конструкция всякого разговора предполагает почти абсолютную невозможность взаимного понимания. Диалоги Платона замечательны в этом смысле именно тем, что не только запутавшиеся собеседники не понимают Сократа, но и Сократ в общем-то не понимает их. Все эти споры об истине, добродетели и конечном торжестве справедливости красноречиво говорят лишь об одном — мир создан так неповторимо прекрасно, что мы не в силах поведать друг другу об этой удивительной красоте. Ее неповторимость разделяет нас так же неизбежно, как стенки материнского чрева отделяют плод под сердцем одной женщины от точно такого же не родившегося еще младенца в утробе другой. Пусть даже обе будущие мамы сидят бок о бок в приемной врача и ведут, как им кажется, чрезвычайно близкий их сердцам разговор. В любом случае и та и другая говорит о своем. Им не понять друг друга. Каждый из нас рождается в условиях и по законам той единственной красоты, о которой нам не суждено поведать миру. И мир, похоже, благодарен нам всем за это. Нет, Платон писал не диалоги. Он написал поэтическую драму непонимания. Во всяком случае, когда я сообщил Вере, что ухожу от нее, она так и сказала: «Я не понимаю тебя». Как будто я говорил на мандалайском языке. Если такой существует.

«Я не понимаю тебя», — сказала она, и в этом мы с ней были очень похожи. То есть среди нас двоих затесался один, которого мы оба не понимали.

И это был я.

На каком еще языке я мог объяснить ей, а заодно и себе, что, собственно, со мной произошло и какой паровоз меня переехал, раз уж она не понимала мой мандалайский? Какой лингвист сумел бы проанализировать строй того языка, на котором я никак не мог передать ей даже своего собственного изумления?

И что мне сказал бы Сократ, попади я в эпицентр его диалектических упражнений? Полных укоризны, само собой.

Сократ: Поделись же с нами, незнакомец, своими мыслями. Что, по твоему разумению, есть счастливая старость?

Пока еще неясно кто, но очень печальный: Брось, старина. Разве тебя самого не колотит твоя же собственная жена Ксантиппа? Все говорят, что колотит. Так что нечего тут сидеть и намекать, будто доволен семейной жизнью на склоне лет.

Сократ: Как интересно ты говоришь. Но скажи нам прежде всего — отчего у тебя нет имени? Вот у меня есть имя, и про Алкивиада мы все знаем, как его зовут, и даже Протагор известен среди нас под тем именем, кото-

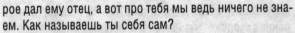

рое дал ему отец, а вот про тебя мы ведь ничего не знаем. Как называешь ты себя сам?

Пока еще неясно кто, но очень печальный: Если хочешь, зови меня Алкивиадман. Или Койфматогор. Как тебе нравится.

Сократ: Ты, по моему разумению, из финикийцев?

Койфматогор: Лишь по отцу.

Сократ: И как же у вас, у финикийцев, определяется счастливая старость?

Койфматогор: Да я ведь, Сократ, не такой старый уж человек, чтобы знать ответ на эти вопросы.

Сократ: Я задал тебе, финикиец, ровным счетом один вопрос. Почему же ты говоришь «вопросы»?

Койфматогор: Потому что старость, Сократ, способна умножить все — как печали и радости, так и вопросы.

Сократ: Мне думалось, что в нашем с тобой возрасте множиться должны ответы.

Койфматогор: Не множатся, Сократ. Не множатся, хоть убей. Очевидно, это такое же распространенное заблуждение, как и то, что старикам жить хочется меньше, чем молодым.

Сократ: В этом я с тобой соглашусь, финикиец. Но как же все-таки ты определишь счастливую старость, зная теперь, что старикам жизнь так же мила, как и молодым людям? И не уклоняйся больше от моего вопроса — вот о чем я тебя попрошу.

Койфматогор: Хорошо, Сократ. Я, пожалуй, отвечу тебе, какой мне видится счастливая старость.

Сократ: Рады будем послушать тебя. Вот и Алкивиад, хоть он еще молод, перестал смотреть на танцовщиц и даже не велит, чтобы ему долили вина. Такое, финикиец, бывает нечасто.

Койфматогор: Счастливая старость, Сократ, это когда прекрасная девушка, моложе тебя на тридцать лет, вдруг пишет у тебя на руке свое имя. Вот здесь, на внутренней стороне. Чуть выше запястья.

Впрочем, я все же немного наврал Сократу. «Прекрасной девушкой» Наталью назвать было нельзя. Просто чего не сделаешь, пытаясь убедить какого-нибудь упрямого грека? С другой стороны, как выразился один мой студент, «на вкус и цвет — у каждого свой фломастер». Вот и рисуем. У кого — Юдифь с заспанной головой Олоферна (отличная, кстати, была бы реклама снотворного), а у кого — Джина Лоллобриджида с обложки пятидесятых годов. И плечики кокетливо оголены. Но нам чужого не надо. Со своими бы девушками разобраться в конце концов. Пусть даже прекрасными их называешь только в полемическом запале.

Но имя на руке все-таки было. Тут уж я не соврал. Точнее, инициалы. *«Она рисует на руке заветный вензель Н да Е».*

Вера спросила: «Это что у тебя?»

Вот в этот момент я как раз и сказал: «Я ухожу. Больше так продолжаться не может».

Потому что к тому времени речь не шла уже ни о каком призе. То есть сначала я еще забивал себе голову всякой чепухой насчет того, что имею право, что это мой приз, что не зря ведь всю жизнь только и думал что о работе, и теперь вот «награда нашла героя», и можно рассматривать ее как вполне заслуженный, пусть и не очень ожиданный трофей. Такой, не больше, чем вымпел.

Все это настроение свистело у меня в голове, пока писалась та самая дурацкая курсовая. И еще немного после нее. Но к тому моменту, когда Вера увидела Натальин автограф на моем мужественном, но немного подрагивающем от испуга запястье, весь этот свист уже по большому счету улегся. И мысли о том, что я в любой

момент могу *это* прекратить, тоже как-то перестали радовать своим посещением. Потому что я уже не мог.

В самом начале, пока смотрел, как Наталья грызет свою авторучку, делая вид, что слушает мои замечания по этой якобы курсовой, еще успокаивал себя, что все это так — одна только игра воображения, но, когда сам начал замечать за собой тенденцию к покусыванию карандашей, стало уже не до шуток. Ни в какой микроскоп теперь не сумел бы разглядеть ту черту, которую один раз перескочил — и назад уже не вернешься. Потому что у сердца такие же правила, как у шахмат. Сделал ход — перехаживать нельзя. Даже и не надейся.

— Мне она тоже писала на руке, — сказал Николай, открывая передо мной дверь и пропуская в темную прихожую. — Но я сразу стер. В спортзале было бы слишком заметно. Короткие рукава. Да и вообще, детский сад. Я ей сказал — я таких вещей не люблю.

Значит, она просто нас помечала. Клеймила принадлежащий ей скот. Крупный рогатый, довольный своей участью и полупрозрачной футболкой хозяйки, обтягивающей ее красивую грудь. Совсем не такую, как у наших усталых ровесниц.

Очаровательная пастушка и ее видавший виды табун. Или отара. Тонкости терминологии пока еще от меня ускользали. Значит, было над чем работать.

— Давай проходи, — сказал он. — Чего встал? Вешай свой плащик вон там. Не бойся, не пропадет.

— А что это за квартира?

— Я здесь людей пытаю. Застенки НКВД.

— Понятно.

— Я пошутил.

— Да-да, я понимаю. Очень смешно.

Квартира была обставлена всей необходимой мебелью, но мне с первого взгляда стало понятно, что здесь никто не живет. Я попал в конспиративный мир засекреченных явок, паролей и адресов. Кресло, на которое меня усадил Николай, всем своим видом вопило о том, что оно напичкано микрофонами, камерами, датчиками и еще неизвестно чем. Были ли в нем обычные пружины — вот в чем я сомневался.

— Ты чего сидишь с таким лицом? — сказал Николай, выглядывая из кухни с открытой уже бутылкой водки в руке.

— С каким?

— С серьезным. Давай иди сюда. Поможешь колбасу мне порезать. Важное дело, профессор. Это тебе не диссертации про литературу писать и по аллеям носиться. Закуска!

Он поднял указательный палец к потолку и снова исчез на кухне.

— Ну, ты идешь? — крикнул он оттуда через минуту. — Надо принять по пятьдесят. Граммульку, профессор, не больше.

Через полчаса я был в общих чертах пьян. Николай, как опытный профессионал, не преминул этим воспользоваться.

— Ну, давай, расскажи мне чего-нибудь про евреев. Били тебя одноклассники в детстве?.. Нет, подожди, я сейчас кварцевую лампу сюда принесу.

— Кварцевую лампу? — сказал я, но он уже вышел из кухни. — Зачем нам кварцевая лампа?

— Пока бегали по всей Москве за этим норвежцем, — объяснил он через минуту, — простудились всем отделом. Слышишь, какой у меня голос? Совсем другой. Гундит, как француз.

Меня слегка удивила та отстраненность, с которой он говорил о своем голосе, используя форму глагола в третьем лице, но, в конце концов, это были его личные взаимоотношения с собственным организмом. Я в них вмешиваться не хотел. Не в таком состоянии. К тому же я понятия не имел, какой голос у него был до этого. Я что, диктофон — запоминать голоса?

— Давай еще по одной махнем. Вот, пусть она здесь стоит. А то заразишься от меня — будешь тоже гундеть на своих семинарах.

Он поставил лампу между нами на стол и включил шнур в розетку.

— Убьет всех бактерий. Только не забудь мне напомнить — надо выключить ее через десять минут. Сгорим, если долго будет работать. Ты хорошо загораешь?

— Нет, у меня кожа плохая. Веснушки.

— Облазишь?

— Да я в общем-то редко хожу на пляж. В детстве только ходил. Мама загорать очень любила.

— Понятно. — Он до краев налил обе рюмки. — Ну, за тебя.

Через мгновение он легко выдохнул, подцепил вилкой кружок колбасы, зажмурился, откусил, посмотрел на меня и подмигнул веселым, слегка увлажнившимся глазом.

— Ну так гоняли в детстве за то, что еврей? Или давал сдачи?

— Я не помню.

— Да ладно, профессор. Какой там не помнишь! Со скрипочкой, наверное, в музыкальную школу ходил. А они тебя во дворе уже поджидали.

— Я не помню.

Воспоминания прекрасны только тогда, когда ты не делишь их с остальными. Надежность швейцарского банка. Или сверхзасекреченного компьютера американских спецслужб. Как в голливудском кино.

«Введите код доступа».

К тому же глагол «поджидали» не очень успешно мас-

кировал слово «жид». Оно просвечивало, как оттопыренные уши, глаза навыкате и рыжие волосы.

«А ну-ка, жиденок, иди сюда! Скажи матерное слово».

Сколько мне было тогда? Года четыре? От этого, очевидно, и рождалось недоумение. Слишком рано, чтобы понять — жизнь не сахар. Со всей невозможностью произнести этот «сахар» и не картавить в конце. Никто ведь не понимает, насколько иронично обошлась с тобою судьба. В этническом смысле. Поэтому постоянное давление. И ты должен выбрать в итоге — еврей ты или нет.

Но бабушка сказала: «Все чепуха. Люди должны быть разными». И это тоже было не совсем понятно. Почти как слово «жиденок».

Зато удивительная радость, когда потом узнаешь вдруг, что Жид — это еще и знаменитый французский писатель. Забавно, с каких вещей может начаться интерес к мировой литературе.

— Ну, не хочешь рассказывать — не надо, — сказал Николай. — Ты пей, а то у нас тут сбросили одного с моста.

— Как сбросили?

— Очень просто. Тару задерживал. — Он рассмеялся. — Ты чего приунул? У нас же с тобой вечеринка. А? Вечеринка или где? Давай, не молчи, профессор. Поддержи беседу. Помнишь анекдот про поручика Ржевского? Как он в лодке веслом беседу поддерживал.

Наливая себе следующую рюмку, Николай продолжал смеяться, но ни одной капли на стол не пролил.

— Видал? Как прецизионный станок! Ковровая бомбардировка высокой точности! Ну ты что, обиделся, что я про евреев тебя спросил? Брось!

— Нет-нет, все в порядке, — сказал я.

Но был еще Сеня. Когда учились во втором классе, он громким шепотом рассказывал мне в мужском туалете, что его должны были назвать Соломоном, как дедушку, но не назвали.

Хотя Сеня тоже было еще то русское имя. Плюс неуклюжий и толстый, и рот всегда приоткрыт. В общем, мое спасение.

Потому что хватало его. За мной бегать по школьному двору было уже не так интересно. И пинать, чтобы сзади на брюках остался полный след. Для такого пинка надо было бить не носочком, как по мячу, а скорее толкать подошвой, так чтобы Сеня непременно рухнул лицом вперед. Как бы лягаться. И главное, чтобы он не ожидал. Потому что иначе крепко расставит ноги и уже не упадет. Тогда не смешно. А отпечатков Сеня никогда не стряхивал со штанов. Так и ходил целый день. И вовсе не от неряшливости. В свои восемь лет он к этому уже относился как к серьезному документу. Есть отпечаток на заднице — значит, на сегодня уже получил. Так что можете быть свободны. Это был его дневной пропуск.

Я иногда испытывал мучительную неловкость, когда видел, как сзади к нему подкрадывается кто-то из них, но не мог дать ему знать об этом, потому что с ними у меня тоже была негласная договоренность. Я не имел права предупреждать его. В их глазах я стоял выше, чем он. Стыдно, но тогда я этим немного даже гордился. Поэтому продолжал разговаривать с ним как ни в чем не бывало, а потом делал быстрый шаг в сторону, чтобы он упал не на меня. Впрочем, Сеня на мое поведение не обижался. Он просто считал, что мне повезло больше, чем ему, и абсолютно на меня не рассчитывал. Вставал и отряхивал колени. Очевидно, он понимал, что падать ему еще долго предстоит в одиночку.

Зато именно мне пришла в голову мысль ставить отпечаток подошвы ему на брюки заранее. Мы встречались по дороге в школу, заходили за деревянные кладовки,

Рахиль

Сеня снимал свой ботинок, и пока он неуклюже балансировал на одной ноге, я, как почтальон, проставлял ему на заднице штемпель. Моим ботинком для этой цели мы никогда не пользовались. Сене было плевать, и, может быть, он даже был бы доволен, потому что тогда ему не пришлось бы размахивать руками и подпрыгивать, пытаясь устоять на одной ноге, но я свой ботинок из этой комбинации решительно исключил. Достаточно было моего преимущественного положения в иерархии 2-го «Б» класса. Поэтому руками все-таки размахивал он, а не я.

Потом мы с ним еще встретились на военных сборах в шестьдесят седьмом году, когда институтских преподавателей загнали на двухмесячную переподготовку. Сеня работал в Институте стали и сплавов, и, насколько я знал, дела у него там шли вполне хорошо. К этому возрасту его неуклюжесть совершенно пропала, уступив место огромному росту, широким плечам и уверенным сильным движениям. Но его слегка насмешливый и понимающий взгляд по-прежнему был на месте. Очевидно, он все-таки помнил этот мой шаг в сторону, когда мы с ним стояли там в прошлом и болтали о том о сем.

Израильтяне в тот год вели войну с Египтом, и, несмотря на то что мы официально поддерживали арабов, военные не скрывали своего уважения перед боевыми успехами «сионистских агрессоров». Выстроив нас на плацу, полковник Сизый делал несколько шагов вдоль строя и неизменно останавливался рядом с Сеней, который как башня возвышался на правом фланге.

«Рядовой Шапиро, два шага вперед», — говорил полковник, и Сеня четко, как на параде, тянул носочек, впечатывая сапог в поблескивающий от летней утренней влаги асфальт. Практически каждый день у нас начинался с того, что Сизый выводил Сеню вперед и тот умело и с

удовольствием показывал нам приемы строевой подготовки.

«Учитесь, — говорил полковник. — Думаете, зря, что ли, они сожгли на прошлой неделе всю эту танковую колонну? А у египтян, между прочим, наши инструктора. И они там тоже не груши околачивают».

Меня за два месяца полковник ни разу перед строем не вызывал.

— Але, профессор, ты еще здесь? — сказал Николай, гася в пепельнице сигарету. — У меня такое ощущение, будто я разговариваю сам с собой. Даю, знаешь, немного такого шизика. У тебя, кстати, говорят, первая жена в психушке лежала. Расскажи. Говорят, с ножом на тебя покушалась.

А вот и тема жертвоприношения. Интересный у нас разговор. Авраам и сын его Исаак. Божий агнец. Соломон Аркадьевич потом целый день ходил бледный. Держался за сердце. Интересно, за что я должен был держаться?

«И сказал Авраам отрокам своим: останьтесь вы здесь с ослом; а я и сын пойдем туда и поклонимся, и возвратимся к вам».

Лукавил старичок.

На втором или на третьем курсе пришла новая преподавательница русской литературы. Курила во время лекций, надрывно откашливалась и спрашивала нас про Достоевского.

«А какая была фамилия у Настасьи Филипповны в «Идиоте»?»

Но мы не знали, потому что фамилия упоминалась только один раз. Кто же на втором курсе будет читать так внимательно?

«Барашкова, — говорила она и выпускала дым в фор-

точку. — Понимаете? Агнец на заклание. Поэтому Рого-
жин должен ее зарезать. Так придумано».

Вот и не верь после этого в знаки. Открытым текстом
тебе говорят — будь начеку. Семиотика. Люба наверняка уже к этому времени приехала из своего Приморья.
Хотя сколько нас там сидело на этой лекции? Целый курс.
Ко всем, что ли, потом ночью с ножиком приходили?

«Любимых убивают все».

Гипербола, разумеется, но в чем-то Уайльд не ошибся. Ни в одном музее потом не мог смотреть на картины
с Авраамом и Исааком. Как они там идут. Или разводят
костер. Сразу уходил в другой зал. Отчего у художников
такой интерес к этой теме?

«Смотрите, — сказал наутро Соломон Аркадьевич, —
вся подушка изрезана. Просто в клочья».

Открываешь глаза и уворачиваешься. Быстро-быстро.
Дядя Вениамин в детстве на эту тему любил говорить:
«Реакция есть — дети будут». И похахатывал. Оказалось,
не врал.

— Ну так что? Расскажешь? — сказал Николай. —
Чего у вас там произошло?

— Ты знаешь, я как раз хотел с тобой на эту тему поговорить. Я затем и звонил. То есть не совсем на эту, но,
в общем, про Любовь.

— Про какую любовь? — быстро перебил он. — Про
твои отношения с Натальей?

— Нет, про Любовь Соломоновну. Ее так зовут, мою
первую жену, — Любовь Соломоновна.

— А, понятно. А то я вдруг подумал...

— Нет-нет, что ты. Это не обсуждается. Я и не хотел
об этом совсем говорить. Я насчет Любови Соломоновны.
И насчет Дины.

— Дины? А это еще кто?

— Дина — моя невестка. У нее большая беда.

— Так-так, стоп, подожди. Надо тогда еще налить. А то я вижу — ты наконец разговорился.

После того как я изложил ему свою просьбу — сбивчиво, бестолково и сглатывая пересохшим горлом, так что дергалось все лицо, — Николай посидел молча, закурил, посмотрел на меня и усмехнулся:

— Ух ты какой, профессор. Молчал, молчал, всю мою водку выпил, а теперь я должен тебе помогать.

— Но я думал, тебе не сложно.

— Да? Как органы дискредитировать — это нормально, а как помогать — сразу «тебе не сложно». Молодец. Пять баллов.

— Я никого не дискредитировал.

— Перестань! Думаешь, я не знаю, о чем ты на своих лекциях без конца говоришь? «КГБ — то, КГБ — се». Рассказывал бы им про своих Шекспиров. Тебе за что деньги платят?

— Откуда ты можешь знать, о чем я там говорю?

— Брось! Не прикидывайся ребенком. У меня работа такая. Стучали и всегда будут стучать. А ты и разговорился. Думаешь, демократия — так теперь давай на каждом углу языком трепать? Ну и что с того, что я тебе насолил? Чего ты на всю контору-то ополчился? Там же у тебя дети сидят. С неокрепшим сознанием. А в стране еще неизвестно как повернется. Ты им жизнь можешь испортить. Головой думай! Я ведь не один эти бумажки читаю.

— Они что, передают кому-то мои слова?

Я смотрел на него и не мог поверить.

— Хватит, — сказал он. — Разговор окончен. Ты, ви-

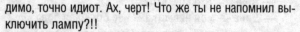
димо, точно идиот. Ах, черт! Что же ты не напомнил вы-
ключить лампу?!!

Он дернулся через весь стол, опрокинул бутылку и
выдернул из розетки шнур.

— Говорил же тебе — сгорим! Надо было десять минут — не больше! Ты чем думал? Идиот! Тупица несчастный!

Утром я проснулся от боли в правом глазу. Люба про-
мыла мне его чаем и сказала, что сетчатка, наверное, со-
жжена. Правая половина лица у меня была красная, как
помидор.

Выходя из кабинета врача, я наткнулся на Николая.
Он держался рукой за левый глаз и печально смотрел
на меня правым. Вся левая часть лица у него была пун-
цовой.

— Красавчик, — сказал он. — Нам теперь можно с
тобой в цирке выступать. Смешной будет номер.

— Как ты меня нашел?

— Цыганка погадала. У врача там еще кто-нибудь
есть?

— Нет, никого. Но здесь только по прописке. Ты что,
тоже в этом районе живешь?

— «Мой адрес — не дом и не улица». Ты ансамбль
«Самоцветы» в молодости любил?

Я посторонился, и он шагнул в кабинет. Двигаясь к
лестнице по коридору, я вдруг представил себе, как уди-
вится сейчас окулист, и не смог удержать улыбки.

— Эй, профессор! — раздался у меня за спиной голос Николая.

Обернувшись, я увидел, как он выглядывает из при-
открытой двери.

— Ты подожди уходить. У меня к тебе дело. Поможешь мне кое в чем.

* * *

Все это происшествие с Николаем было одним сплошным несоответствием. Вернее, с одной стороны — чего тут было и ожидать, когда идешь с просьбой к этим людям? Но с другой — все равно чувствовался какой-то диссонанс, несовпадение двух выкроек. Такая общая неровность краев. Как будто ждал чего-то иного.

Реальность редко совпадает сама с собой. Но это не страшно. Гораздо хуже, когда ты не совпадаешь. И отнюдь не с реальностью. Не можешь совместить свои собственные контуры с ускользающим драгоценным собой. Болезненная ситуация, ведущая к ситуации смерти. И окаменения.

Как в случае с памятником. Он хоть ни в каком смысле и не является человеком, но зато активно имеет его в виду. Стремится к совмещению очертаний. Включая динамические моменты в виде струящейся по каменному лицу дождевой воды. Которая в пространстве метафоры изо всех сил прикидывается слезами. Но безуспешно. Контуры не совпадут.

Эти мысли впервые пришли мне в голову в Киевской лавре. Концепция несоответствия вещи самой себе. И явлений. И возрастов.

Я смотрел тогда на крошечные иконки, которые продавались в магазине с белыми стенами, и думал сразу о всех святых — сколько им было лет, когда это с ними случилось, то есть все это кипящее масло, дикие звери, любопытство случайных и неслучайных зрителей, колья, крючья, наматывание кишок, топоры. Судя по изображениям — в среднем лет пятьдесят, не меньше. Но тут ведь явно требуется наивность и жизнелюбие значительно более молодого человека. Для крючьев и топоров. Революция делается порывистым сердцем. Тем более если она победила на целые две тысячи лет, а не просто перегородила полицейскими кордонами, скажем, Париж на неделю, чтобы молодежь могла побить стекла, покричать и попеть на улицах все самое любимое из «Битлз».

Тогда в Киевской лавре я решил, что им всем было не больше двадцати пяти. Максимум двадцать восемь. Потому что в тридцать человек уже готов обсудить с обществом условия капитуляции. Своей, разумеется. Заставить капитулировать общество в этом возрасте за всю историю смогли всего два-три человека.

Я попросил у продавца святую Любовь и долго вглядывался в ее совсем не похожий на Любин лик взрослой печальной женщины. *«Вот возьмите еще свечечку. Как придете домой, зажгите ее перед дверью и войдите со словами: «Святые отцы Печерские, молитесь о нас». Возьмите, возьмите. Сила необыкновенная».* — «Да нет, спасибо, я комсомолец». — «Берите, берите». Потом, уже вернувшись в Москву, выяснил ее возраст. Дочерей святой Софии казнили в 137 году при императоре Адриане. Вере исполнилось двенадцать лет, Надежде было десять, а Любовь приняла мученичество девятилетней. Так что даже мои аллюзии на французских шалопаев оказались сильно преувеличенными. Но с «Битлз» все-таки были пересечения. Раннее христианство и рок-н-ролл. Встреча союзников на Эльбе. *«All we need is Love! All we need is Love!»* А вот насчет возраста — никаких двадцати — двадцати пяти лет. Просто дети.

Оскар Уайльд тоже мучился от этих несоответствий. Правда, в другую сторону.

«Трагедия старости не в том, что стареет тело, а в том, что душа остается молодой».

Извелся, бедняга, со своей юной душой, с этой шустрой Психеей, в коридорах тюрьмы города Рэдинга. Ку-

да тоже попал, разумеется, по душевной молодости. А как вы хотели? Проблема внутреннего возраста.

Интересно, он когда-нибудь совпадает с тем, на что смотрят все эти люди в метро, когда ты входишь в вагон, и стоишь у дверей, и качаешься, потому что все места заняты, и все смотрят, а на что им, скажите на милость, еще смотреть? И никто не уступает место.

Или никогда не совпадает?

Очевидно, на иконах пишут возраст души. С видимым глазу корреляция в этой живописи отсутствует.

И, значит, все же несоответствие.

Такое же, впрочем, обычное, как отношение к евреям. Как те вопросы, которые задавал мне Николай по поводу моего жидовского детства. И думал, наверное, что выводит этим самым меня из себя. Хотел заставить меня занервничать, чтобы контролировать ситуацию. Психолог. Можно было предвидеть эти гэбэшные штучки.

Ну и зря старался. В артиллерии, как сказал мне один бывший полковник, это называется «огонь по площадям». То есть стреляем не прицельно, а так — в принципе, в том направлении. Где затаился противник и чешет свою пархатую голову. Потому что выводить меня из себя — излишняя затрата ресурсов.

Я уже давно из себя вышел. И где обратная дверь — я, кажется, позабыл.

Но зато помню, что все на свете является не таким, каким оно выглядит. Или считается. Несоответствие торжествует во всем, как удар дубиной. Покорность евреев ужасной судьбе — это просто колыбельная на ночь, которую гои напевают себе и своим детям, пока те носятся за очередным Сеней и пинают его ботинком под зад. *«Ой ты, **гой** еси, добрый молодец!»* Песенка для самоуспокоения. Потому что слово «изгой» во всей своей аутсайдерской красе означает «из гоев», а вовсе не «из ев-

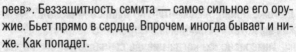
реев». Беззащитность семита — самое сильное его оружие. Бьет прямо в сердце. Впрочем, иногда бывает и ниже. Как попадет.

Тут ведь многое упирается в мифологию. Самым тупым и самым тяжелым концом. Как в истории с Диной. Которая не жена моего Володьки и воровка по магазинам, а дочь Иакова. Разумеется, не от Рахили. И которая однажды *«вышла посмотреть на дочерей земли Ханаанской»*. Решила прикинуть шансы. Инстинктивное соперничество, проблема самооценки, сравнительный анализ. Ну и прикинула на свою голову. Компаративистика не всем дается легко. Подвернулся местный барчук. Затащил под кусты и *«сделал ей там насилие»*. Тоже можно понять. Не ходи одна по чужим улицам. А с другой стороны, к чему такую красоту прятать дома? Просто так пропадет, застоится. Вот и разогнали слегка кровь по жилам. И, в общем, так бы все и закончилось, ничего нового, и даже где-то отчасти и хорошо, поскольку вроде бы «нет — инцесту» и приток новеньких хромосом, но этот шустрец из-под куста взял да и втрескался по уши.

Бывает.

И вот тут как раз появился Сеня. То есть, конечно, тогда он был еще Симеон. С братом своим Левием и другими основателями сионизма. И они предложили местным любителям сладкого свой гешефт. Потому что бизнес есть бизнес. Ничего личного. В смысле, примчались сваты, и начались все эти разговоры про свадьбу и про то, что, извините, мы не хотели, просто так получилось, сильно девица у вас красивая, как тут удержишься, само выскакивает из штанов, а мы тут вроде туземная аристократия, сами понимаете, привыкли на дармовщинку, так что не до хорошего, и отдайте нам девушку в законные жены. На что братья оскорбленной, но затаившей дыхание жертвы ответили сдержанно и по-мужски: ну, раз выскакивает, вы это дело обрежьте, и будем с вами родственники, *«и составим один народ»*. А иначе — никакой свадьбы.

Но народ в итоге не очень составился. То есть местные по наивности себе чего надо отрезали и потом заболели, потому что нельзя ведь не заболеть, и слегли, а Симеон с Левием, *«братья Динины, взяли каждый свой меч, и смело напали на город, и умертвили весь мужеский пол, и разграбили город»*. К такой-то, разумеется, матери.

Кадры черно-белой кинохроники: маршал Жуков показывает с трибуны Мавзолея большой палец. Радостно улыбается и машет рукой.

Так что какая уж тут еврейская покорность судьбе? Опять одно сплошное несоответствие. Радует лишь участь того, кто должен был появиться через девять месяцев после всей этой суеты. Если под кустом у них все получилось. По матери он имел право считаться чистокровным евреем. Никаких проблем с самоидентификацией.

При этом забавно — на чем поймали. На обрезании. Прямо как хороший редактор. Ножницами — чик! И готово. «Ваша статья может пойти в печать только в таком виде». Или диссертация. Им все равно что обрезать. Лишь бы торчало.

«Вы знаете, — сказали мне тогда в ученом совете, — вашу диссертацию о Фицджеральде придется немного отложить».

То есть не просто отложить, а — «немного». Вопрос — это как?

«У вас вторая глава провисает в свете решений последнего пленума. Надо либо ее сократить, либо переписать заново. Но поскольку страдает объем, то лучше переписать».

И я согласился, что объем страдать ни в коем случае не должен. Страдание — категория не объемная. Существует в чем угодно, но только не в пространственных измерениях. Во времени, в воздухе, во взгляде, во сне, больше всего во сне — только не в количестве страниц и не в сантиметрах.

Если эти сантиметры, конечно, не складываются в чей-то конкретный рост. И если этот конкретный кто-то не обладает над тобой бесконечной властью. «Конкретный», разумеется, не в мужском роде. Окончание «-ая», как в деепричастиях «погибая» и «засыпая». Является каждую ночь во сне — холодная, бессердечная, чужая. Уходит всегда с другим. И в пробуждении нет никакого смысла.

В общем, я понял, что вторую главу придется переписать. Новизна положения, правда, заключалась в том, что переписывать ее мне уже было негде. Даже в квартиру Соломона Аркадьевича после женитьбы на Любе я перебрался в общих чертах из ниоткуда. Служебное жилье отца после его смерти быстренько отобрали, а я слонялся по домам родственников, пока они мне открыто не дали понять, что у меня еще остается мама. Но у мамы давно уже была другая семья, а с бабушкой я жить не мог. После отцовского инфаркта и его быстрой смерти она без конца повторяла, чтобы я следил за своим сердцем, и я в конце концов от этого очень устал. Потому что как за ним уследить? Выходишь однажды из института на улицу, а там Люба.

Поэтому больница доктора Головачева после квартиры Соломона Аркадьевича была для меня конечной станцией. *«Поезд дальше не пойдет. Просьба освободить вагоны».* И когда я напросился на ночные дежурства, шансов на возвращение к Любе у меня уже практически не оставалось. Вторую главу можно было смело начинать переписывать в закусочных и на автобусных остановках.

С этими ночными дежурствами, кстати, выбор у меня тоже был небольшой. Точнее сказать, его вообще не было. То есть ночевать либо на улице, либо в больнице. Где все-таки стоит в ординаторской какой-то диван. И можно поспать хоть немного, пока не придет Гоша-Жорик и не начнет говорить, что он в этом не виноват. И требовать, чтобы я его отпустил на танцы. «Только туда и обратно. Я быстро, студент. Никто не заметит. Выдай мне одежонку».

Конечно, он был не виноват. Я очутился бы на этом диване и без него. Но он тем не менее приходил и продолжал настаивать на своей непричастности. Я даже начал подумывать, не запереть ли его палату на ключ, но потом от этой приятной мысли пришлось отказаться. Головачев утром бы удивился тому, что Гошу лишили привычной для него свободы. Плюс наверняка бы задумался, какие такие вдруг отношения между нами возникли, что мне даже пришлось его запирать. В больнице доктора Головачева любые отношения между персоналом и пациентами были запрещены.

Но между Гошей-Жориком и мной они существовали.

* * *

Это началось в тот момент, когда мне стало понятно, что анализом и наблюдениями в больнице занимаюсь не только я. Подглядывая за подопечными Головачева, я иногда чувствовал на себе чей-то пристальный взгляд. Разумеется, он мог принадлежать кому-нибудь из персонала, поскольку мое поведение с самого начала привлекало их живое внимание и, возможно, даже служило темой их профессиональных бесед. Но что-то в самой природе того щекотливого зуда, который время от времени возникал у меня между лопаток или на затылке, говорило мне, что вызвавший его взгляд слишком интенсивен для того, чтобы принадлежать врачу. Тем более санитару.

И я вертел головой. Затихал, а потом резко разворачивался всем корпусом. Вращался вокруг оси, как планета Земля. Не помогало. Я никак не мог избавиться от ощущения чужого взгляда, но его реактивный владелец в поле моего зрения так ни разу и не попал. Когда я стал подозревать себя в паранойе и был уже готов рассказать об этом врачу, он наконец объявился сам.

«Это не так делается, — сказал Гоша-Жорик, входя в кабинет к Головачеву и отнимая у меня ножницы из рук. — Болоньевый плащ этими не порежешь. Они же для маникюра. Тебе надо большие. Или вообще бритву принеси».

«Я не могу большие, — сказал я. — Заметят и отберут. В халат только такие входят».

«Под мышкой, кекс. Под теплой мякенькой мышкой», — сказал он и подмигнул мне блестящим глазом.

Так у меня появился союзник.

На следующий день я принес бритву, и Гоша-Жорик показал мне в туалете, как надо резать плащи. Он разрезал мой халат на длинные тонкие полосы от самого воротника, а потом еще связал их между собой.

«Нравится? — сказал он. — Новая мода».

«А в чем я теперь буду ходить?»

«Скажи сестре-хозяйке, что соседи на кухне сперли. Пока сушился. Она тебе новый даст».

«Я не в коммуналке живу».

«В отдельной, что ли?»

«Ну да».

«Значит, буржуй. А я думал — ты кекс. Ладно, зови в гости».

После того как плащ Головачева был благополучно разрезан и все мои фрейдистские мучения оказались наконец позади, бритву Гоша-Жорик оставил себе. Непонятно, где он сумел ее спрятать, но санитары ее не нашли. Хотя обыск по всей больнице был устроен отменный.

«Хорошо пошмонали, — говорил мне Гоша после того, как переполох улегся. — А ты знаешь, между прочим, что значит слово «шмон»?»

«Нет», — отвечал я.

«Надо же. А по виду вроде еврей».

«При чем здесь это?»

«Шмон» по-еврейски значит «8 часов».

«Ну и что? Мне все равно непонятно».

«В 8 часов раньше в тюрьмах был обыск. Обязательно каждый день».

«А там что, сидели одни евреи?»

«Выходит, что так. Я тебе потом про эти дела много чего расскажу. Поможешь свинтить отсюда? Только не сейчас. Мне еще здесь покантоваться надо».

А через несколько дней, стремясь, очевидно, завоевать мое окончательное расположение, он рассказал мне, что произошло в больнице с Любой. И я был потрясен, и раздавлен, и даже сначала просто не хотел верить ему. Но он настаивал и говорил, что «у баб так бывает» и если в первый раз и так поздно, то они действительно иногда сходят с ума. Хоть ненадолго.

«Клинит у них, понимаешь? — говорил он, хватая меня за плечо. — А у тебя самого бы, думаешь, не заклинило? Ходишь, ходишь до тридцати с лишним лет, а потом вдруг — бац! — и вот это. А ты ведь еще моложе ее лет на пятнадцать».

«На десять», — потерянно говорил я.

«Без разницы. Для нее это как целая жизнь. И тут она от тебя еще *это*. А в дурдоме таблетки. Сам понимаешь. В общем, нельзя».

И когда я наконец поверил и отправился, как освободительная армия, прямо из больницы домой, полный всепрощения, нежности и поддержки, стоило мне только открыть дверь и заикнуться сначала тремя словами *«я все понимаю»*, а потом еще словом *«аборт»*, как вся моя жизнь на этом остановилась. Свернулась и прекратила существование.

Перепуганный Соломон Аркадьевич успел вытолкнуть меня за дверь и под страшные Любины крики попросил пока дома не появляться.

«Вы понимаете, молодой человек? Ее состояние не стабильно. Врачи делают все, чтобы она перестала думать об этих вещах. А вы тут приходите и чуть не в рупор кричите!»

«Но я же не знал».

«Это неважно. Вам есть где переночевать? Она не должна вас видеть».

Вот так я оказался на том диване, который стоял в ординаторской. Головачеву это было даже удобней. Во всяком случае, споры из-за графика ночных дежурств в коллективе больше не возникали.

Но Гоша-Жорик все равно чувствовал себя виноватым.

Еще бы. Где я теперь должен был переписывать эту несчастную вторую главу?

Чтобы хоть как-то утешить меня, Гоша рассказывал мне истории из своей жизни. Он говорил, что, когда мы с ним «свинтим отсюда», мы первым делом отправимся в Киев. Потому что он там работал на хлебокомбинате и у него там много друзей, которые просто завалят нас всем необходимым.

«Мы тебе такую цыпу найдем — забудешь о своей Марусе».

«Она не Маруся», — говорил я, лежа на жестком диване и отвернувшись к стене.

«Ты на Крещатике цып не видел».

«Нет, она не Маруся».

В подтверждение своего киевского реноме он неустанно развивал образ хлебокомбината в качестве локального и не утраченного еще рая, приводя какие-то фантастические истории о невероятных количествах выпитой водки, сожженных роялях, обманутых Дедах Морозах и еще невозможно вслух повторить о чем. Рассказчик он был хороший, хотя иногда увлекался и уходил от темы. Это я понял, даже несмотря на то, что почти не слушал его. Догадался по интонациям. Впрочем, один эпизод я выслушал довольно внимательно. Рисовал пальцем на обоях круги, но все-таки слушал. Потому что там фигурировал нож.

История звучала примерно следующим образом:

Гоша-Жорик *(вскакивает со стула и подбегает к стеклянному шкафу)*: Не веришь мне, студент? Не веришь, да? Я ведь вижу, что ты не веришь.

Я *(лежит на диванчике, свернувшись от переживаний, не в силах вытянуться во весь рост)*: Ты осторожнее там, у шкафа. Крыльями не маши.

Гоша-Жорик: А ты знаешь, как такие вещи могут оби-

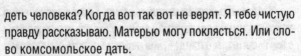

деть человека? Когда вот так вот не верят. Я тебе чистую правду рассказываю. Матерью могу поклясться. Или слово комсомольское дать.

Я: Не надо мне комсомольское. Рассказывай дальше. Чего ты вскочил?

Гоша-Жорик: Так ты же не веришь!

Я: Нет, я тебе верю. Хотя мне, знаешь ли, все равно. Ты рассказывай. Главное, не молчи. И не маши там руками.

Гоша-Жорик *(немного успокаивается и возвращается к своему стулу):* Тогда я себе еще спирту налью.

Я: Не обожги горло.

Гоша-Жорик *(выпивает из прозрачной мензурки и отламывает черный хлеб):* В Киеве пекут в тысячу раз лучше. В Москве тут не дрожжи, а глина. Чувствуешь? Совсем ведь не поднялось. *(Протягивает лежащему* **Я** *кусок хлеба, но тот отворачивается к стене.)* И правильно, что не хочешь. Я тоже его есть не могу *(Съедает весь хлеб.)* Просто жрать охота. От спирта, наверное. Про что я рассказывал?

Я: Про то, как тебе приносили муку, а ты резал мешки ножом, потому что не успевал.

Гоша-Жорик *(воодушевляясь):* Ну да, где тут успеешь! Пока эти вязочки там найдешь! Пока их развяжешь! Хуже, чем лифчик на цыпе. Ты с этим как? Быстро справляешься? *(На секунду замирает, ожидая ответа, но потом машет рукой.)* Ну ладно. А муку надо постоянно в бункер засыпать, а то все остановится. И напарник еще, как назло, не пришел, бухает. Тогда я начал эти мешки просто резать. Хлоп финкой в бочину, и муку — в раструб. Сыпалась, правда, но зато очень быстро пошло. И вокруг скоро от этой муки стало все белым. Потому что, я же тебе говорю, она на пол сыпется. А таскают мне ее наверх два кренделька, тоже бухие. Там все по этому делу, потому что нельзя. Если не пить, то уснешь. Работа изматывает. И, короче, один этот крендель притащил мне мешок и, видимо, вместе с ним завалился. Слишком сильно принял. А я ничего не вижу, отвернулся как раз. И он, этот крендель, так удачно на куче с мешками замаскировался. Как летчик Мересьев в снежном лесу. У него же бушлат от муки тоже весь белый. Лежит как мешок — лицом вниз, дремлет. И тут я поворачиваюсь со своим ножом. Представляешь? Картина Репина «Приплыли». О, я на эту тему стишок вспомнил! Знаешь его, нет? «А шизофреники вяжут веники. А параноики рисуют нолики». Слыхал?

Я: Нет. Ну и что было дальше?

Гоша-Жорик: Я размахиваюсь, и тут он начинает передо мной шевелиться. Я еще, знаешь, успел подумать — надо же, мешок ожил. Как в сказках Николая Васильича Гоголя. И стою. А финку уже высоко держу. Вот так. *(Показывает.)* Меня ножом работать один фраер учил. Он до лагерей взводным был во фронтовой разведке. Немецким кексам кишки пускал. Уважительно к финочке относился. Говорил, что еще в тридцать девятом в зимнюю войну ее полюбил. Слыхал про «белую смерть»?

Я: Нет.

Гоша-Жорик: Смотри, вот так надо к часовому сзади с финочкой подходить. Вот так. *(Машет рукой.)* Видал? Учись, студент, потом поздно будет.

Я *(с некоторым нетерпением)*: Что дальше-то было с тем, который уснул? Ты его зарезал?

Гоша-Жорик *(пренебрежительно)*: Да кому он нужен! Нет, ты подожди, я тебе еще один приемчик с ножом покажу. Вставай! Давай подходи ко мне сзади. Как будто хочешь на меня напасть. Ну давай! Чего ты разлегся? Смотри, вот это у тебя будет финка.

Он увлекался, размахивая во все стороны футляром от градусника, а я так и не мог получить от него ответа, какие чувства он испытал, едва не вонзив нож человеку в спину.

На мои вопросы, как он угодил в сумасшедший дом, Гоша-Жорик-Игорек отвечал довольно туманно. Судя по всему, он просто пережидал здесь какие-то неприятности. В противном случае, как я понял, его ожидала тюрьма. В фавориты же к доктору Головачеву попасть для него было несложно. Пользуясь своим безграничным умением читать ситуацию, он очень быстро изучил повадки тех самых стиляг, которые томились в больнице до моего прихода. Как только их выпустили из-за «потепления» наверху, Гоша-Жорик вооружился идиомой насчет «свята места» и начал свою лексическую атаку.

Забываясь, он и при мне называл себя «штатником» или хвалил «штатские шузы», но я чувствовал, что этот новый и странный мир был дорог ему ничуть не больше, чем мне. А может быть, даже меньше. Но такова природа притворства. Если бы к Тартюфу не прицепилась вся эта гневная молодежь, он, скорее всего, действительно стал бы вполне набожным христианином. Так что тут главное — не мешать.

О своем тройном имени Гоша-Жорик со мной говорить не хотел и только однажды весьма грубо ответил, что это не мое дело и что он ведь не спрашивает — кто я, русский, или еврей, или и то и другое вместе. И я не знал, что ему на это ответить.

Комплекс Минотавра ведь состоит не в том, что тебе хочется пожирать молоденьких девушек, или бегать по лабиринтам (предположим, страстей), или убить героя. Просто ты никак не можешь простить своей матери связи с быком. Пусть даже это был священный бык Посейдона. Или, наоборот, не можешь простить папаше-быку минутного увлечения смертной женщиной. Пусть даже она была царицей Крита. И теперь в результате всех этих романтических затей одна половина твоего «я» постоянно стесняется другой половины. Просто не может не стесняться. При этом непонятно — какая из них права. Бычьей голове наверняка хотелось бы, чтобы внизу тоже все было как-нибудь поприличней. В смысле анимализма.

Ну, и наоборот.

Все это, впрочем, касается также сфинксов, русалок, кентавров и остальной живописной нечисти. У которой к родителям, скорее всего, тоже масса вопросов. Плюс, разумеется, мулы. Но с ними как-то совсем обидно ассоциировать свое беспокойное «я». Слишком покладисты. И никакой Ариадны.

* * *

«Свинтить» из больницы оказалось до смешного легко. Намного легче, чем продолжать там оставаться. Граф Монте-Кристо, узнав о таком побеге, умер бы, наверное, от черной зависти. Так и не сумел бы никому отомстить. А мы просто отправились с Гошей на танцы. Я, кажется, даже дверь, уходя из больницы, на замок не закрыл. Во всяком случае, ключ на следующее утро я у себя в карманах не обнаружил.

Первоначально, правда, мы еще рассчитывали вернуться, но обстоятельства той ночи разворачивались так стремительно и неизбежно, что больница к утру перестала для нас существовать.

Все началось с того, что Гоша-Жорик пришел после

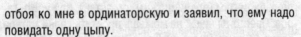

отбоя ко мне в ординаторскую и заявил, что ему надо повидать одну цыпу.

«У нее кренделька в армию закатали. Цыпа теперь в простое. Нельзя оставлять боевую подругу в беде. Сегодня в Академии Жуковского на Ленинградке танцы. Она туда ходит как часы. Поперли. Ты летчикам давно морды не бил?»

Я сообщил, что уводить девушку у товарища, который к тому же ушел в армию, нехорошо, но Гоша-Жорик был настроен по-боевому.

«Если не хочешь, я — один. Сиди тут и кисни. Охраняй своих дуриков. Там, между прочим, других цып тоже будет полно. Они на летунах помешались».

Когда мы вошли в клуб, Гоша-Жорик уже изнывал от нетерпения. Протолкнувшись через курсантский заслон у входа, он обернулся и решительно втащил меня за собой. Мимо широких плеч, стоячих воротничков, мимо золотых нашивок и царапнувшего по щеке погона.

«Не дрейфь, студент. Еще момент — и все будет».

Застыв на пороге танцевального зала, он хищно втянул носом воздух, обвел взглядом вальсирующие пары, показал мне пальцем на прижавшихся к стенам девиц и, перекрикивая оркестр, громко продекламировал:

Азохен вей, товарищи бояре,
Я князя Троцкого не вижу среди тут!

Через секунду он растворился в круговороте синих кителей и цветастых платьев.

Постояв немного у входа, я понял, что всем мешаю, и отошел к стене. Оттуда было удобнее наблюдать, и к тому же мой гражданский довольно мятый костюм там меньше бросался в глаза. Практически все остальные мужчины были в тщательно отутюженной военной форме.

Через минуту я обратил внимание на девушку с толстой косой и в очках, которая сидела на стуле недалеко от меня. К ней несколько раз подлетали курсанты, но она всем неизменно отказывала. В ее напряженной спине, застывшем лице и вытянутой неестественно шее чувствовалась тяжелая скованность. Ей было явно неудобно вот так вот сидеть, но она упрямо не меняла позы. Больше всего я удивился, когда она вдруг обратилась ко мне. Музыка в этот момент немного утихла, и я отчетливо услышал ее голос.

«Послушайте, — повторяла она. — Эй, вы! Вы, что же, меня не слышите? Я с вами ведь говорю. Идите сюда. Ну что вы такой глухой!»

Я ткнул себя пальцем в грудь и сделал большие глаза.

«Да-да, — закивала она. — Идите сюда скорее».

Потом, размышляя об этом событии, я понял, что она выбрала меня из-за костюма. Отсутствие военного кителя делало меня в ее глазах как бы не совсем мужчиной. Не вполне тем, кого надо стесняться. И, значит, мне можно было доверять.

«Что это у вас на щеке? — сказала она, когда я склонил к ней голову. — Царапина? Вы что, дрались?»

«Нет, просто на входе там слишком тесно».

«Ну хорошо, — перебила она меня. — Это неважно. Вы можете мне помочь? Послушайте, вы ведь не из академии?»

В ее голосе вдруг зазвучала тревога, но я поспешил ее успокоить:

«Нет-нет, я здесь случайно. То есть не я, а нас двое».

«Вы с девушкой?»

«Да нет. Вы все не так понимаете. Просто...»

«Неважно, — махнула она рукой. — Если вы не с девушкой, то мне нужна ваша помощь. Вы ведь согласны?»

Она разговаривала со мной тоном учительницы. Что-то в этом тоне напоминало мне Любу, но эта девушка и вполовину не была так красива, как моя Рахиль.

«Лия была слаба глазами, а Рахиль была красива станом и красива лицом».

«Что вы молчите? Поможете мне или нет?»

«Да, конечно. А что нужно сделать?»

«Прижмитесь ко мне сзади».

«Ага, — сказал я. — То есть прижаться?»

Мы помолчали некоторое время.

«Ну да, — наконец сказала она. — Вы что, не понимаете?»

«Тут музыка слишком громкая. Мне кажется, я вас неправильно понял».

«Я говорю вам — при-жми-тесь!».

Последнее слово она проговорила по слогам. Чтобы я разобрал.

«Но мне как-то неловко».

«Что вы говорите? Я вас не слышу. Слишком громкая музыка. Вы можете прижаться сзади ко мне?»

Я на секунду выпрямился и покрутил головой в поисках Гоши-Жорика. Он, конечно, говорил мне в больнице, что здесь будет много цып, но о том, что они так решительны, разговора у нас с ним не было.

Девушка нетерпеливо дернула меня за рукав, и я снова склонился к ней.

«У меня сзади на платье отлетела пуговица, — сказала она. — Я не могу идти к выходу и держать все это рукой. Слишком заметно. Прижмитесь ко мне, как будто танцуете «летку-еньку», и мы дойдем до двери. Вы ведь знаете, как танцевать «летку-еньку»?»

«Но это не «летка-енька», — сказал я. — Это вальс «На сопках Маньчжурии».

«Неважно. Слушайте, какой вы привередливый! Я же не говорю вам — «танцуйте». Я говорю — «как будто танцуйте». Вы прямо такой буквоед. Никто ведь не просит вас брыкать ногами. Как вас зовут?»

«Слава».

«Очень приятно, Слава. Меня зовут Вера. Итак, вы готовы? Сейчас я поднимусь. На счет «три» делаете шаг мне за спину, и мы начинаем движение. Договорились? Кивните мне».

Я кивнул.

«Раз, два, три».

Она вскочила, и я, как оловянный солдатик, шагнул ей за спину.

«Хорошо, — сказала она. — Теперь пошли. И-и раз-два-три, раз-два-три...»

Она отсчитывала ритм, как учитель танцев, а я старался не слишком сильно прижиматься к ее спине. Платье на ней было настолько тонким, что я не мог поручиться за нечувствительность некоторых моих собственных частей тела. Я хоть и являл собой вот уже несколько дней олицетворенный образ страдания, но не мог же отвечать за все человечество в том виде, в каком оно произошло от обезьяны. По мысли великого естествоиспытателя и путешественника Чарльза Дарвина.

Когда испытание моего естества и наше путешествие до двери уже подходили к концу, у нас на пути возникло неожиданное препятствие. Это был мой бывший однокурсник, который оказался здесь неизвестно каким образом и, как и я, был одет в гражданский костюм.

«Здорово, Койфман! — сказал он, хлопая меня по плечу, но уставившись на мою спутницу. — Сколько лет сколько зим! Как дела? Познакомишь со своей девушкой?»

«Ты знаешь, мне сейчас некогда, — сказал я. — Давай как-нибудь в другой раз. Я сейчас немного занят».

К тому же я не помнил его имени. Он учился в другой группе.

«А почему вы так странно танцуете? — спросил он. — Это что, такой новый танец?»

«Да, — сказал я, начиная слегка покачиваться за спиной сохранявшей молчание Веры. — Мы — стиляги. Это очень стильно, чувак. Штатский танец».

«А я ни разу не видел. Научишь?»

«Конечно. Встаешь как на «летку-еньку», а танцуешь как вальс. Паровозиком. Чем больше людей, тем лучше».

«Клево, — сказал он, мигом подхватывая мой тон. — Слушай, ты, говорят, в психбольнице работаешь? У меня проблемы с военкоматом. Сделаешь справку?»

«Мы долго так будем стоять? — возмутилась наконец Вера. — Один шаг до двери!»

«Прости, чувак, — сказал я. — Нам хилять пора. А насчет справки — заходи. Не проблема».

Я назвал ему адрес больницы и готов был уже сделать этот последний шаг, но меня вдруг кто-то резко схватил за локоть.

«А чего это гражданские к нашим девушкам пристают? — крикнул высокий белобрысый курсант, нависая надо мной и стараясь привлечь внимание остальных военных. — Не положено так прижиматься. А ну, отпусти ее!»

Я растерялся. Я понятия не имел, что теперь делать, поскольку, отпустив свою новую знакомую, я тем самым немедленно выставлял ее на посмешище. Поступить так вероломно с доверившейся мне девушкой я просто не мог. С другой стороны, лицо этого курсанта как-то уж очень быстро наливалось кровью. Вера вздрогнула и еще сильнее прижалась ко мне спиной. Буквально вдавилась в мой живот.

«Отпусти, тебе говорю!» — рявкнул побагровевший

курсант и в следующую секунду рухнул передо мной на колени.

Не успев удивиться, я поднял взгляд и увидел сто- явшего за ним Гошу-Жорика, который уже размахнул- ся, чтобы нанести второй удар.

«Не надо!» — крикнула Вера и закрыла руками лицо.

Гоша, как молотобоец кувалдой, грохнул курсанта ку- лаком в ухо, и тот повалился набок. Перешагнув через него, Гоша обхватил меня и Веру двумя руками и начал проталкивать нас через толпу. Сзади раздался еще один женский крик.

«Давай, давай! — жарко шептал мне в ухо Гоша-Жо- рик. — Пока они не очухались. Сейчас начнется!»

И оно началось.

Справа от нас прозвучал резкий и короткий свист, и Гоша тут же покачнулся от сильного удара.

«Давай, студент! Не останавливайся! — сквозь зу- бы прошипел он. — Надо выскочить на воздух! Тут они нас уроют!»

Я изо всех сил прижимал к себе Веру, стараясь ук- рыть ее от града ударов, который обрушился на нас бу- квально со всех сторон. Мы уже двигались по коридо- ру. Вокруг нас кипел рой разъяренных курсантских лиц. В воздухе просвистел ремень, потом еще один, и нако- нец тяжелая пряжка врезалась мне в плечо.

В глазах у меня потемнело от боли, и я едва не вы- пустил Веру из рук.

«Давай, студент! — закричал Гоша, толкая меня к вы- ходу на улицу, а сам делая шаг назад. — Я догоню!»

«Бритва! — закричал кто-то у нас за спиной. — У него бритва!»

«Ну, давайте, сучата! — зашипел Гоша. — Подходи- те по одному!»

Я обернулся и увидел, как они расступились, обра-

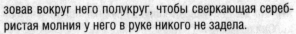
зовав вокруг него полукруг, чтобы сверкающая серебристая молния у него в руке никого не задела.

«Беги!» — закричал он, и мы с Верой побежали.

Когда он нас догнал, у меня уже не оставалось никаких сил. Так быстро и так долго я не бегал никогда в жизни.

«Ну, ты мечешь, студент, — проговорил, задыхаясь, Гоша-Жорик. — Как спутник на орбите».

Он согнулся и, упираясь руками в колени, помотал головой.

«Ты никого не порезал?» — сказал я, пытаясь перевести дыхание.

«Ну и дурак ты, Гоша», — точно так же запыхавшись, выговорила Вера.

«Сама ты, — ответил Гоша. — Валерка только-только в армию загремел, а ты уже по курсантам скачешь».

«Не твое дело, дурак».

«Еще раз скажешь «дурак» — я тебе в ухо двину».

«Пошел ты! — Она несильно пнула его по ноге. — С тобой свяжись — точно в тюрьму посадят».

Она повернулась ко мне:

«Я же только до двери просила меня довести. А вы притащили этого идиота!»

«Ты теперь моя девушка, — все еще не выпрямляясь, сказал Гоша. — Меня Валерка просил за тобой присмотреть».

«Ага, разбежался! Сидишь у себя в дурдоме — вот и сиди. И Валерку своего после армии можешь позвать туда же.

А вам большое спасибо, — язвительно сказала она, снова поворачиваясь в мою сторону. — Как я теперь там в следующий раз появлюсь? И так дежурный офицер пускать не хотел. Говорит, из-за вас одни драки».

«Но я же не знал», — сказал я.

«Да-да. Целуйтесь теперь со своим Гошей!»

Она развернулась и быстро пошла в сторону стадиона «Динамо». Платье у нее на спине распахнулось, обнажив полоски бюстгальтера, но она уже не помнила ни о чем.

«Эй, стой! — крикнул Гоша. — Стой!»

Она, не оборачиваясь, показала в нашу сторону фигу.

«Вот дура! — сказал он. — Ну ладно, сама потом прибежит. А чего это она говорила, чтоб мы с тобой целовались? Вы что, целоваться с ней собрались?»

Голос его зазвучал настороженно.

«Да нет. Просто она попросила меня проводить ее до двери».

«А чего ты тогда к ней так прижимался? Откуда ты ее знаешь?»

«Я ее не знаю. Первый раз сегодня увидел».

«Да? А то смотри у меня, студент. Порежу на тряпочки».

Мы помолчали.

«Ты зачем бритву туда принес?» — наконец сказал я.

«А ты хотел, чтобы они нас урыли?»

«А если бы порезал кого-нибудь?»

«Я и порезал».

Над головой у нас от резкого порыва ветра зашумели кроны деревьев. Где-то невдалеке два раза прогудел автомобиль.

«Не дрейфь, — сказал Гоша. — Это же я порезал. Ты тут совсем ни при чем. Хотя бритва, конечно, твоя. Зря ты мне ее оставил. Я же сумасшедший».

«Насмерть?» — спросил я, практически ничего не соображая.

«Откуда мне знать? Кровищи вроде бы много. Ладно, пошли. Надо возвращаться в больницу».

Запинаясь и не разбирая дороги, я двинулся следом за ним, но потом в хаосе завертевшихся у меня в голове

обрывков мыслей, панического страха и каких-то неза-
вершенных чужих фраз я вдруг вспомнил о своем одно-
курснике.

«Ты адрес ему сказал?!! — зашипел на меня Гоша. —
Тогда нам кранты. Понаедут кудрявые».

Так он называл милиционеров из-за их коротких
стрижек.

«Слушай, у тебя деньги есть?»

«Зарплату вчера давали», — сказал я.

«Молодца. Двигаем на Киевский. В шесть утра будет поезд».

На вокзале он забрался с ногами на лавку и тут же
уснул, а я всю ночь вертел головой, провожая взглядом
каждого патрульного милиционера. Впервые за несколько месяцев мысли о моей Рахили покинули меня. Оставили рядом с безмятежно сопевшим Гошей.

* * *

Обещанный Гошей-Жориком киевский рай обернулся безденежьем, проливным дождем, двумя мохеровы-
ми кепками и огромным листом фанеры. Зарплаты, по-
лученной накануне нашего бегства из Москвы, хватило
совсем ненадолго. У моего спутника оказались весьма
дорогие привычки. Первые три дня мы обитали в самых
шикарных ресторанах. Гоша щедро раздавал мои деньги официантам, подмигивая мне каждый раз, как будто
между нами был какой-то тайный сговор и как будто от
этого подмигивания денег в моих карманах должно было
становиться все больше. Но их становилось все меньше, а улицы Киева все сильнее напоминали каналы Ве-
неции. Хотя я там никогда не был, чтобы судить наверняка. И даже подозревал, что теперь никогда и не буду.

Потому что то ли из-за дождя, который никак не мог

кончиться, то ли из-за бездомной неприкаянности и постоянного присутствия Гоши-Жорика, а может быть, из-за картин драки с курсантами, вертевшихся у меня в голове почему-то задом наперед, как в неисправном кинопроекторе, со мной стало происходить что-то странное. Мой мозг отказывался воспринимать реальность всю целиком и вместо этого впускал ее лишь урывками. Фрагменты менялись местами, выскакивали из своих гнезд, лица переходили от одного человека другому, улицы путались, Гоша-Жорик болтал, кто-то смеялся, и, кажется, это был я, мозаика не совпадала, и весь предполагаемо реальный мир стал ускользать от меня, как знаки препинания с печатной машинки Джойса. Впрочем, быть может, я всего-навсего заболел. Кажется, Жорик посмотрел на меня в какой-то подворотне и неожиданным голосом Робертино Лоретти сказал: эй, да ты весь горишь, крендель. Или потрогал, а не сказал.

Взаимосвязи между структурами рушились постепенно, как мосты в осажденном городе, по которому бьет дальнобойная артиллерия. То есть сначала проваливался переход из одного места в другое — вот мы сидим на скамейке, и вот я уже возле каких-то ворот, — а чуть позже стали исчезать и сами эти конечные пункты. То есть вот мы опять сидим на скамейке, а потом ничего, пустота, или голос Жорика, монотонный как город в котором пропадают улицы или как текст в котором все меньше этих крючочков запятых и точек и заглавных букв и глазу уже не за что зацепиться но он тем не менее продолжается этот текст как и жизнь хоть ты из нее почти вывалился или если не вывалился то плывешь где то сбоку параллельно этому голосу и он все рассказывает какие замечательные у него друзья и как они нам помогут но они не помогают а дают вместо этого лист фанеры и никто тебе не объясняет зачем просто говорят лезь в трамвай и ты лезешь и люди ругаются потому что ты всех толкаешь и вообще тесно но на улице гоша говорит молодца посмотри сколько нащипали давай крендель вот едет еще трамвай пара часов работы и хватит на ужин а потом ночевать но ты не понимаешь где ты ночуешь и ночуешь ли ты вообще потому что у фанеры края и рукам очень больно и кто-то кричит в середине вагона украли и потом гоши нигде нет он появляется на конечной и говорит чуть не спалили брось ты эту фанеру чего вцепился пальцы аж побелели пойдем я тебе куплю кепку а то совсем промокнешь но тебе страшно потому что у него бритва и ты не знаешь как вернуться домой и курсант с перерезанным горлом или не горлом и фицджеральд и его сумасшедшая сара фрэнсис скотт с двумя тэ то есть шотландец а не скотина которая на убой и соломон аркадьевич делает любе аборт чтобы она не носила ребенка который не от еврея и рахиль стоит у колодца и доктор головачев поит ее верблюдов и гоша говорит пойдем. вот тут снова всплывает первый знак препинания как подводная лодка под перископ но люки пока закрыты кругом корабли противника и ты ощущаешь радость оттого что можешь об него запнуться то есть препнуться не о перископ конечно потому что по воде почти никто не ходил а просто об знак препинания и тебя не так быстро несет но пока еще не заглавные буквы и все же это возвращает надежду хотя ты не понимаешь хочешь ли ты ее возвращения или нет. а гоша уже почти реальный и надевает тебе на голову кепку и на нем точно такая и он рассказывает про московских воров которые полюбили мохеровые кепки и никак не могли понять почему милиция в гуме так быстро их вычисляет а милиция забиралась на третий этаж и смотрела вниз с галереи и как только в мохеровой кепке она его цап и гоша стоит и смеется над недогадливыми московскими щипачами. но здесь в киеве можно потому что у местных другой фармазон или фасон просто трудно запомнить из-за того что гоша часто произносит такие слова а ты стоишь и смеешься. Не над московскими фраерами а оттого что гоша реальный и ты понял его рассказ и кепка все равно от дождя не спасает и нельзя было выдумать ничего глупее чем ее купить. А еще оттого, что знаки препинания как будто вернулись. И даже заглавные буквы. То есть снова появились мосты.

Но ненадолго. Как будто вынырнул на поверхность — глотнул темный воздух, и от него внутри головы стало темнее, чем снаружи. И сразу назад. ноги в водоросли. На дне клубятся. скользкие как угри только я никогда угрей в жизни не видел может быть на картинке в том учебнике в пятьдесят четвертом году но это был ведь учебник анатомии и в нем ожидались голые женщины но оказались одни скелеты и не было там никаких угрей значит путаница и ты упрямо лезешь под юбку и гоша говорит смотрите крендель ожил и тот кто в юбке смеется вернее та потому что она в женском роде первое склонение окончание а как в кабинете у зубного врача откройте рот скажите а и ты знаешь что будет больно но рот все равно придется открыть потому что это окончание женского рода и женский род носит юбки если он не шотландец не скотт но эта говорит что норвежка хотя откуда здесь взяться варягам одни хохлушки правда у этой акцент или она мне всего лишь снится и я лезу под юбку как скот как скотина в моем личном сне а раз это мой сон что хочу то и делаю отвяжитесь

* * *

По словам Гоши, я «косорезил» шесть дней, в то время как для меня это событие длилось не больше минуты. Просто минута оказалась очень насыщенной. Норвежская девушка, как выяснилось, действительно существовала. Она подобрала нас на берегу Днепра, где я разговаривал на английском языке с милиционерами, а Гоша прятался невдалеке, но не убегал. Сказав младшему сержанту, что я ее больной брат, и показав ему норвежский паспорт, она привела нас к себе в общежитие для иностранных студентов Киевского университета.

Почти все эти студенты были кубинцы, и мы с Гошей остались жить в комнате с большим портретом Фиделя Кастро. Первое, что я услышал, когда более или менее пришел в себя, был монолог Гоши-Жорика о том, что он тоже хочет такую сигару, как у «команданте».

Норвежку звали Вельма Хольккскъяйер. Гоша произнести ее фамилию не мог, поэтому просто говорил «ведьма». Но, разумеется, только тогда, когда она уходила на занятия, и мы пробирались через коридор в ее комнату, где были хотя бы стулья. Вельма хорошо понимала русский язык.

Хотя и вправду была некрасива.

«У вас очень хороший язык, русский, — говорила она, глядя на себя в зеркало. — Мне нравится идиома «С лица воду не пить». Я только не сразу ее понимала. Я думала — какая на лице вода? Может быть, слезы? Но потом уже понимала. Хороший язык. Много смыслов. А тебе какая любимая идиома? Я правильно говорю?»

Она говорила неправильно.

И не в смысле построения русской фразы, а в том, что настойчиво продолжала обращаться ко мне. Гоша-Жорик сообщил ей, что я тоже «студент», и она надеялась достучаться.

Только я не мог ей ничем помочь. Мне нравилась масса русских пословиц, мне нравился ее голос, мне нравилась наша комната, где у окна над матрасом висел курящий Фидель, мне нравились все эти шумные кубинцы, которым после фестиваля молодежи и студентов не хватило мест в московских институтах и они веселой кучей явились сюда, в Киев, — мне нравилось все, но я не мог ей об этом сказать.

После того как я раздружился с реальностью, а потом она вдруг снова вернулась в виде этой кубинской неразберихи, у меня из головы исчезли слова. Я просто не мог заставить себя произнести ни звука. Молчание опустилось на меня, как камушек на могилу еврея. Нравится или не нравится — все равно не вылезешь и не уберешь. Лежи и помалкивай.

А может, я еще не до конца был уверен в подлинности того, что вернулось. Кто мог гарантировать, что вот это и есть реальность? Сигара, а позади нее — борода и Фидель.

Поэтому Гоше-Жорику пришлось отдуваться за нас двоих. Он говорил и говорил без умолку. Наверное, боялся, что нас могут выгнать. Впрочем, Вельма тоже от него не отставала. Скорее всего, она старалась использовать наше присутствие в сугубо лингвистических целях. На занятиях в университете ей не хватало практики языка, а кубинцы по-русски говорили совсем плохо. В этом отношении Гоша всегда был к ее услугам. Тем более что, как выяснилось, он мог объяснить ей такие вещи, о которых я понятия не имел.

«Халява» означает что-то бесплатное, — говорил он Вельме и украдкой успевал подмигивать мне. — Происходит от еврейского слова «халеф», что означает «молоко».

«Интересно, — говорила она. — Но почему молоко бесплатно?»

«Потому что его давали в тюрьме. Зэкам. Зэк — это значит «ЗэКа», то есть заключенный. Им давали там бесплатное молоко. Очень давно. Когда был Мишка Япончик. Слышала про Мишку Япончика? Все бандиты в Одессе были евреи. Потом стали красногвардейцами. В Гражданскую войну чекисты из них сделали целый полк. Но они разбежались. Налетчика в окоп не посадишь».

«Что такое «налетчик»? Пилот?»

«О-о, милая, да ты вообще ничего не знаешь. Чему вас эти профессора там учат?» — в его голосе звучало явное неодобрение по адресу всей системы высшего образования в СССР.

Гоша вздыхал, как будто собирался взвалить на себя чей-то чужой и, разумеется, непосильный труд, качал головой, пожимал плечами, снова подмигивал мне и начинал свою лекцию. Не знаю, как Вельме, но мне временами было забавно. Я даже забывал иногда, что не говорю. То есть я все-таки продолжал молчать, но скорее не потому, что не говорил, а потому, что слушал. Из-за этого, очевидно, я начал испытывать по отношению к Гоше-Жорику не совсем понятное мне самому чувство благодарности.

«Айсоры приезжают на гастроли в Москву, потому что у них в Средней Азии срока большие. Дома у себя за квартирную кражу они мотают по полной, а в Москве кодекс мягче. Трешкой обходятся, вот и едут. Прут как тараканы из всех щелей».

Вельма уже не спрашивала, что значит «айсоры» или «трешка», потому что Гоша проводил предварительное занятие для введения новой лексики. С точки зрения методики преподавания он отрабатывал наш кров вполне профессионально.

«Прямо с вокзала и прут. Как инженеры с такими тубусами. А в тубусах — инструмент. Очень интеллигентно. Вышел из поезда, огляделся. Хоп — и квартирка! Оттуда уже в ресторан».

Скоро на его лекциях стали засиживаться и кубинцы.

«Вот, дорогие товарищи пламенные революционеры, — обращался к ним Гоша. — Нам, конечно, до вашего опыта экспроприации далеко, но и мы кое-чего умеем. Батисты у нас, к сожалению, нет, но кого пощипать — это всегда найдется».

Меня лично больше всего заинтересовала его теория цикличности преступлений. Гоша-Жорик утверждал, что на зоне прибытие новых заключенных имеет сезонный характер. Обитатели тех мест в общих чертах заранее знают, по какой статье осуждены прибывающие в то или иное время года. Цикличность в интерпретации Гоши привязывалась к основным праздникам:

«После 8 Марта идут за убийство. Причем косяком. Убийства в основном бытовые. На почве ревности. Работяга сидит дома, а жена празднует у себя в коллективе. Профком, местком, тосты, цветы. Восемь часов — ее нет, девять часов — ее нет. А он уже сходил в магазин. Собирается — и к ней на работу. А там не пускают. Вахтер, все дела. А наверху в окнах какие-то мужики курят. Ну и пошло. Одно за другое — чего, кто, куда — или камнем по башке, или пику с собой взял заранее. Но бабы не понимают. Поэтому на 8 Марта мрут как мухи. Неосторожно».

Перед последним словом он делал паузу, а произнося его, неодобрительно качал головой.

Май, по словам Гоши, был месяцем изнасилований.

«Сначала 1-е, потом 9-е. Одни выходные. Люди на пикниках. Компаний в лесу много. Шли мимо, туда-сюда. Она потом смотрит — чулки порвали, конфеты все унесли. Бегом в милицию. Ей за чулки обидно. И денег никто не дал. Сразу писать заявление. А эти — по сто семнадцатой. Или за групповое. Как она там напишет».

Празднование годовщины Великой Октябрьской социалистической революции вело за собой приговоры по делам об уличном грабеже.

«Холодно становится, — говорил Гоша. — Народу шапки нужны. А дорогую ну как ты купишь? На нее где-то деньги надо найти. Поэтому — цоп сзади! И побежал».

Слушая его, я попытался применить подобный принцип цикличности к анализу некоторых классических текстов и с удивлением обнаружил, что с его помощью открываются такие детали, о существовании которых я до этого даже не подозревал. Наблюдения Гоши-Жорика вполне могли стать основой для нового метода литературного анализа. Эта мысль удивила меня так сильно, что я встал со своего места и начал ходить по всей комнате от окна до двери.

«Эй, крендель, — сказал Гоша обеспокоенным голосом. — У тебя что, опять началось?»

Но у меня не началось. Просто я снова стал думать о литературе. И это в общем-то был хороший знак.

Я размышлял также о том, в какую из Гошиных категорий теперь попадаю я сам, сделавшись, очевидно, преступником, и каким образом вся эта цикличность связана с неизбежностью. Потому что любые ритмические процессы, любое постукивание пальцем по столу в конечном итоге намекают на бесконечность, а уж ее-то избежать никому на свете не суждено. В том виде, во всяком случае, в каком нам ее предлагает смерть. Будь ты хоть самым неритмическим чуваком или чувихой на свете. И никакие персональные качества в счет не идут. Человек, разумеется, может повлиять на исторические сюжеты, но их окончательным ритмом ему не овладеть. Просто не хватит дыхания. Ни в ритмическом, ни в физиологическом смысле. Персональное участие ограничивается постукиванием по столу. Легкой паузой между фразами «раз» и «два» на уроках ритмики в средней школе. В лучшем случае — возможностью увеличить цикл с десяти до двенадцати, назвав июль или август в свою чувацкую честь и отодвинув, скажем, октябрь с восьмой позиции на десятую. Но октябрь ведь от этого все равно не перестанет быть октябрем, и из него по-прежнему будет настырно выглядывать цифра восемь. Как щупальца из осьминога.

Octopus, октаэдр, Октавиан.

Этот наследник Цезаря, кстати, оказался довольно последовательным чуваком. В приступе тоски по цикличности, как средству избежать забвения, присмотрел для себя именно восьмой месяц, что и предполагалось его первоначальным именем — Октавиан. Видимо, был восьмым ребенком. Насчет Августа пришло в голову значительно позже. Когда уже предал всех, кого можно было предать, и почувствовал, что заавгустел. Овидий, скорее всего, идею принес. Все правильно, императорские хлеба надо отрабатывать. Тем более если нацелился на его симпатичную родственницу. После нее, разумеется, — в ссылку. Хвала Юпитеру, что ничего не отрезали. И кропать «Скорбные элегии». «*The pangs of dispraised love*». Это мы тоже все проходили. Не только у Шекспира, естественно. Хотя какая там ссылка — на Черном море? Сиди на берегу, стишата кропай.

Октава.

У буддистов восьмерка вообще святое число. Срединный путь, бесконечность. Усесться на ее плавную линию и скользить по ней, как по рельсам. Пока в глазах не начнет мелькать. Пока реальность не сольется в обычный пятнистый круг, который всегда бывает вокруг карусели. Во всяком случае, был в детстве. Сейчас точно не знаю — давно не проверял. В общем, пусть сольется. Потому что кому она нужна, реальность? Да здравствует буддистский слалом. И никаких восклицательных знаков после слова «слалом». Их с карусели не разглядишь. Можно только услышать, как Гоша обучает поэзии Вельму Холькскъяйер — некрасивую норвежку, интересующуюся русским языком.

Ну да, а что ей еще остается?

«Песня называется «Хорошие девчата». Стихи написал поэт Матусовский. Поняла?»

«Мацуповски».

«Да нет! Матусовский. Великий советский поэт. Повтори».

«Мацуповски».

«Ну что ж ты!.. В институте учишься, а ничего запомнить не можешь, кулема! Ладно. Повторяй за мной: «Хорошие девчата, заветные подруги». Ну, давай. Чего молчишь? Я тебе говорю: повторяй!»

«Хорошие девчата, заветные подруги».

«О! Вот молодец. Получилось. Теперь дальше: «Приветливые лица, огоньки веселых глаз». Чего опять замолчала?»

«Гоша, я не понимаю, что такое «кулема».

«Слушай, знаешь что? Я тебе лучше спою эту песню. Зови своих кубинцев. Пусть подыграют».

Октет.

Из всех циклических и ритмических процессов музыка — самый приятный процесс. Уступает в этом отношении, может быть, только любви. В ее ритмической парадигме. Зато наверстывает количеством наслаждающихся. Впрочем, римляне и этот недостаток преодолевали легко. Стоило Августу умереть, как пустились на эту тему во все тяжкие. Меньше чем ввосьмером, если верить Петронию, даже не начинали. Тут уже не до музыки. Но поскольку прошло почти две тысячи лет и Великая Октябрьская революция, мы ведем себя гораздо прилич-

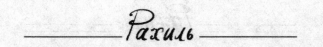

нее. Снимаем одежду только в одиночестве или когда вдвоем. И с выключенным светом. В остальных случаях одетые сидим на стульях и слушаем музыку.

Притопывая ногами, потому что удержаться, если честно, нет сил.

Гошину песню кубинцы не знали и почти сразу перестали мучить свои маленькие смешные гитары. Гоша успел добраться только до слов «Куда нас ни пошлете, мы везде найдем друзей». Кубинцы вежливо поаплодировали ему, переглянулись, хлопнули по гитарам и внезапно изменившимися голосами потянули пронзительное: «Айя рива, йя рива». Через минуту мы все щелкали пальцами и стучали ногами. Гоша свистел, как Соловей-разбойник, а некрасивая Вельма танцевала посреди комнаты немного странный, очевидно норвежский танец. Миф о скандинавской сдержанности разваливался на глазах.

Внезапно нырнув под кровать, она выдернула оттуда большой чемодан, открыла его и, практически вывалив содержимое на пол, стала быстро перебирать пластинки в цветастых конвертах. Найдя то, что искала, Вельма вскочила на ноги и бросилась к стоявшему на окне проигрывателю.

«Элвис Пресли», — выдохнула она.

Потом, когда все уже успокоились, Вельма, немного путая слова и блестя глазами, рассказала об американском военном госпитале у себя в Норвегии, куда после корейской войны привезли много раненых солдат. Для норвежских девушек это событие оказалось важнее, чем вся история скандинавских завоеваний. Американцы приехали не с пустыми руками. Вернее, они получали посылки из США. А в этих посылках в Европу летел Элвис Пресли.

«Мы делали вот так. — Она снова выскочила на середину комнаты и затрясла головой. — И вот так».

Она вскинула руки и подпрыгнула, едва не опрокинув этажерку с учебниками русского языка.

«И у меня был такой розовый пояс. Очень широкий. И зеленый. Два пояса. И еще юбка. Она должна быть очень твердая. Почти хрустит. Мы разводили сахар в воде и юбку туда опускали. Получается твердая. Только неудобно в кино. Прилипает. — Вельма засмеялась и хлопнула себя по заду. — Липкая, и царапается еще».

Я представил себе всех этих норвежских девушек в сладких юбках и американских солдат с пластинками Элвиса Пресли в руках, и мне стало ужасно смешно.

«Чего хохотать? — сказал Гоша-Жорик. — Хорошая музыка. Интересно, сколько эти пластиночки могут стоить, если их стилягам на барахолке толкнуть?»

Его тонкая музыкальная душа оказалась настолько впечатлительной, что буквально на следующий день он украл все пластинки из чемодана Вельмы, и больше я не видел его никогда. Расстроенная норвежка предложила мне сходить в лавру. Помимо русского языка, она изучала еще древнеславянское искусство. Стоя рядом с ней и рассматривая иконы, я впервые подумал о том, что многие вещи не вполне соответствуют сами себе.

Но зато я теперь мог говорить. Песни этого Пресли окончательно вернули меня в реальность, и оказалось, что она снова заслуживает каких-то произносимых слов. Извинившись перед Вельмой за Гошу-Жорика, я попросил у музыкальных кубинцев денег на поезд, а вечером уже ехал в Москву. В кармане у меня была лишь небольшая иконка и тоненькая свеча, которую надо было зажечь перед своей дверью и которую я не хотел покупать по причине явного отсутствия такой двери, но в конце концов за нее все равно заплатила норвежка. Ей понравилась сама идея.

Выйдя утром из поезда, я прямо с вокзала отправился к доктору Головачеву. Мне было уже неважно — искала меня милиция или нет. Мне надо было увидеть кого-нибудь, кто знал меня больше, чем последние два-три дня. Я смертельно устал быть незнакомцем.

Головачев встретил меня чрезвычайно приветливо. Он много говорил, постоянно пожимал мне руку, то и дело выбегал в соседнюю комнату, где его жена кормила только что появившуюся на свет дочь. В середине нашего разговора он вынес показать этого сморщенного ребенка и начал вертеть конверт с ним как куклу, а когда я испугался, он сказал, что это все ничего и что он сам медик и поэтому знает, как надо.

Успокоившись и вернув ребенка своей жене, Головачев сообщил, что в Америке умерла Мэрилин Монро и от этого его жена не может выйти ко мне из соседней комнаты.

«Ревела все утро. Теперь у нее опухло лицо, и она вас стесняется, молодой человек. Так что вы извините».

Когда я спросил про Любин аборт, он наконец немного смутился и сказал мне, что иначе поступить было нельзя.

«Я не мог давать ей пустышки вместо таблеток. Вы же понимаете. Хоть она и обижалась на это. Потому что ей хотелось быть как стиляги. Но я сказал ей, что стиляги не сумасшедшие, что они попали в больницу из-за политики. А ей нужны настоящие лекарства. Но они нанесли бы вашему возможному ребенку непоправимый вред. Поэтому пришлось пойти на операцию».

Я сказал ему, что все понимаю и что мне не нравится только фраза «возможный ребенок». Головачев извинился, еще раз пожал мне руку, я встал и ушел.

Перед самым уходом он спросил меня, вернусь ли я на работу в больницу. Очевидно, он никак не связывал мое внезапное исчезновение с побегом Гоши-Жорика. Я сказал, что нет, не вернусь. А потом вышел от него, так и не увидев его опухшей от слез жены.

Спустившись в метро, я остановился посреди станции, не в силах решить, в какой мне сесть поезд — справа или же слева. Разницы, в принципе, уже не существовало. Все поезда на свете шли в ненужном для меня направлении. Я чувствовал себя как Христофор Колумб, понявший, что точка возврата осталась далеко позади и питьевой воды на обратную дорогу в любом случае не хватит. Плыть можно было только вперед.

Странна и туманна участь того, кто решил попасть на восток через запад.

«А куда этот идиот делся? — сказал кто-то вдруг позади меня женским голосом. — Я думала, вы вместе».

Обернувшись, я обнаружил перед собой ту самую девушку, из-за которой разгорелся весь сыр-бор с поножовщиной на злосчастных танцах в Академии Жуковского.

«Нет, мы не вместе, — сказал я. — Он украл пластинки Элвиса Пресли».

«Элвиса Пресли? А кто это?»

«Один американский певец».

Она чуть наморщила лоб:

«Как Ван Клиберн?»

«Ну да, только он вообще-то поет. То есть он не совсем пианист. Но это неважно».

Я никак не мог вспомнить ее имени и от этого чувствовал себя довольно неловко. Просто стоял и ждал, когда она уйдет. Но она почему-то не уходила. Людской поток обтекал нас, прижимая друг к другу все ближе и ближе, а она не переставала рассказывать мне всякую чепуху, пока не упомянула наконец того происшествия на танцах.

«А что случилось с курсантом? — затаив дыхание, спросил я. — С тем, которого Гоша-Жорик порезал?»

«Да ничего. — Она беззаботно тряхнула толстой косой. — Швы на руку наложили — и все. У них там постоянно кого-нибудь режут. Дураки. Я больше туда не пойду».

«На руку? — сказал я. — Только на руку?»

«Ну да, а куда же еще? Он ему всю ладонь распластал. Вот от сих пор до сих. Ой, на себе же нельзя показывать! Есть такая примета. В общем, сантиметров десять, наверное, шрам. Здорово, конечно, вы тогда меня до двери проводили».

Я извинился перед ней и хотел нырнуть в переход, но она схватила меня за рукав и продолжала болтать как ни в чем не бывало. Очевидно, ей не хватало собеседника. Только я был не самым лучшим кандидатом на эту роль.

«А почему у вас такие грустные глаза? — огорошила она меня вдруг вопросом. — Вы ведь меня не слушаете. У вас что-нибудь случилось, да? Что-то серьезное? Кто-то болен?»

Я сказал ей, что нет, что все, в общем, здоровы и что я благодарен ей за участие, но мне нужно идти. Тогда она снова схватила меня за рукав.

Вечером, когда мы поднялись к ней на шестой этаж, она еще раз заверила меня, что ее подруга вернется с практики только через неделю, а соседям по коммуналке на все наплевать. Я взял ее за затылок и впервые поцеловал не Любу. Губы у этой девушки были твердые и прохладные. Я все еще не мог вспомнить, как ее зовут.

«Ух! — задохнувшись, сказала она, когда я отпустил

ее и вынул из кармана свою тоненькую свечу. — А это зачем?»

«Надо зажечь ее, перед тем как войдешь в дом, — сказал я. — Есть такая примета».

* * *

Элвис Пресли оказался весьма въедливым товарищем. Всего лишь через полгода после того, как я наконец защитился и мы с Верой снимали уже отдельную комнату, я бегал в перерывах между своими лекциями по Москве, заводя знакомства со всеми доступными мне стилягами, чтобы купить еще хотя бы одну пластинку. Вполне возможно, что среди них были и те, которые Гоша-Жорик украл у Вельмы и продал на киевской барахолке. Вера же к Элвису относилась спокойно и чаще слушала песни в исполнении Гелены Великановой. Хотя проигрыватель купил я.

Потом стал просачиваться «Битлз». Капля по капле, но тоже довольно настойчиво. Кто-то услышал его по «Свободе», кто-то по «Голосу Америки», и наконец дружинники в институте отобрали у моих студентов маленькую пластинку, наивно передав ее после этого в деканат. Две ночи я не давал Вере уснуть, раскачивая головой над проигрывателем и распевая вместе с Полом и Джоном «*It's been a hard day's night*». Правда, тогда в Москве никто еще не знал, что они были Пол и Джон, и вообще у нас какое-то время считалось, что все они между собой братья. Если бы Леннон тогда узнал об этом, он, скорее всего, был бы очень доволен и, может быть, даже написал бы по этому поводу песню. Но «занавес» был железным с обеих сторон. В восьмидесятом году, когда его застрелили, я отменил занятия. Лежа у себя в комнате и пытаясь глядеть в потолок, я вспоминал жену Головачева, которая не смогла выйти ко мне в день смерти Мэрилин Монро. Странные вещи иногда происходят с нами.

Но в семьдесят втором, когда меня попросили с кафедры, Джон был еще жив. И это во многом подсластило пилюлю. В июне они выперли из страны Иосифа Бродского, а к осени взялись за остальных. Несмотря на то что в пятой графе у меня было записано «русский», институт на время пришлось оставить. Коллеги скромно отводили глаза, а кое-кто советовал поменять фамилию.

«У тебя же по матери все нормально».

Формулировка мне очень нравилась. Как своим синтаксисом, так и неповторимой полифонией контекстов, которые этот синтаксис позволял. Но я все же предпочел написать заявление. Гонители были уже не те. Для хорошего серьезного аутодафе или Бухенвальда кишка у них была тонка.

Когда устраивался читать лекции в общество «Знание», дама в тяжелых очках попросила заполнить анкету. Дойдя до графы «пол», я, практически не задумываясь, печатными буквами написал «Маккартни». Печатными — чтобы она поняла. Тем не менее она удивилась.

«Но пол ведь бывает только мужской и женский», — сказала она, выглядывая из-за своих толстых очков.

«Не факт, — ответил я. — Любая дефиниция страдает определенной невозможностью адекватно описать то, что она призвана описывать. В науке это настоящая драма».

«Как интересно», — сказала дама в очках.

«А вы посмотрите на пятый пункт. Что там стоит?»

«Русский», — сказала она.

«А теперь прочитайте фамилию».

«Койфман».

«Вот видите».

«Да, вижу. Ну и что?»

«У вас много знакомых русских мужчин с такой фамилией?»

«Ни одного. Вы первый».

«Замечательно. Значит, хоть где-то я оказался на первом месте. Американцы в таком случае говорят: «You made my day». Большое спасибо».

Даже когда белые нейлоновые рубахи окончательно вышли из моды, я все равно продолжал их носить, вызывая этим насмешливые взгляды симпатичных студенток, уже обрядившихся в узкие разноцветные батники и широченные брюки клеш. Они создавали свои «системы» на улице Горького, проводили массу времени в «Трубе», как они называли переход у гостиницы «Метрополь», без конца болтали про американских хиппи и повязывали на голову цветные веревочки. Но мое сердце осталось в шестидесятых. Однажды я даже купил в комиссионке точно такой же желтый болоньевый плащ, как у доктора Головачева. Правда, так и не решился его надеть. Володька потом использовал его для ремонта велосипеда. Складывал в него какие-то испачканные в масле запчасти, протирал им насос.

Вера, получив диплом, пошла на работу в школу и стала завучем. Не сразу, разумеется. Через несколько лет. Но для меня эти годы проскочили как-то незаметно. Я и моя жизнь — мы в общем-то уже не очень интересовали друг друга. У каждого из нас были свои дела. Моя жизнь сама собой протекала в аудиториях, на ученых советах и деканских часах, а я тем временем сидел на диване и слушал голос Веры, которая рассказывала из ванной комнаты одни и те же истории про школу, про коллег и про учеников. Она всегда говорила очень громко, и даже шум льющейся воды не мог помешать ей остаться услышанной. Когда мы переехали в двухкомнатную квартиру, ей стало труднее, но она сделала над собой усилие, и ее опять было слышно в любой точке нашего совместного жилья. Как только она уходила в ванную и начинала разговаривать оттуда, я мог перестать кивать и включал телевизор. Правда, звук приходилось полностью убавлять, поскольку он разрушил бы нашу схему общения.

Володька свои первые десять лет жизни был абсолютно уверен в том, что я обожаю безмолвные движущиеся картинки и что все папы смотрят телевизор именно так. Однажды, когда я опоздал с ноябрьской демонстрации из-за того, что надо было собрать в деканате все транспаранты и портреты членов ЦК, он подбежал к ревущему праздничными лозунгами телевизору и на глазах у всех Вериных родственников выключил звук. Он просто обрадовался, что я наконец пришел, и хотел сделать мне приятное.

Вот так в тишине я пережил падение Сальвадора Альенде, отрубленные руки Виктора Хары, конец вьетнамской войны, гол Пола Хендерсона в наши ворота на последней минуте знаменитой хоккейной серии, приезд в Москву Ричарда Никсона, безмолвные и бесконечные монологи Брежнева, полет «Союза — Аполлона», полет мертвого Че, привязанного к стойкам шасси американского вертолета, и еще много разных других полетов, которые, то ли к счастью, то ли к несчастью, не имели в моей жизни никакого значения. Она — моя жизнь — неторопливо катилась сама по себе, и я даже в приступе сильного энтузиазма не мог бы сказать, что принимаю в ней какое-то особенное участие.

Время от времени я заглядывал в кафе «Сокол» на улице Расковой. Директор этого заведения, Леонид Михайлович, с пониманием относился к бывшим стилягам, и они собирались иногда здесь, чтобы повздыхать о былом, пошуршать нейлоном, поскрипеть шузами и позлословить о модном у «нынешних» лохматом хаире. Эти остатки разбитой наполеоновской гвардии можно было

встретить еще в середине семидесятых в небольшой шашлычной напротив гостиницы «Советская». Среди стиляг эта
шашлычная была известна под названием «Антисовет-
ская». Разумеется, сугубо из топографических соображений. Директор ее, Павел Семенович, для краткости всегда назывался «Пал Семеныч», и его имя при редукции
гласного звучало практически как «Пол», что, в свою очередь, тоже сообщало этому местечку известное очаро-
вание. Как-то раз среди стиляг там оказался один человек, за спиной которого все шептались и показывали на
него пальцами. Когда я спросил: «А кто это?», мне ответили: «Бобров». Вот так я своими глазами увидел великого форварда. Он совершенно не был таким, каким я
его знал в больнице доктора Головачева.

Однажды я уговорил Веру заглянуть со мной в это
«злачное», как она потом выразилась, место. На самом
деле никакими злаками там и не пахло, а люди просто
ели мясо с бумажных тарелочек и запивали его вином.
В летний день такой комбинации вполне хватает для того, чтобы немного приблизиться к пониманию счастья.

Приблизившись после двух стаканов портвейна к этому самому пониманию уже практически на расстояние
вытянутой руки, я неизвестно зачем поднял голову от своего шашлыка и наткнулся на весьма интенсивный взгляд
пары темных и очень тревожных глаз. Разумеется, вся
эта темнота и тревога принадлежали моей растворившей-
ся в бурных шестидесятых Рахили. В эту шашлычную ее
привело, очевидно, то же самое, что и меня, — недоверие к слишком поспешно наступившему «завтра». Как все
нормальные советские люди, мы должны были испытывать прилив оптимизма при мысли о «завтрашнем дне»
и всяких его свершениях, но, как несостоявшиеся стиляги, как неудачливые муж и жена, как не встретившиеся
у колодца Рахиль и Иаков, мы просто стояли в этой шаш-

лычной и молча смотрели друг на друга, как будто взглядом можно хоть что-нибудь изменить.

Совершенно забывшись, я уронил на пол кусочек мяса, и Вера прыснула, сообщив мне тут же, что я «окосел». Ей было весело, потому что она тоже пила портвейн. Хотя сначала немного стеснялась.

Когда я выпрямился с этим несчастным кусочком мяса в руке, Любы в шашлычной уже не было. Сквозь огромное боковое стекло я увидел, как вдалеке мелькнул ее плащ, но он только мелькнул и немедленно растворился среди других плащей. С утра обещали дождь.

На следующий день меня вызвали в деканат прямо с экзамена.

«Вам звонят из Совета Министров», — сказала мне секретарь, заглядывая в аудиторию.

«Откуда?» — сказал я.

«Але, Койфман, ты меня слышишь? — Это был голос Любы. — Койфман, кто это вчера с тобой был? Ты что, теперь ходишь по ресторанам?»

«Это не ресторан, — сказал я, посмотрев на сидевшего передо мной замдекана, который изо всех сил делал занятое лицо. — Ресторан был напротив. Через дорогу. И, вообще, я принимаю экзамен. Мне не совсем удобно сейчас говорить».

«Ха! Тебе всегда неудобно. Что это за тетка была с тобой?»

«Это моя жена».

На том конце провода помолчали.

«Ты знаешь, я должен вернуться в аудиторию, а то они сейчас начнут списывать», — сказал я.

«Можно подумать — ты им математику преподаешь. Пусть списывают. Больше узнают. Так вот почему тебе был нужен развод. Как ее зовут?»

«Вера».

«Молодец. Только в третий раз не женись, пожалуйста, на Наде. Ты что, специально ее подбирал?»

«Нет, это она меня подобрала. В прямом смысле. На улице. Вернее, в метро. То есть до этого еще на танцах».

Я чувствовал, что немного запутался, и к тому же замдекана уже перестал притворяться, что заполняет зачетные ведомости, и с большим интересом смотрел мне прямо в лицо.

«Я не могу сейчас с тобой говорить, Люба, — сказал я. — Оставь мне свой телефон, и я потом тебе позвоню».

«Как будто ты не знаешь, что у меня нет телефона. Обещают поставить на будущий год».

«Ну, тогда оставь мне тот номер, с которого ты говоришь сейчас. Это где-то в Совмине?»

«Сдурел, что ли? Кто меня туда пустит? Я вашей секретарше наврала. Просто так она тебя звать не хотела. И, знаешь, не надо мне никуда звонить. Передавай привет своей среде».

«Кому?» — сказал я.

«Жене номер два. Она у тебя точь-в-точь как среда».

«В каком смысле?»

«Не такая страшненькая, как понедельник, но и не такая симпатичная, как пятница. Про субботу-воскресенье речь не идет. В общем, береги себя, Койфман. Не увлекайся другими днями недели».

Но я не послушал свою Рахиль. Хотя имя третьей моей жены все-таки оказалось не Надя.

* * *

После происшествия с кварцевой лампой я еще несколько дней забавлял своим лицом студентов и соседей у себя во дворе. Мало того, что лицо было загоревшим ровно наполовину, оно к тому же оказалось загоревшим под Новый год.

— Готовитесь к карнавалу? — спрашивали коллеги на кафедре и подмигивали, как будто от этого мне должно было стать ужасно смешно.

Но к карнавалу я не готовился. Люба, которая в обычное время с радостью разделила бы веселье моих коллег и день и ночь подтрунивала бы над моим несчастьем, теперь не проявляла к нему ни малейшего интереса. Наблюдая за ней, за тем, как она молчаливо переходит из комнаты в комнату и перекладывает давным-давно уложенные, готовые к отъезду вещи, я вспоминал немецкого, кажется, теннисиста по имени Макс Виландер, который ушел из спорта на следующий день после того, как стал первой ракеткой мира. «Я потерял инстинкт хищника», — объяснил он, и его объяснение теперь вполне подходило и моей растерянной, уставшей от бесконечной конфронтации с миром Рахили.

— Все будет хорошо, — говорил я. — Уедешь ты в свою Америку.

Но она ничего мне на это не отвечала.

Единственным человеком, способным в это время понять мое состояние, оказался волею случая Николай. Вдвоем мы составляли с ним вполне замечательную пару, которая радовала окружающих своим видом еще больше, чем это удавалось мне одному. Объединявшая нас симметрия относительно переменчивой сердцем Натальи нашла наконец свое прямое и непосредственное выражение на наших лицах. Отличие состояло лишь в том, что от этой полосы на лице он почему-то выглядел еще более рельефно и мужественно, а я все чаще хватался за сердце и глотал валидол.

— Не пей так много таблеток, — говорил Николай. — Пей лучше водку. Помогает от всех болезней.

Мы стали встречаться с ним очень часто. Во всяком случае, чаще, чем мне хотелось бы видеть эту его загоревшую половину лица. Он поджидал меня после занятий во дворе института и вел потом в какой-нибудь ресторан, где почти никогда не платил, и мне было неловко перед официантами, потому что он заставлял их бегать за этими графинами практически без конца.

— Ты так сопьешься, Койфман, — сказала однажды мне Люба. — И откуда у тебя столько денег? А еще говоришь, что полгода зарплату не получал.

Но денег действительно не было. То, что мне дал Николай во время третьей или четвертой встречи, я ему сразу вернул.

— Как знаешь, — сказал он, убирая в карман серый конвертик. — Я думал, не помешают.

После нашего совместного похода к врачу он несколько раз обращался ко мне с какими-то безобидными просьбами, и я с готовностью их выполнял, поскольку надеялся, что он все-таки поможет Любе и Дине. Но он на эту тему упорно молчал. Я пытался как-то неловко сам об этом заговорить, и мои слова всякий раз повисали в воздухе. Или служили поводом для начала нового разговора, не имеющего никакого отношения ни к безмолвным переходам Любы из комнаты в комнату, ни к смешливому голосу Дины в телефонной трубке. Этой девушке, казалось, вообще было на все наплевать.

Николай приносил мне какие-то письма на английском языке, в которых, на мой взгляд, не было ничего интересного. Кто-то писал, что стоит чудесная погода, что цены невысоки и что девушки вокруг, наоборот, приветливы и красивы. Для меня это была полная чушь, но Николай спрашивал о подтекстах, о психологическом состоянии того, кто написал эти письма, и вообще, постоянно просил охарактеризовать этого человека.

— Он не писатель, — сказал я ему, прочитав первое же письмо

— Это мы знаем, — усмехнувшись, ответил мне Николай.

Примерно через неделю после начала наших стилистических упражнений он сказал, что больше не будет ждать меня около института, и дал номер телефона, по которому я сам должен был ему теперь звонить. Это был не его домашний номер. Те цифры я знал наизусть.

— Все правильно, — сказал он. — Это служебный. Пора, профессор, вписываться в контекст.

Быть может, я ответил ему слишком резко, поскольку был уже второй графин, и до этого я разругался с деканом, и официант весь вечер как-то странно на меня посматривал, да и вообще. Но Николай отреагировал все-таки чересчур бурно.

Выговорившись по жидовской тематике, он сообщил, что размажет меня по стенке, что я импотент и что в конце концов я сам к нему прибегу «на карачках».

— Ну кому ты б еще нужен?

С этим я не мог не согласиться.

Тем не менее листок с полученным от него телефонным номером я из своей записной книжки выдрал, а потом, смутно покачиваясь от горя и от выпитой водки, для надежности разорвал на клочки и долго втаптывал в снег у Любиного подъезда.

Следующая неделя прошла мимо меня как во сне. На кафедре отметили Новый год, но я сослался на сердце и ушел еще до того, как начали составлять столы. От запаха принесенных кем-то салатов меня мутило. Я чувствовал этот запах весь день. Даже во время лекции в самой дальней от кафедры аудитории.

— Что тебе приготовить на Новый год? — спросила меня Люба, думая о чем-то своем.

— Не салат, — ответил я. — Что угодно.

Без пяти двенадцать мы включили телевизор и посмотрели в лицо Ельцину. Он пообещал, что все будет хорошо.

Когда пробили куранты, Люба сказала, что я слишком много пью. И совсем не закусываю.

— Почему ты не ешь?

— Я ненавижу салаты.

— Надо было сказать.

— Я говорил.

— Да? Странно. Я почему-то не помню.

Она по-прежнему не могла найти себе места. Переходила из комнаты в комнату, вздыхала, украдкой вытирала слезы и время от времени начинала ворчать:

— Ну что ты ходишь за мной? Что тебе не сидится? Невозможно от тебя спрятаться, чтобы погоревать хоть чуть-чуть. Ползаем по квартире, как два таракана. Ноги бы хоть поднимал. Шаркаешь — просто оглохнуть можно.

Но у меня не хватало сил оставить ее в одиночестве. Моя душа старого таракана прилепилась к ее душе, и я с трудом переносил увеличение физической пустоты, которая возникала между нами во время ее странствий по комнатам.

— Тебе что, нечем заняться? У тебя лекции завтра нет?

Когда я позвонил Николаю на его домашний номер, он жизнерадостно рассмеялся:

— А я тебе говорил, профессор, сам прибежишь, а ты мне не верил. Так что еще неизвестно, кто лучше анализирует. Привет, как дела?

— Я согласен на твое предложение, — сказал я.

— Да ты что?!! — Он снова заливисто рассмеялся. — А уже поздно, профессор. Поезд ушел.

— Как ушел? Почему поздно?

— А вот так! Опоздал ты. Я из конторы намылился уходить. Тема есть замутить свой бизнес. Могу тебя, кстати, взять курьером. Зарплата все равно будет больше, чем сейчас у тебя, потому что у тебя сейчас, видимо, ровно ноль. Точно? Так что все твои переживания — псу под хвост. А ты ведь переживал? А, профессор? Переживал или нет?

— Я не знаю.

— Переживал, переживал. Ты мне не вкручивай. Мучился там, наверное, как принц Датский, — продавать душу дьяволу или не продавать, придержать, пока вырастет предложение. Но не вышло. Смешной ты, профессор.

— Почему?

— Да потому, что не получился из тебя Фауст. Душа твоя никому не нужна. И никакого дьявола на самом деле вообще нету.

— А кто есть?

Он помолчал и потом опять засмеялся:

— Ельцин Борис Николаевич — вот кто!

— Всего хорошего, — сказал я.

— Эй, ты погоди трубку класть! — закричал Николай на другом конце провода. — Я с тобой не закончил.

— Что еще?

— Пойдешь ко мне на работу?

— Нет.

— Я так и знал. Все-таки я тебя люблю, профессор. «Врагу не сдается наш гордый «Варяг»!».

— Ты знаешь, у меня сейчас не то настроение. Передавай Наталье привет.

— Да ты погоди! Ты ведь хотел за невестку и за первую жену просить?

— Да. — Я насторожился. — А что?

— А то. Ни за кого уже просить не надо.

— Мне кажется, я не очень тебя понимаю.

— Да брось, ты, профессор! Чего непонятного? Все уладилось без тебя. Зря ты волну гнал. Я же тебе говорил — все твои переживания яйца выеденного не стоят. Иди лучше на работу ко мне. Я твоим мозгам найду применение. Насчет курьера я пошутил.

— Подожди, подожди, — сказал я. — Как ты говоришь? Все без меня уладилось? Я не понимаю. У Дины и Любы все в порядке?

— Да и было в порядке, профессор. Ты просто не можешь голову поднять и вокруг оглядеться. Живешь на какой-то своей волне, а жизнь мимо тебя. Ты в нее не попадаешь.

— Да подожди! Что ты расфилософствовался!

— А ты думал, тебе одному можно? Нет, профессор. Я до Горбачева в Пятом управлении, между прочим, работал. Знаешь, какие зубры шли через нас? Титаны. Сейчас уже все в Оксфорде преподают. Тебе и не снилось.

— Да-да, я понимаю. Ты лучше скажи про Любу и Дину.

— На невестку твою администрация магазина заявление забрала почти сразу. Они же понимают, что им с нее ничего не получить.

— Но как же? А тот милицейский капитан мне сказал...

— Ты, видимо, пообещал ему что-то, — усмехнулся Николай. — Вот он в тебя и вцепился. Наврал он тебе насчет заявления. Просто ты ему зачем-то был нужен. Обрати внимание, профессор, все хотят тебя поиметь. Хочешь, мы его накажем?

— А Любины документы на выезд?

— Там еще проще. Кто-то их по ошибке положил не на тот стол. У нас ведь тоже не машины работают. Обыкновенные люди. Может человек ошибиться? А, профессор? Может или нет?

— Я думаю, может, — сказал я. — Человеку свойственно ошибаться. И что, она теперь имеет право уехать?

— Когда угодно.

— Хорошо, — сказал я. — Спасибо тебе.

— Да мне-то за что?

— Нет, все равно спасибо.

* * *

Природа благодарности непостижима. Кто-то разбивается для тебя в лепешку, не спит ночами, рыдает, говорит «Боже мой», а ты испытываешь прилив бесконечной нежности не к этому «кто-то», а к ободранному коту, который скользнул тебе из подъезда навстречу и нехотя зажмурил глаза в ответ на твое заискивающее «кис-кис». Ты думаешь и думаешь об этих вещах и даже не очень радуешься или, наоборот, очень радуешься, но сам этого не понимаешь, когда тебе сообщают о том, что жена твоего сына, которой ты так хотел помочь, но не помог, родила наконец, и даже не одного ребенка, а целую двойню, и теперь не надо расстраиваться, что вот хотел внука, а получилась девочка, или наоборот, потому что есть и то и другое — два человека, он и она, и оба они остаются. А ты идешь дальше. И смотришь, как та, которую ты любил всю свою жизнь, усаживается на чемоданы и говорит, что надо присесть и что прощание будет коротким, потому что краткость — сестра таланта, но ты не согласен, поскольку Чехов был очень скромным, и он имел в виду, что краткость всего лишь сестра таланта, а не сам талант, и, значит, прощание должно быть долгим. И тогда вы едете вдвоем в аэропорт, туда, «откуда ни один не возвращался», и ты успеваешь подумать: а нужны ли кавычки, и в какой момент цитата становится больше, чем бесконечный коридор зеркал в культуре, а та, которую ты любил, гладит тебя по руке, и ты не можешь вспомнить, когда еще с ней такое случалось. И потом, стоя рядом с огромным черным табло, на котором шелестят белые буквы, ты думаешь про все эти буквы, про все эти города, где несколько часов назад тоже кто-то прощался, а сейчас подлетает, и стюардесса в динамике говорит: «Пристегните ремни». И, в общем, ты уже сам не прочь пристегнуться, потому что даже в аэропорту воздушные ямы, или, быть может, летчик попался плохой, и все куда-то плывет, включая табло, пассажиров и даже тот голос, который вдруг говорит: «Что-то ты приунял. Может, тебе плохо?» Но ты отвечаешь, что хорошо, и тогда она рассказывает анекдот, историю, чтобы тебе не было грустно, и в этой истории тоже про путешественников, про одного старого-старого еврея, который никогда не отправлялся в дорогу один, потому что он очень боялся всего на свете, но на этот раз он поехал, потому что билет был только на одного или путевка, и Сара сказала, что больше путевку уже не дадут, и дети тоже сказали и даже внуки, и вот тогда он сел в поезд. А в поезде он очень переживал, и, чтобы не переживать, начал кушать, и скушал сначала курочку, потом бутерброд, потом немного картошки, а когда все закончилось, он стал макать палец в соль и облизывать этот палец, но нервничать он все равно не перестал. И вот поезд остановился на маленькой станции, и неизвестно было — сколько он должен был там простоять, но старый еврей решил, что успеет, и сошел на платформу, чтобы купить еды, а пока там ходил, подошел другой поезд, и теперь надо было бежать в обход, но старый еврей был уже очень старый и быстро бегать уже не умел, поэтому он опоздал и остался на этой станции. И уже наступила ночь, и он совершенно не знал, что ему делать, но потом увидел небольшой огонек и пошел, и там оказалась почта. А когда он спросил, можно ли послать телеграмму, ему очень вежливо сказали, что да. И он взял такой маленький бланк, посмотрел на него, подумал и написал: «Сара, где я? Беспокоюсь».

Рахиль

СОДЕРЖАНИЕ

Андрей Геласимов

Литературно-художественное издание

Андрей Геласимов

РАХИЛЬ

Редактор *Ю. Морозова*
Художественный редактор *С. Груздев*
Компьютерная верстка *А. Захарова*
Корректор *Н. Сгибнева*
Ответственный за выпуск *А. Светлова*

ООО «Издательство «Яуза». ЛР № 065715 от 15.03.1998
109507, Москва, Самаркандский б-р, 15
Контактный тел.: (095) 745-58-23.

ООО «Издательство «Эксмо»
127299, Москва, ул. Клары Цеткин, д. 18, корп. 5. Тел.: 411-68-86, 956-39-21
Home page: www.eksmo.ru   E-mail: info@ eksmo.ru

Оптовая торговля книгами «Эксмо» и товарами «Эксмо-канц»:
109472, Москва, ул. Академика Скрябина, д. 21, этаж 2.
Тел./факс: (095) 378-84-74, 378-82-61, 745-89-16.
Многоканальный тел. 411-50-74. E-mail: reception@eksmo-sale.ru

Мелкооптовая торговля книгами «Эксмо» и товарами «Эксмо-канц»:
117192, Москва, Мичуринский пр-т, д. 12/1. Тел./факс: (095) 932-74-71.
127254, Москва, ул. Добролюбова, д. 2. Тел. (095) 745-89-15, 780-58-34
www.eksmo-kanc.ru   e-mail: kanc@eksmo-sale.ru

Полный ассортимент продукции издательства «Эксмо» в Москве:
Москва, ул. Маршала Бирюзова, 17 (м. «Октябрьское Поле»). Тел. 194-97-86.
Москва, Пролетарский пр-т, 20 (м. «Кантемировская»). Тел. 325-47-29.
Москва, Комсомольский пр-т, 28 (в здании МДМ, м. «Фрунзенская»).
Тел. 782-88-26.
Москва, ул. Сходненская, д. 52 (м. «Сходненская»). Тел. 492-97-85.
Москва, ул. Митинская, д. 48 (м. «Тушинская»). Тел. 751-70-54.

ООО Дистрибьюторский центр «ЭКСМО-УКРАИНА».
Киев, ул. Луговая, д. 9. Тел. (044) 531-42-54, факс 419-97-49;
e-mail: sale@eksmo.com.ua

Полный ассортимент книг издательства «Эксмо» в Санкт-Петербурге:
РДЦ СЗКО, Санкт-Петербург, пр-т Обуховской Обороны, д. 84Е.
Тел. отдела реализации (812) 265-44-80/81/82/83.

Сеть книжных магазинов «Буквоед»:
«Книжный супермаркет» на Загородном, д. 35. Тел. (812) 312-67-34
и «Магазин на Невском», д. 13. Тел. (812) 310-22-44.

Сеть магазинов «Книжный клуб «СНАРК»
представляет самый широкий ассортимент книг издательства «Эксмо».
Информация о магазинах и книгах в Санкт-Петербурге по тел. 050.

Подписано в печать с готовых монтажей 13.09.2004.
Формат 84х90 $^1/_{32}$. Гарнитура «Хелиос». Печать офсетная.
Бум. тип. Усл. печ. л. 14. Доп. тираж 4100 экз. Заказ № 4214

Отпечатано в полном соответствии
с качеством предоставленных диапозитивов
в ОАО «Можайский полиграфический комбинат».
143200, г. Можайск, ул. Мира, 93.